le Père Goriot de Balzac

écriture, structures, significations

par

PIERRE BARBÉRIS

Docteur ès lettres
Maître de conférences
à l'École Normale Supérieure de Saint-Cloud

Librairie Larousse

7, rue du Montparnasse et 114, boulevard Raspail, Paris-VIe

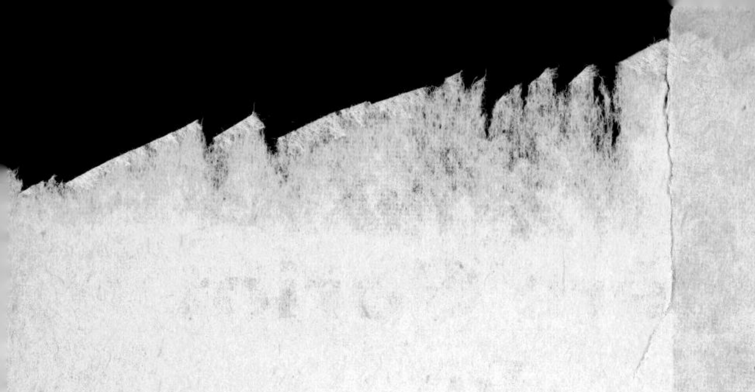

Le présent volume appartient à la dernière édition (revue et corrigée) de cet ouvrage. La date du copyright mentionnée ci-dessous ne concerne que le dépôt à Washington de la *première* édition.

Librairie Larousse (Canada) limitée, propriétaire pour le Canada des droits d'auteur et des marques pour le commerce Larousse. — Distributeur exclusif au Canada : les Editions Françaises Inc., licencié quant aux droits d'auteur et usager inscrit des marques pour le Canada.

ISBN 2-03-035010-9

Table des matières

J'ai bien réfléchi à la constitution actuelle de votre désordre social.

Vautrin à Rastignac

Il faut vous manger les uns les autres comme des araignées dans un pot...

Vautrin à Rastignac

Avant-lecture

Voici l'un des titres les plus célèbres de la littérature française. Voici aussi l'un des livres qui pendant longtemps ont été le plus mal lus et le plus mal donnés à lire. Pour deux raisons :

1. Parce qu'on l'a lu et donné à lire comme un roman « français » et « traditionnel » *(Adolphe* ou *Dominique,* ou *la Princesse de Clèves),* en lui cherchant à tout prix un point de départ interne, un héros (mais le titre, malgré les apparences, se révèle vite décevant), un centre, un dénouement, une signification claire, sans le situer dans et par rapport à l'ensemble historico-romanesque : figure d'une suite temporelle dont il est à la fois l'aboutissement provisoire et le point de départ, élément donné à lire par Balzac lui-même, auteur de *la Comédie Humaine,* à la fois comme central et marginal, centrant et excentrant, d'un ensemble jamais réellement commencé et, pour de multiples raisons et dans tous les sens, jamais réellement fini. Central et marginal, centré et excentré, texte d'un nécessaire avant-texte et d'un inévitable après-texte à lire, eux-mêmes moments entre un avant — et un après — Balzac, entre un avant — et un après — ce XIXe siècle qui n'était ni d'or ni classique, *le Père Goriot* relève d'une nouvelle pratique, à la fois copernicienne et dialectique, du roman, non de l'échantillonnage, de la maxime mécaniste ou de la monographie. Les questions que l'on s'est posées sur l'esthétique du *Père Goriot* trahissent en fait les difficultés d'une théorie de l'œuvre d'art, pour tout dire de

cette faillite et de cette panique théorique qui caractérise notre monde moderne depuis 1850.

2. Parce qu'on l'a lu et donné à lire dans la perspective moraliste (le père martyr) et dans la perspective du chef-d'œuvre (de signification, aussi bien formelle que morale, nécessairement achevée et close, assurante et rassurante), cette lecture réductrice, cette sous-lecture (qui visait un public à l'égard duquel on se sentait *responsable* de *choisir* dans Balzac, comme on avait l'habitude de choisir dans tous les textes de manière à donner du réel et du monde une image bien précise, mais ici avec de très particulières raisons) étant très étroitement liée à la précédente. Sans avant-texte et sans après-texte, le roman devenait un lieu plein et auto-défini, définitif, où ne conduisait pas Gobseck, d'où ne partaient ni Rastignac ni Vautrin et que n'avait pu connaître Derville (qui certes y est tout juste nommé — mais son client Goriot a bien dû lui raconter son histoire, et Derville la racontera à son tour à Godeschal dans la réédition de 1835 du *Colonel Chabert*). Il y avait un point de lecture du roman nécessairement extérieur au roman lui-même et à l'idée qu'on s'en faisait. Comment, il est vrai, l'admettre? Et que devenait alors le « chef-d'œuvre »? C'est que *le Père Goriot,* comme la première tragédie classique venue, s'était vu rangé dans la galerie des œuvres exemplaires et modèles. Mais est-il exemples et modèles hors de toute idéologie? Dès lors, l'ingratitude des enfants, le martyre du père, l'exemple édifiant et pitoyable étaient privilégiés aux dépens de Vautrin et de Rastignac, aux dépens de tout un aspect du père lui-même, vieux trafiquant difficilement digestible pour une lecture édifiante. Car il n'était de chefs-d'œuvre que moraux, le texte étant subordonné à une leçon morale, le style lui-même étant affaire de morale puisqu'il signifiait travail (au sens biblique) et soumission et (ou bien), — ce qui n'était pas contradictoire — pure grâce et irréductible génie. Nature complète. Grâce reçue. Effort sur soi. Travaillez comme Balzac et écrivez comme lui des œuvres morales et qui vous coûteront beaucoup. Dieu vous voit.

Relire aujourd'hui *le Père Goriot* relève nécessairement d'une mise en cause de bien des choses et du choix de perspectives concrètes. Il faut voir quel est exactement le théâtre de l'entreprise et du combat.

Très vite on n'a pas pu ne pas admettre Balzac (d'abord simple figure parisienne et représentative d'une certaine bohème ou folie littéraire) au Panthéon des chefs-d'œuvre et des morceaux choisis. Comme il avait bien fallu admettre que le XIXe siècle, malgré le romantisme, était lui aussi un siècle « littéraire » et non pas seulement stupide, qu'il avait produit (mais on était là pour empêcher que l'idée ne dévie) des « chefs-d'œuvre » qu'il y aurait eu injustice ou péril à ne pas reconnaître, car qui sait ce qu'on lira et comment on lira, si l'on n'y veille et n'y prend garde. C'est pourquoi très tôt devait commencer un travail de neutralisation et d'aseptie, Balzac, avant par exemple le Malraux de *La Condition Humaine,* se voyant annexé vaille que vaille à un humanisme, à un moralisme, à un psychologisme présentables et utilisables dans les classes et pour former « nos » enfants. De même que l'on ne disait jamais que Birotteau (Christ, lui, de la probité commerciale) avait été un truqueur conscient dans sa grande opération de parfumerie, on ne disait jamais que le vieux quatre-vingt-treize avait spéculé sur la disette en temps de révolution. Quant au couple Bianchon-Rastignac, il était présenté comme relevant de la seule problématique moraliste et du dilemme à la Berquin ou à la madame Guizot : ce qu'il faut faire et ce qu'il ne faut pas faire. Tout en étant discret sur l'argent accepté de Delphine, sur la garçonnière acceptée du père, sur les projets de fortune grâce au mari d'une maîtresse non pas aimée mais judicieusement choisie, tout en ne disant rien sur la première carrière du père, sur cet argent gagné (et comment!) au temps des soldats de l'an II. Quant à l'amitié Vautrin-Rastignac, quant à la nature exacte de la « réussite » du bel Eugène auprès de cette madame de Nucingen qui n'avait pas encore connu (nous dit *son père*!) « les douceurs de l'amour », quant aux rapports sociaux et à ce qu'ils corrompent des rapports naturels, quant au défi final, c'était le silence complet. Bref, on tirait le roman à la leçon, et l'on conviait en même temps à s'extasier sur cette merveilleuse invention « technique » du retour des personnages, toujours présentée à froid ou comme une surprenante machine dont un jour, comme ça, Balzac aurait eu l'idée. C'est dire que s'imposent, compte tenu des connaissances accumulées mais qui n'ont pas toujours tiré à conséquence, et la relecture et la re-présentation d'un texte qu'il convient d'accepter de considérer tel qu'il est, dans l'ensemble qui le porte, qui le signifie et le fait signifier.

Ce livre ne sera pas d'abord un « essai », plus ou moins hasardé, mais un instrument de travail qui vise à aider à une lecture approfondie possible, tantôt ligne à ligne et mot à mot, tantôt par déterminations d'ensembles et mouvements significatifs, à la compréhension desquels peut seul conduire le détail suivi dans son devenir d'écriture par quoi tout réellement commence, étant bien entendu que l'idée même de commencement, comme celle de clôture et de « fin » formelle, fait problème. Son usage efficace suppose d'abord une lecture ou une relecture complète du roman, puis, la plume à la main, en suivant sur le texte (de l'édition Castex, dans les classiques Garnier, qui sera ici l'édition de référence), en refaisant les analyses, en récrivant soi-même les tableaux et en suivant les fils et les ensembles qu'ils proposent de retrouver sous la foisonnante complexité du texte. Non pas donc lecture d'un essai critique de plus, mais ré-écriture à mesure par le lecteur de cet essai, dont l'auteur se refuse à dissimuler qu'il n'est d'exactitude qui ne vise à quelque chose et qu'il est des visées qui impliquent l'exactitude et si possible l'exhaustif. L'utilisateur doit refaire avec l'auteur (Balzac et le présentateur qui en parle et qui prend ses responsabilités) le chemin patient qui, des origines assignables, des premières pulsions et des premiers mots tracés qui engagent, conduit à des états plus élaborés, mais qui ne sont pas toujours nécessairement les plus révélateurs ni les plus intéressants. On étudiera d'abord les conditions d'écriture et de production : histoire de la rédaction, sources, modèles, thèmes, éléments et ensembles qui, à l'intérieur de la pratique et de la lecture balzacienne ont pu commander, orienter, lancer ou relancer le texte, s'en trouvant par là même relancés et modifiés. Puis viendra l'étude des structures et du fonctionnement du texte. Enfin, on s'interrogera sur les significations aujourd'hui lisibles, le présentateur prenant cette fois plus nettement ses risques et proposant, avec les armes d'aujourd'hui, une lecture.

Parmi les instruments de lecture proposés figurent un certain nombre de schémas, diagrammes, tableaux. Il importe de bien préciser quel est ici l'objectif visé. Ces tableaux ne prétendent ni épuiser la réalité du texte ni en fournir une explication « complète » et « pratique », un mode d'emploi. Ils visent seulement à cerner les lignes de force, groupements, continuités, interférences, mutations, ruptures, reprises, combinaisons et jeux dialectiques qui enserrent, organisent et orientent le tissu textuel. Ils n'impliquent donc nulle prétention scientiste et ne sauraient prétendre, dans leur effort de formalisation (dont il faut bien savoir qu'il comporte toujours, comme tout effort de ce genre, un risque de réduction), à quelque assurante scientificité pourvoyeuse de définitives et communicables lumières. Il s'agit de mettre en forme de manière plus directement lisible, et par ensembles, ce qui dans les présentations critiques discursives n'apparaît que d'une manière linéaire et sans que se manifestent les interférences autant que les relais. D'autre part, si cette formalisation permet de repérer les filiations et les mises en rapport, elle permet souvent de repérer des rapports *qui ne s'établissent pas* et dont la signification est elle-même très importante. Il convient en somme d'éviter un double péril : le péril impressionniste des narrations critiques (inséparable d'une certaine confusion anti-scientifique), le péril positiviste et scientiste des aide-mémoire figés. Refuser la formalisation, c'est cautionner l'impressionnisme. En faire un fétiche, c'est tomber dans la pédagogie de l'imposé. Tout discours, et singulièrement critique, se situe entre un non-dit qu'il s'agit de s'approprier et de lire, et un dit qui risque de se bloquer et de bloquer. Un discours peut bien être pur à condition de n'être pas. Mais dans quel piège risque de faire choir le refus du discours? La parole est toujours à l'action et, si les tableaux de ce livre sont nécessairement incomplets, arbitraires, leur lisibilité autant que les nécessités typographiques forçant à les simplifier, le tableau idéal est au fond celui qu'on trace à mesure, la craie en main, devant des auditeurs ayant le texte sous les yeux et qui réfléchissent, interrogent et proposent des modifications. Une formalisation n'a de valeur que si, permettant d'aller au-delà de l'impression, elle n'est pas pour autant résolution définitive. La parole et le pouvoir (de lire) sont ici, non pas à l'imagination ou à l'autorité, mais à l'action lucide, informée, volontaire, et ayant le sens de l'aventure du réel comme du texte.

Beaucoup de choses ont été découvertes, dites, enseignées et apprises sur *le Père Goriot.* On en fera ici le recensement, le bilan, la critique. État, donc, des connaissances souvent dispersées sur le texte. Mais on proposera aussi des éléments nouveaux tant d'information que de mise en perspective et de lecture. Il faut souligner l'importance de l'édition Castex. On proposera souvent autre chose, mais dans toute démarche scientifique il n'est de bond en avant que tenant compte de ce qui est assuré. Une connaissance et une pratique approfondie de cette édition qui a fait date, et d'après laquelle nous donnons les références au texte définitif du roman tel qu'il a été établi en tenant compte des dernières indications de Balzac, sont donc indispensables à l'utilisation de ce livre. C'est également à cette édition qu'on renvoie le lecteur pour les variantes du manuscrit.

Pour les états successifs du texte on a adopté les sigles suivants :

I[1] *: Texte dit du « feuillet Sina ».*
I[2] *: Texte du manuscrit.*
II : Texte paru en 1834-1835 dans la Revue de Paris, *après corrections sur épreuves.*
III : Texte de l'édition originale chez Werdet (1835).
IV : Texte de la seconde édition Werdet (1835).
V : Texte de la troisième édition Werdet (1837).
VI : Texte de l'édition Charpentier (1839).
VII : Texte de l'édition Furne de la Comédie humaine *(1843).*
VIII : Texte du « Furne corrigé » de la main de Balzac.

Les renvois à l'édition Castex sont donnés par des chiffres seuls (000); les renvois au présent ouvrage sont indiqués par : (voir p. 00).

Textes à lire

Références et problématique

On se reportera à Pierre Barbéris, *Balzac, une mythologie réaliste,* Larousse, 1971. La présente étude se propose, à partir d'un texte particulier, de reprendre, d'approfondir et de relancer des analyses et des mises en perspective déjà amorcées dans ce livre.

Bibliographie indicative concernant « le Père Goriot »

Textes

L'ouvrage de base est l'édition procurée par P.-G. Castex dans les Classiques Garnier (1960).

Deux éditions au format « poche » ont été récemment publiées, l'une aux Editions Générales Françaises (Livre de Poche), par Nicole Mozet, l'autre aux éditions Gallimard, dans la collection « Folio », par Thierry Bodin, préface de Félicien Marceau.

Études et articles

Barbéris P. — *Balzac et le mal du siècle,* Gallimard 1970, tome II.
— *Le Monde de Balzac,* Arthaud 1972.
— *Mythes balzaciens,* A. Colin 1972.
Bardèche M. — *Balzac romancier,* Plon 1940, ch. XII, éd. résumée, ch. XI.

— Notice sur *le Père Goriot*, in Œuvres complètes de Balzac, Club de l'Honnête Homme 1960.

Bertaut J. — *Le Père Goriot de Balzac*, Sfelt 1947.

Bonnard O. — *La peinture dans la création balzacienne, invention et vision picturale dans « la Maison du Chat-qui-pelote »*, Genève, Droz 1969.

Bruneau Ch. — *La langue de Balzac*, C.D.U. s.d.

Chancerel A. et Pierrot R. — *La véritable Eugénie Grandet*, Revue des Sciences humaines, oct-déc. 1955.

Conner J.W., — *Vautrin et ses noms*, Revue des Sciences humaines, été 1959.

Dagneaud R., — *Les éléments populaires dans le lexique de « la Comédie humaine »*, 1954.

Fargeaud M., — *Les Balzac et les Vauquer*, l'Année Balzacienne 1960.

Gaudon J., — *Sur la chronologie du « Père Goriot »*, l'Année Balzacienne 1967.

Hoffmann L.-F. — *Les métaphores animales dans « le Père Goriot »*, l'Année Balzacienne 1963.

Kozintsev J., — *King Lear* (1941), in *Shakespeare in the Soviet Union*, Moscou, 1966.

Lotte F., — *Le retour des personnages dans « la Comédie humaine »*, l'Année Balzacienne 1961.

Michaud G., — *L'œuvre et ses techniques*, Nizet 1957.

Milner M., — *La poésie du mal chez Balzac*, l'Année Balzacienne 1963.

Mozet N., — *La description de la maison Vauquer*, l'Année Balzacienne 1972.

Pommier J., — *Naissance d'un héros : Rastignac*, Revue d'Histoire Littéraire de la France avril-juin 1950.

— *L'invention et l'écriture dans « la Torpille » d'Honoré de Balzac*, Minard 1957.

Pugh A.R., — *Personnages reparaissants avant « le Père Goriot »*, l'Année Balzacienne 1964.

Raiser G.B., — *Guide to Balzac's Paris*, Choisy-le-Roi 1964.

Uffenbek L.-A., — *Balzac a-t-il connu Goriot?*, l'Année Balzacienne 1970.

Vernière P., — *Balzac et la genèse de Vautrin*, Revue d'Histoire Littéraire de la France, 1948.

1

Un texte et son écriture

Rédaction et publication

Balzac a commencé à écrire *le Père Goriot* comme une nouvelle pour revue, au château de Saché, en septembre 1834, alors qu'il se relevait mal des efforts que lui avait demandés *la Recherche de l'Absolu.* Très vite, comme *la Peau de Chagrin,* comme *le Médecin de Campagne,* comme *Eugénie Grandet,* l'œuvre prit des proportions nouvelles et le 22 octobre Balzac annonce à son imprimeur Evrat : *« Le Père Goriot* est devenu sous mes doigts un livre aussi considérable que l'est *Eugénie Grandet* ou *Ferragus. »* Buloz, qui attendait une simple nouvelle à publier en une seule fois dans sa *Revue de Paris,* et dont les lecteurs espéraient depuis juillet la suite de *Séraphîta,* devra accepter d'étaler la publication sur plusieurs livraisons. Balzac se montre assez inquiet à ce sujet, et il lui faudra livrer bataille pour s'imposer. C'est que, pour les directeurs, qui devaient tenir compte des servitudes de leurs publications et des habitudes de leurs lecteurs, il demeurait le « contier » de 1831-1832, et l'on avait du mal à faire sa place au romancier à qui il fallait de plus en plus d'espace. De retour à Paris, vers le milieu d'octobre, Balzac écrit environ 30 feuillets qu'il considère comme devant constituer « le tiers environ de l'œuvre », mais qui ne formeront finalement que moins du cinquième du manuscrit définitif (172 feuillets) : le processus d'amplification et de développement n'est pas encore stabilisé. Il ne saurait donc être question, comme l'ont souvent dit des biographes, d'un *Père Goriot* écrit à Saché et terminé dans l'enivrante, exténuante et spectaculaire solitude de quelque petit matin. Dans les semaines et les mois qui suivent, Balzac accomplit un extraordinaire effort. En novembre : vingt heures quotidiennes. En décembre, on revient, sur l'injonction des médecins, à neuf heures, les soirées étant libres. Puis c'est la correction des épreuves pour la copie déjà livrée. Le 14 décembre une première tranche paraît dans la *Revue de Paris.* En note Buloz s'explique avec ses abonnés :

> La *Revue de Paris* a souvent annoncé la fin d'une Étude philosophique commencée dans ce recueil par M. de Balzac en juillet dernier. La *Revue,* comme l'auteur, espéraient de jour en jour pouvoir la donner. La majorité du public français s'étonnera peut-être de cette observation; mais le petit nombre de personnes auxquelles cette œuvre a pu plaire comprendront les travaux matériels qu'elle a nécessités, et qui se sont multipliés par eux-mêmes. Les traités mystiques (rares pour la plupart) qu'il est nécessaire de lire ont exigé des recherches, et se sont fait attendre. Malgré le peu d'importance que les lecteurs attachent à ces explications, il était indispensable de les donner, pour l'auteur et pour la *Revue,* du moment où M. de Balzac publiait, avant de terminer *Séraphîta,* un ouvrage aussi considérable que l'est *le Père Goriot,* espèce d'indemnité offerte aux lecteurs et à la *Revue.*
>
> La fin de *Séraphîta* paraîtra d'ailleurs dans le prochain volume.

On appréciera cette « espèce d'indemnité ». Pour les lecteurs de 1835, pour Balzac lui-même, entre *Séraphîta,* qui relevait de la « littérature » et *le Père Goriot,* qui n'en relevait pas encore, l'ordre hiérarchique ne faisait aucun doute. Mais les valeurs sont aujourd'hui inversées, et c'est bien *le Père Goriot,* impromptu tragique que Balzac mit plus de quatre mois à écrire, qui a ouvert la voie à toute une nouvelle littérature.

Pour fournir, et pour faire l'œuvre qu'il entend faire, Balzac force l'allure : il voudrait rejoindre Mme Hanska à Vienne le 26 janvier. Il ne le pourra pas. Le 28 décembre paraît une seconde partie, puis le début de 1835 marque un certain repos. Mme de Berny, au cours d'un bref séjour à la Bouleaunière de son ex-soupirant, prend connaissance de la livraison du 28 décembre. Le temps a marché depuis le premier texte de lui qu'elle avait lu, ce *Jean-Louis, ou la Fille Trouvée,* en 1822... Balzac se remet au travail après cet intermède. L'arrestation de Vautrin, la maladie de Goriot le prennent tout entier. La *Revue de Paris* refuse d'accélérer la publication. Résultat : le 26 janvier, au lieu d'être à Vienne, Balzac termine son roman. *« Aujourd'hui,* a été fini *le Père Goriot »,* écrit-il à madame Hanska, et c'est lui qui souligne. La *Revue de Paris* avait donné la troisième livraison la veille (25 janvier) et devait en finir le 11 février. Le 8 mars, elle publiait une préface.

Dès le 6 janvier, Balzac avait signé un contrat avec Werdet (libraire rue des Quatre-Vents, celle du Cénacle d'*Illusions Perdues*!) et Vimont pour la publication en volumes sitôt que seraient éteints les droits de la *Revue de Paris.* Balzac, d'autre part, éteignait ainsi les droits de Vimont à qui il avait promis une seconde édition des *Chouans.* Les deux volumes parurent le 2 mars (annonce de la *Bibliographie de la France* du 28 février). Pour des raisons qui échappent, le nom de Vimont ne parut pas sur les couvertures de l'édition originale et fut remplacé par celui de Spachmann. Cette première édition, abusivement baptisée « seconde », les quatre livraisons de la *Revue de Paris* étant considérées comme l'originale, était précédée d'une longue préface, dans laquelle Balzac se défendait contre le reproche d'immoralité.

Modèles, sources, thèmes

Le vrai sujet du roman?

Le Père Goriot est un roman d'une grande complexité, carrefour et point d'origine. Mais ce roman n'existe et ne se lit vraiment que par tout ce qui constitue son avant-texte puis son après-texte. Car tout est loin de commencer absolument avec « *Madame Vauquer, née de Conflans, est une vieille femme qui tient depuis quarante ans à Paris une pension bourgeoise établie rue Neuve-Sainte-Geneviève* » et tout est bien loin de se clore avec *« Il revint à pied rue d'Artois ».* Le « depuis quarante ans » de la première ligne du manuscrit et la relance dans les éditions successives de la dernière phrase marquent déjà qu'introduction et conclusion ne sont qu'illusoires frontières et concessions à la nécessité. Dès le manuscrit de même il est dit que Rastignac aura tout un avenir : tout vient de loin, tout va vers autre chose, l'histoire contée, les héros présentés et choisis parmi d'autres, comme le réel transcrit, utilisé, trié, dit lui aussi dans une masse immense de disponible déjà dit, à demi dit ou à dire. Ceci se manifeste assez dans l'embarras des lectures traditionnelles auxquelles il faut absolument un sujet. Quel est-il ce sujet? La mort de Goriot? Le premier projet, sur l'album de Balzac, ne fait aucun doute : « un brave homme — pension bourgeoise — 600 francs de rente — s'étant dépouillé pour ses filles qui toutes deux ont 50 000 francs de rente — mourant comme un chien ». Mais qu'y vient faire Vautrin? Et l'histoire de Rastignac? C'est avec Rastignac, héros quand même, que l'on croit le plus souvent se tirer d'affaire : le sujet serait son éducation, ce qui implique une suite. Mais, en fait, *le Père Goriot,* contrairement au roman traditionnel, et souvent au roman d'après lui, n'a pas réellement de centre, « histoire » ou personnage. Le sujet en est-il le calvaire d'un père, ou l'initiation d'un jeune homme aux mystères sociaux? Tout y tient-il à un motif central, dont les autres ne seraient que l'illustration? Par exemple, l'histoire de Mme de Beauséant n'a-t-elle pour intérêt que d'illustrer l'idée de cruauté, de l'inhumanité parisienne, et le discours de l'héroïne n'a-t-il pour intérêt que de « préparer », d'habile et rhétorique manière, celui de Vautrin, à lui seul sommet et comme morceau choisi destiné aux anthologies? Ou bien tout ceci vaut-il en soi et par soi, ce qui n'empêche d'ailleurs nullement les effets de composition? Le vrai sujet sur lequel a travaillé Balzac ne serait-il pas : comment traiter tant de texte possible et tant de sujets qui attendaient de pouvoir passer outre aux diverses censures ou retards que constituaient les choix d'écriture précédents? On a longtemps voulu, pour des raisons éthiques et esthétiques dont il faut lire l'idéologie, centrer l'ensemble sur les « sacrifices » et sur les douleurs d'un père abandonné par ses filles. Mais alors pourquoi le « sujet » est-il mis en cause par de si nombreuses et récurrentes interférences? En fait, seule l'histoire précisément chronologique, seule la génétique de cette écriture permettent de rendre compte de la richesse et des multiples présences et manifestations dans le texte. Chez Balzac, dès les premiers écrits, comme on le voit dans l'histoire de *la Peau de Chagrin,* comme il est arrivé pour *le Médecin de Campagne,* écrire un roman n'est pas creuser un sillon aigu, de plus en plus aigu, douloureux et vrai, c'est rassembler, puissamment, mais aussi de manière toujours allusive et incomplète, divers éléments préexistants; c'est mener de front un immense travail d'assemblage et et de fusion qui pourtant jamais n'achève ni ne s'achève et qui à son tour censure ou met en réserve ou dévie, alors même qu'il promeut à l'existence et à la lecture. Ni au centre de la création balzacienne, ni à son point d'aboutissement ne se trouvent l'anecdote, l'expression du seul moi, ou la promenade dans l'univers des autres d'un héros chargé de tout dire et de tout exprimer. Sans doute Balzac s'exprime en exprimant tout un monde : banalité? Non, si on lui donne un sens. La composition et l'organisation du *Père Goriot* sont déroutantes parce qu'elles correspondent à une vision et à une manière très particulière d'écrire : cette manière-forme étant peut-être, sans que pour autant le réel repéré et signifié, dénoté, connoté ou découvert en soit diminué pour ce qui est de son pouvoir de signification, le lieu véritable et l'efficacité vraie de l'acte d'écrire. Le système du retour des personnages, inauguré à plein avec ce roman et si souvent invoqué, ne permet à lui seul de rendre compte des interférences, entrecroisements et relances que de manière extérieure et toute formelle. En fait, le retour des personnages n'est que la formulation apparente de tout un système souterrain de présences et de récurrences et du besoin de dire qui relèvent non d'une banale technique, mais d'une expérience personnelle exceptionnelle ayant engendré une vision et, au sens le plus fort du terme, comme on aurait dit dans l'*Encyclopédie,* un « art ». Les éléments, ou les étapes, ou les moments du dit ou du vouloir-dire antérieurs doivent, pour la commodité, être classés. On peut, on doit, suivre d'abord la chronologie des affleurements et des essais. Puis, lorsque la pratique écrivante semble s'assurer, lorsque le paysage se stabilise, on peut, on doit, à moins de vouloir dénier à l'ensemble continu toute espèce de rationalité, voir les choses et les problèmes selon certaines séries [1].

Les Vauquer

C'est par un nom propre sans doute que le futur univers balzacien du *Père Goriot* interfère pour la première fois avec l'univers d'Honoré Balzac : celui de la famille Vauquer. C'était une famille de Tours, proliférante et ramifiée à l'infini (comme celle des Minoret à Nemours, dans *Ursule Mirouet*), que les Balzac avaient de bonnes raisons de connaître : c'est à un Vauquer, qui avait été, comme Bernard-François Balzac, dans l'administration préfectorale de l'Indre-et-Loire, que fut achetée en 1804 la ferme de Saint-Lazare, et c'est au pensionnat de demoiselles Vauquer que furent élevées Laure et Laurence Balzac. Mais il y a mieux : au 21 rue de la Clé, à Paris, face à Sainte-Pélagie, tout près de la rue Neuve-Sainte-Geneviève, se trouvait une pension bourgeoise, propriété d'une veuve Vimont, apparentée aux Sallambier (la famille de la mère du romancier) et, dans cette même pension Vimont, était venue finir ses jours, en 1809, une Marie-Michelle Vauquer, apparentée, elle, aux Vauquer de Tours. La disposition des lieux, que Balzac a dû connaître, telle qu'elle ressort de l'inventaire dressé après faillite en 1831, présente des analogies frappantes avec celle de la pension Vauquer.

Certains des thèmes, majeurs ou mineurs, du *Père Goriot*, apparaissent ensuite et très tôt dans la carrière de Balzac, déjà liés à des expériences, à des modes d'expression, relevant d'une certaine vision.

---

1. Il était absolument impossible, dans ce qui va suivre, de séparer de manière radicale les problèmes d'information et de documentation d'une part, les problèmes d'interprétation de l'autre. La préexistence de thèmes et de sujets qui joueront un rôle dans *le Père Goriot* (qu'ils soient balzaciens ou extra-balzaciens) ne peut se constater et se lire de manière valable, si elle est séparée du devenir romanesque et de l'écriture. Si l'on s'interroge sur les « sources », on s'interroge déjà sur leur mode d'utilisation. On anticipera donc ici nécessairement sur l'étude des significations. Seule une critique mécaniste peut séparer les problèmes de fond (mais qu'est-ce qu'un « fond » qui n'a pas de forme?) des problèmes de forme (qu'est-ce qu'une forme qui, tout en accomplissant son travail de signification, ne partirait pas au moins d'un [sous]-signifié?).

La famille

Dès 1819, dans une lettre de Laurence, alors que son frère est cloîtré dans la mansarde de la rue Lesdiguières, figure un « journal de Villeparisis » qui est le premier état de la future lettre de Laure de Rastignac :

> Hier le roi a été à la messe, je me trompe Sa majesté n'y va jamais. Hier le roi a signé le contrat de mariage de Mlle... non, il n'a rien signé car les princesses ses filles ne se marient pas. Hier le roi a eu froid aux jambes, c'est vrai sa chambre est glaciale et il n'y a pas de bourrelets aux portes.
>
> Hier la reine a eu une douleur d'épaule assez forte les médecins ont jugé que c'était le vent des fenêtres de son salon; on fait espérer que la guérison de Sa M... sera prompte, il y a beaucoup d'oies dans le pays, ils viennent tous devant la rigole du château ce qui importune la reine, elle a été éveillée en sursaut par ces individus, Sa M... n'ayant pas de capitole à sauver a été très fâchée qu'ils aient troublé son sommeil.
>
> 22 octobre. La naissance de Sa majesté la Reine, Anne, Charlotte, Laure, Sallambier, devait être célébré. Sa M. ayant toujours, en vue le bonheur de ses sujets désirait des réjouissances, mais le Roi considérant le bien de l'état, a voulu que l'anniversaire d'un si beau jour se passe sous silence. Cela a fait un crève cœur aux princesses qui devait passer leur robe des Dimanches pour aller engager les dames de Bernis, voici la fête qu'il devait y avoir il faut au moins que vous en ayez la fumée; la princesse Laurette l'esprit de la famille avait tourné une prose au cousin Sallambier pour qu'il convertisse le bouquet de fausses fleurs, en *boustifaille,* le dit parent aurait donc apporté une brioche toute chaude de chez le fameux Carpentier, un biscuit de Savoie et des marrons de Lyon grillés; puis aurait amené quelques pastoureaux dansants.
>
> ....
>
> Le roi est toujours bon, tout lui est indifférent. Il ne tient pas à la *Charte* des repas car il se fait servir un gros dîner à 9 h du matin. A 5 heures, ne mange qu'une poire et se couche de très bonne heure. La Douarière est plus que jamais dans ses nerfs, elle dit après tout le monde, s'ennuie beaucoup, se plaint toujours, voudrait mourir et a un *vesillon* terrible, c'est très naturel. La

reine est toujours bonne mère, elle est bien heureuse d'avoir loué son appartement et bien plus contente encore d'avoir cédé ses rideaux verts à Mᵉ Jaffa qui lui en donne 60 francs.

La reine espère que le guignon n'est plus sur la France. La princesse Laure est toujours charmante aimable gaie, douce comme un ange, nous nous aimons beaucoup, nous vivons ensemble comme des cœurs. Je l'admire, elle a été créée un jour de fête; son cœur est sorti parfait des mains de la nature. Je veux la prendre pour modèle. Je *veux* lui ressembler, dussé-je y mourir à la peine. Henri n'est encore qu'un enfant ordinaire, il a des moyens, il les mettra à profit il faut l'espérer.

Balzac, ici, a recopié. Et comment ne pas sursauter lorsque, dans la même lettre, Laurence parle d'un certain M. Guy « toujours la mouche du coche, on le voit aller et venir, placer les dames [...]. Je croyais lui entendre dire mes anches ! mes anches ! mes anches ! », ce qui conduit à la fois au jargon tudesque de Nucingen et à l'exclamation de Goriot mourant ? Balzac n'a eu qu'à puiser dans ces souvenirs d'innocence et de belle saison : Honoré, rue Lesdiguières, rêvant fortune et réussite, et là-bas la charmante petite sœur, admirative et vive. C'est le positif de la vie de famille et de la vie privée. Mais voici l'exact inverse.

Fille et père

En 1822, dans le premier manuscrit de *Wann-Chlore*, apparaît très précisément la situation maîtresse du roman de 1835 :

La grand'mère madame Guérin, veuve depuis longtemps d'un fermier général, demeurait toujours avec sa fille madame d'Arneuse. Avant la révolution, madame Guérin avait marié sa fille à M. d'Arneuse par suite de l'ambition qui poussait tous les financiers à rechercher l'alliance des maisons nobles. Cet honneur ne s'obtenait qu'au moyen d'une très riche dot, et alors M. Guérin sacrifia une partie de sa fortune pour faire de sa fille une femme de qualité. Si M. d'Arneuse ferma par cette mésalliance la porte des chapitres à ses filles, il se ferma aussi la porte de l'hôpital, où il était sur le point d'entrer.

Il résulta de cette union des choses fâcheuses. Mademoiselle Guérin, devenue madame la marquise d'Arneuse, donna l'essor à l'orgueil, sa passion dominante. Elle punit sévèrement sa mère d'avoir désiré ce mariage; elle l'écarta de son hôtel, la bannit de ses réunions, l'écrasa par son luxe, et la méconnut tout-à-fait.

Le bonhomme Guérin pleura ses écus; madame Guérin, la bonté même pleura l'aveuglement de sa fille sans se plaindre, et l'excusa même quelquefois auprès de l'avare fermier général. Madame d'Arneuse, ivre de vanité, *finit par ne plus voir son père.*

Il est curieux de constater que, lorsque Balzac rééditera ses romans de jeunesse en 1836, *Wann-Chlore* devenant *Jane-La-Pâle,* il corrigera ainsi la fin de ce passage : « Mme d'Arneuse,ivre de vanité, finit par ne plus recevoir sa famille », comme s'il avait voulu empêcher ses lecteurs de noter une filiation trop directe. Mais l'intérêt de ce passage de *Wann-Chlore* n'est pas seulement de situer la naissance d'un thème formel : les Sallambier, en effet, qui avaient de l'argent gagné dans le négoce, avaient donné leur fille à Bernard-François Balzac qui n'en avait guère, mais qui appartenait à cette « nouvelle classe » politique de l'Empire, à cette aristocratie administrative pleine de prestige et d'avenir.. Bernard-François devait être un bien mauvais gestionnaire de la fortune familiale, et la grand-mère Sallambier qui aimait tant Honoré, lequel utilisa plus d'une de ses confidences, plaint souvent sa fille dans ses lettres d'être tombée en si mauvaises mains. Cette même fille, au temps de sa splendeur, à Tours avait-elle continué de voir sa famille et son père à qui elle devait tant? Mme Guérin est trop évidemment la grand-mère Sallambier, Mme d'Arneuse est trop évidemment Mme Balzac dans l'ensemble du roman, et Honoré, par l'intermédiaire de ce personnage, règle trop évidemment ses comptes avec sa mère pour qu'on puisse au moins ne pas se poser la question [2].

---

2. Il est hors de question, par contre, que Balzac ait pu songer à son propre père. Il est possible qu'il ait construit, contre l'image maternelle, l'image du père vengeur et fort. Mais il faut alors chercher du côté de M. d'Espard, dans *l'Interdiction,* à la rigueur de M. de Restaud, en aucune manière du côté de ce « Christ de la paternité » auquel on se demande comment aurait bien pu conduire l'ondulant et sachant survivre ancien adjoint au maire de Tours.

Une différence importante toutefois sépare le texte de 1822 de celui de 1835 : M. d'Arneuse, conformément à toute une réalité XVIIIe siècle et « douceur de vivre » aussi bien qu'aux canons libéraux de l'époque Villèle, est un dissipateur sans dignité et sans réel intérêt critique. Il est tué pendant l'émigration au cours d'un duel à Coblenz pour une affaire de jeu. M. de Restaud au contraire sera un homme digne dont le dandysme et l'aristocratisme ne sont que bien rapidement suggérés (son arrivée en voiture, le tutoiement de l'amant de sa femme), gardien de la morale et des valeurs. Concession de Balzac royaliste à une image qu'il tient à donner de la Restauration? Ce n'est pas si sûr ni si simple. C'est dans l'organisation même du roman qu'il faudra trouver l'explication : pour mieux souligner la folie d'Anastasie, il faudra lui donner un époux qui soit l'exact contraire d'elle-même, la « psychologie » de Restaud étant commandée par la signification d'un ensemble.

L'arriviste

C'est dans *Annette et le criminel,* en 1823, qu'apparaît Charles de Serigné, le jeune arriviste sans scrupules qui parvient par les femmes et dont procédera évidemment Maxime de Trailles. Mais l'amant d'Anastasie de Restaud ne sera que l'une de ses possibilités de développement symbolique et littéraire. Charles, en effet, s'il devient l'amant de la maîtresse d'un duc pour faire son chemin et s'il tourne vite à l'odieux (en abandonnant par exemple sa cousine Annette, dont il n'a pas dédaigné les économies, comme plus tard un autre Charles, dans *Eugénie Grandet*), se convertit finalement et reconnaît la supériorité d'Annette. Ainsi paraît, sous le thème de l'ambitieux, le thème du jeune homme lancé à la découverte du monde, disponible et bon au départ, mais que vont corrompre plus ou moins profondément et de manière plus ou moins définitive le spectacle et la pratique de la « civilisation ». Il y a en Charles de Serigné du Rastignac aux deux sens du terme : le Rastignac *vécu* (l'une des incarnations du *moi* profond de Balzac), mais aussi le Rastignac *vu* et rencontré dans la jungle parisienne. Or, ce personnage du jeune homme qui découvre Paris et les mystères sociaux se trouve dans *le Vicaire des Ardennes* dès 1822, avec Joseph, porteur déjà du même prénom et s'exprimant en termes presque identiques que le jeune Bridau, autre découvreur en 1841 dans *la Rabouilleuse* de Paris et de la « civilisation ». Joseph reste sur l'orbite du poétique et de la pureté sentimentale, alors que Charles de Serigné évolue vers le monstrueux. Mais on voit bien comment, à partir d'une expérience et de tentations personnelles, Balzac a, très tôt, conçu le roman d'éducation d'un jeune homme ardent et capable dans le monde moderne. Il a pensé d'abord dans *le Père Goriot* distinguer Massiac, porte-parole de la jeunesse naïve, et Rastignac, lion arrivé de la société parisienne, et ce n'est que dans un second mouvement qu'il a fondu en un seul personnage ces deux tentations et possibilités de son moi, retrouvant ainsi, dans un héros d'une grande richesse et suprêmement contradictoire, les deux orientations de sa création de jeunesse.

Le mandarin

Toujours dans *Annette et le Criminel,* apparaît dans le sermon de l'abbé de Montivers qui démasque les crimes sociaux et les crimes « cachés », le thème fameux du mandarin :

> Toi, là-bas, si par un regard tu pouvois tuer, à la Nouvelle-Hollande, un homme sur le point de périr, et cela sans que la terre le sût; et que ce demi-crime, dis-tu dans ton cœur, te fit obtenir une fortune brillante; ne serois-tu déjà dans *ton* hôtel, dans *ton* carosse? tu dirois : Mes chevaux, ma terre et mon crédit! tu n'hésiterois pas à répéter : Un homme d'honneur comme moi!

Ce n'est pas un ami qui parle ici et le ton est raide, excluant toute compréhension complice, mais le dilemme est fortement posé, qui force à réagir.

Les parents pauvres

Voici un autre affleurement textuel qui dit que quelque chose est là, depuis longtemps, qui n'a pas encore « pris » en personnages et en sujet plein de romans, qui pourra prendre, mais pas dans n'importe quelle condition. L'abbé de Montivers, parmi les crimes cachés, cite :

> ici quelqu'un a refusé sa porte à *des parents pauvres* ou peu nobles, sous prétexte qu'ils étaient ennuyeux.

En 1834, revoyant ses épreuves pour la *Revue de Paris*, Balzac introduit le personnage de Mme de Beauséant par l'intermédiaire d'un autre personnage, Mme de Marcillac, qui ne figurait pas dans le manuscrit, et il écrit :

> Après avoir secoué les branches de l'arbre généalogique, la vieille dame estima que, de toutes les personnes qui pouvaient servir son neveu, parmi la gent égoïste des parents riches, madame la vicomtesse de Beauséant serait la moins récalcitrante.

Mais c'est en 1846 seulement que Balzac écrira *les Parents Pauvres.*

En 1823, outre que seule une situation abstraite est évoquée, d'une manière très générale et parmi d'autres exemples eux aussi abstraits et généraux, on remarque que les parents pauvres sont mis sur le même plan que « peu nobles », ce qui va dans le sens d'une tradition romanesque et d'une pratique qui remontent aux XVIIe et XVIIIe siècles : le clivage social se situait encore au moins autant au niveau naissance/nature ou noblesse d'origine certaine/noblesse d'origine impure qu'au niveau richesse /non richesse. Dans *la Nouvelle Héloïse* même, Saint-Preux était séparé de Julie et de sa famille autant par son manque de naissance que par sa pauvreté. Et alors que la bourgeoisie va remplacer l'aristocratie comme classe repère, que les problèmes argent/non-argent tendent à se substituer aux problèmes naissance/non-naissance, le poids des schémas littéraires conduit dramaturges et romanciers à faire du pathétique à coup de situations dépassées, ou en train de l'être, par l'évolution objective des rapports sociaux. En 1824 donc, Balzac s'inscrit dans cette continuité. Mais la réactivation du thème noblesse/non-noblesse par la Restauration peut expliquer aussi ce choix, qui n'est pas qu'une concession, mais une prise de mesure de la réalité. On notera aussi, dans le sermon de l'abbé de Montivers, l'expression « refuser sa porte » : les relations avec les parents pauvres ne sont pas saisies dans des rapports complexes et menus au sein même de la vie des familles mais dans une perspective simplifiée dedans/dehors. Ce peut être directement édifiant et démonstratif. C'est de la fable ou de l'apologue. Ce n'est pas du roman. De plus les choses ne sont vues que du point de vue des riches. Les pauvres sont bien dehors : hors de la vie, hors du texte.

Dans l'addition de 1834, on note un premier renversement : les choses sont vues non du point de vue des riches, mais de celui des pauvres qui cherchent à se faire admettre par les parents riches. Mais aussi, c'est à l'intérieur même de l'univers noble (Mme de Marcillac a jadis été présentée à la Cour) que se pose le problème parents pauvres/parents riches. L'unité fournie par la naissance et l'appartenance à la classe terrienne devient, est devenue illusoire, et la noblesse comme facteur d'homogénéité se dissout. On devine d'ailleurs des contradictions qui viennent de loin — la noblesse de province (très proche des paysans : mode de vie, revenus, la vigne et son produit « tout industriel », la boisson familiale faite avec les moûts du pressoir) s'oppose à la noblesse de cour (proche du pouvoir et des prébendes, liée à l'appareil d'Etat) —, mais qui se sont aggravées : la Révolution n'a pas arrangé les affaires de la petite noblesse de province, et la noblesse parisienne, avec la Charte, le régime constitutionnel et les indemnités Villèle s'est introduite plus encore que par le passé dans l'appareil d'État, s'est emparée d'une partie du budget, est entrée dans le monde des affaires (voir sur ce point, précisément, *la Duchesse de Langeais* en 1833, et dès 1830 *le Bal de Sceaux*). Ainsi le schéma se dessine : les parents pauvres veulent entrer dans l'univers fermé des parents riches, la clôture du côté de ces derniers étant celle de la richesse mais se renforçant de la clôture sociale des rites et privilèges mondains. La Société du Faubourg est une société fermée : aux roturiers d'abord, (Montriveau aura le plus grand mal à s'y faire admettre), mais une fille Goriot a épousé avec ses millions un comte de Restaud, et une autre fille Goriot, mariée, elle, à un banquier, finira par être admise et par être invitée au bal de la maréchale de Carigliano. On voit bien d'ailleurs quelles zones existent et se dessinent où s'amorcent fusions et confusions :

le théâtre, où se retrouvent, quitte à se jalouser et à s'envier, les dames de la haute bourgeoisie et celles du Faubourg; la noblesse d'Empire, qui fait le lien entre les deux mondes. Ainsi le problème parents pauvres/parents riches s'inscrit-il dans un vaste complexe de forces qui sont vues et nommées ou suggérées; complexe donné certes directement par l'écriture romanesque, mais surtout donné à lire, conformément au schéma ascensionnel qui correspond à la jeunesse du siècle et au grand mouvement des ambitions et de l'argent, dans la perspective vectorielle de la pénétration de pauvres dans le monde des riches et de la conquête de situations par des pauvres. C'est là un univers ouvert, et aussi un schéma littéraire ouvert. Quels sont les parents riches qui peuvent constituer le maillon le plus faible du système des nantis et sur quoi peuvent peser les pauvres et les non-pourvus? Tout un avenir romanesque se met ici en place.

Le choix de Mme de Beauséant comme maillon faible est très significatif. Ce n'est plus le thème de la noblesse parisienne accueillant, au nom des lois du sang et pour jouer le jeu noble, des parents éloignés. Ce n'est pas le thème de Chateaubriand, de d'Artagnan ou de Sigognac à qui leur père remet sa vieille épée et quelques louis pour les adresser à quelque M. de Tréville qui saura bien, qui devra bien leur donner une chance dont ils sauront se rendre dignes. Le recours, chez Dumas et chez Gautier, aux antiques rapports nobles pour situer leurs héros, résultera d'ailleurs d'une volonté plus ou moins délibérée d'occulter la toute-puissance de l'argent dans les rapports sociaux bourgeois. Chez Balzac les choses se passent autrement. Mme de Beauséant, dont l'histoire est connue, mais seulement en partie écrite, — qui donc est libre, disponible pour autre chose, qui appelle autre chose — si elle est une héroïne noble, est aussi et surtout — autre manifestation de la dissolution du fait noble comme facteur d'homogénéité — une héroïne de la vie parisienne et privée, une femme malheureuse. Aimante, sincère, bien différente de la sèche duchesse de Langeais que seule le malheur — bien tard — amollira, elle a été indignement trahie, et pour de l'argent. Son amant, un jeune homme de la haute noblesse, l'a abandonnée pour épouser une héritière.

Dès lors, Mme de Beauséant, pour des raisons qui tiennent aux rapports sociaux *bourgeois,* fait brèche *dans son propre monde.* Elle est sensible à la pitié. Elle reçoit donc la requête de Mme de Marcillac et invite Rastignac au bal, donnant au jeune homme sa première entrée dans le monde des prestiges, de la puissance et de l'argent. Il est certes significatif que ce ne sera ni par Mme de Beauséant, ni par la comtesse de Restaud (d'origine plébéienne mais mariée à un grand seigneur) que Rastignac réussira, mais par Mme de Nucingen, femme d'un banquier et représentative de la vraie puissance. Mais il l'est aussi, dans un premier temps, que, conformément à la réalité de la Restauration et à la confusion apparente des rapports sociaux engendrés par le retour de la noblesse et sa reprise de possession de l'appareil d'État, Rastignac commence par le plus haut de la société parisienne et du Faubourg Saint-Germain. C'est par cette faille qu'il va pénétrer : la douleur d'une femme; et cette femme, par ses confidences et ses conseils, va lui fournir les premières clés indispensables à la compréhension du monde moderne (aristocratique *et* bourgeois), achevant ainsi son propre travail critique et de démolition interne d'un monde qui n'est plus totalement le sien, qu'elle réduit par là même qu'elle le regarde et le décrit, faisant d'un monde-sujet, auquel il n'y a qu'à s'intégrer pour échapper à sa condition d'objet, un monde-objet, qu'il s'agit désormais, pour devenir sujet, de comprendre et de conquérir comme chose. Les parents riches, ici, ne relèvent plus d'une vision moraliste et simplifiée, mais d'une vision analytique de rapports sociaux en mutation.

En 1846 les choses seront bien différentes. Pons et Bette, parents pauvres, vivront à la fois à l'intérieur et à l'extérieur de l'univers des parents riches. A l'intérieur : Bette vit dans la famille Hulot un peu comme une bonne ou comme un animal domestique; elle paie en rendant des services; Pons se contente de ses déjeuners pris chez les Camusot. Acceptés de manière dédaigneuse, marginaux, ils ne visent pas à pénétrer dans la place forte, à la conquérir. La rancune et la jalousie chez Bette la conduiront à vouloir faire du mal, à détruire. Mais c'est tout. Bette ne s'inscrit dans nulle montée et n'achèvera jamais nul triomphe. Quant à Pons, s'il vise quelque chose en direction de ses cousins, c'est bien dans une perspective positive, mais à court terme, de signification profonde, mais d'horizon limité : marier sa nièce Cécile et par là 1) lui faire plaisir et la rendre heureuse, 2) se faire reconnaître et considérer, 3) payer ses dîners et les conserver. Pons est un peu égoïste, mais sans méchanceté, sans âpreté, sans ambition. Sa collection lui suffit, hors du temps, c'est-à-dire hors de la réussite bourgeoise, qui galope. Pons et Bette vivent dans un monde moral immobile, immobilisé, et ne sont pas réellement portés par quelque grande force individuelle et sociale comme l'était Rastignac. Bette est l'individu pur. Et Pons, si quelque chose le porte et le fait signifier, c'est tout cet avenir de l'art et de la beauté que ne comprennent pas les bourgeois et qui, dans la seconde moitié du siècle, alors que tout sera retombé, sera la seule force qui puisse jouer contre eux et contester leur triomphe. En 1846, la réalité première, essentielle, solide, ce n'est plus la montée vers les places et le pouvoir, c'est le pouvoir bourgeois solidement installé et par-delà lequel ne s'aperçoit plus rien.

Le hors-la-loi, l'initiateur

En 1822-1823, dans *le Vicaire des Ardennes* et dans sa suite *Annette et le Criminel,* l'un des personnages les plus originaux est le pirate Argow, qui, du côté de la littérature, vient du *Jean Sbogar* de Charles Nodier et du *Pirate* de Walter Scott, mais qui doit aussi sans doute aux révélations de M. de Berny et de son ami Vidocq sur les milieux de la pègre. Figure dominatrice, fascinante, hors-la-loi désireux de s'intégrer au monde établi et d'y faire carrière, force de la nature trouvant moyen, après la révolte traditionnelle (une mutinerie à bord d'un navire), de se venger plus intelligemment de la société en y prenant place, être sensible aussi, susceptible d'amour (ce qui le perdra) : il annonce à la fois le Vautrin de la pension Vauquer et celui de *Splendeurs et Misères des courtisanes.* Il lui manque encore toutefois d'être l'initiateur, mais la même année, 1823, dans *la Dernière Fée,* ce rôle était assumé par la duchesse de Somerset qui révèle au jeune Abel les secrets d'un monde qu'il croyait innocent et ouvert au mérite [3]. Il sera développé en 1827, dans *le Corrupteur* par les personnages d'Édouard (non seulement *initiateur* cette fois, mais *corrupteur* d'Ernest) et de l'usurier Fulbert, détenteur des secrets du monde régi par l'argent.

La comtesse

Dans *les Dangers de l'inconduite (Gobseck)* en 1830, apparaissent Mme de Restaud, adultère et dissipatrice, et son amant (le vicomte, encore anonyme) qui n'hésite pas à vivre des libéralités de sa maîtresse. Son œil de faucon, sa sauvage âpreté, contrastent avec sa grâce, son élégance, son tilbury. On assiste à une terrible scène dans laquelle les diamants de la famille Restaud sont vendus à l'usurier Gobseck pour acquitter les lettres de change du condottiere. Mais M. de Restaud apparaît en homme décidé à préserver les siens et à punir la coupable. Cet élément d'intrigue, toutefois n'a pour intérêt apparent que d'illustrer une leçon de prudence à l'intention des jeunes filles à marier : un avoué donne aux Grandlieu des renseignements sur la famille du fiancé éventuel de la jeune Camille.

Dans cette même nouvelle, l'avoué, qui ne s'appelle pas encore Derville, évoque dans la liste de ses « J'ai vu » (qui s'allongera et se dramatisera dans les rééditions du *Colonel Chabert* postérieures à 1835, l'histoire du Père Goriot venant alors explicitement s'ajouter à d'autres) le drame de « quelque bonhomme de père qui s'asphyxie parce qu'il ne peut plus nourrir ses enfants ».

La jeunesse pauvre

En 1831, dans *la Peau de Chagrin,* Raphaël de Valentin, dans sa mansarde d'un misérable hôtel garni de la rue des Cordiers (qui allait de la rue Saint-Jacques à la rue de Cluny, soit tout près de la rue Neuve-Sainte-Geneviève), relève d'un type littéraire récemment promu : l'étudiant pauvre. Le Joseph Delorme de Sainte-Beuve (1829), l'Ernest de Drouineau (*Ernest ou le travers du siècle,* 1830), avaient cristallisé en littérature toute une expérience nouvelle de la jeunesse : déracinement, entassement à Paris d'une population estudiantine ayant du mal à vivre et à trouver des débouchés,

---

3. Voir *Balzac, une mythologie réaliste,* p. 112.

excessive polarisation sur les carrières « honorables » comme le droit et la médecine, déjà encombrées. Ce nouvel étudiant était bien différent de l'étudiant bohème et sans souci tel qu'il apparaissait dans les chansons de Béranger (« Dans un grenier, qu'on est bien à vingt ans ! »). Il mettait au premier rang le thème de la jeunesse intellectuelle pauvre, en mal de moyens de vivre, en mal d'avenir, en mal d'emploi de soi, guettée par toutes sortes de désespoir et de démoralisation. Il y avait là un symptôme littéraire de première importance de la dégradation et de la dramatisation profonde de la vie *à l'intérieur* de l'univers libéral, dominé par l'argent, livré aux hasards anarchiques du laissez-faire.

Balzac, dans un important article de *la Mode* du 12 juin 1830, « Le Bois de Boulogne et le Luxembourg », avait opposé à la jeunesse dorée de la rive droite la jeunesse pauvre et laborieuse de la rive gauche qui était l'avenir de la France. « Il y a des gens, écrivait-il, qui font à tout propos le portrait de la jeunesse française, et qui peignent une génération entière avec autant d'assurance et de précision que s'il s'agissait d'un seul homme. » De même que les historiens de la nation, s'ils mettent toujours en avant rois, ministres et généraux, oublient « le John Bull des Anglais, le Jacques Bonhomme des Français », de même les peintres de la jeunesse en soi et comme entité ne soufflent mot du Faubourg Saint-Antoine ni de Flicoteaux, « des enfants d'Hippocrate et de Cujas ». Le Boulevard et Véry, les beaux quartiers : on pouvait certes s'y ennuyer, quand on avait de l'âme, et y chercher aussi le sens des choses et de la vie; Octave de Malivert, chez Stendhal, en est la preuve. Mais Stendhal n'avait jamais connu la misère matérielle, et son héros, en 1828, s'il témoigne bien d'un malaise profond de la jeunesse instruite et capable, a le statut social qui correspond au relatif non-engagement de son créateur dans cette nouvelle condition des enfants du siècle, sa richesse étant la représentation symbolique de la disponibilité de Stendhal, non par rapport à l'Histoire et à l'avenir, mais par rapport à la lourdeur, à la vulgarité et à l'utilitarisme étroit des bourgeois. Octave, polytechnicien, refusera d'ailleurs de se mettre au service des industriels libéraux et des banquiers de la Chaussée-d'Antin, hommes d'argent avant d'être hommes de technique et de science. Il n'en demeure pas moins qu'Octave de Malivert ne passe pas par ce noviciat de la vie parisienne qui fut le lot, sous la Restauration, de tous ceux que la capitale et ses nouvelles possibilités avait attirés. Plus d'écoles centrales, plus de cet encadrement, de cette prospection de la jeunesse par un régime volontaire et fort, mais la vie sans guides, et la misère, en attendant non tant de trouver à s'employer intelligemment et rationnellement que de prendre sa place, de faire son trou, comme y condamnait la société nouvelle. « N'allez pas [...], concluait Balzac, prendre en haine tout un quartier de Paris, et retrancher la moitié de la ville de votre communion [...] il y a deux jeunesses en France; l'une attend son avenir, l'autre l'escompte. La première est la plus sage, sans doute, mais elle salue bien mal ».

Balzac avait du courage d'écrire un tel article dans *la Mode :* cette revue fashionable fourmillait en effet de descriptions complaisantes de cette jeunesse du Bois de Boulogne. Par exemple, dans l'éditorial de la quatrième livraison, Jules Janin, après s'être écrié : « La mode est la reine du monde ! », se lançait dans une tirade significative :

> Quelle est belle, l'aristocratie d'un grand peuple! La société parisienne s'élance au bois de Boulogne, voici des coursiers, de nobles équipages, de riches armoiries; toute la ville est là, tout Paris, le Faubourg Saint-Germain et la Chaussée-d'Antin, le riche faubourg et le noble faubourg, les hommes de l'ancien régime et les jeunes hommes de la Restauration; tout à coup on s'arrête, la foule se découvre; sur la lisière du bois une jeune amazone effleure, sur son cheval blanc, les feuilles encore vertes de l'automne, la forêt est digne d'un consul, toute la ville a reconnu sa reine, et fait cortège à ses côtés.

Quel Rastignac, quel Lucien sont dans la contre-allée à regarder ces splendeurs dont ils sont exclus? Janin, malgré les audaces voyantes de ses livres à scandale de 1829 et 1830 est un homme de l'ordre établi. Il ne *voit* pas, de manière à le démasquer, à le démythifier le spectacle de la vie parisienne, et l'outrance même de ses révoltes ou de ses insolences, tout ce sang et tout cet absurde prodigués, portent infiniment moins loin que ne porteront les analyses et les descriptions en demi-teintes de Balzac. Raphaël, cherchant une pièce pour payer le fiacre de Fœdora, Raphaël assoiffé de luxe, c'est-à-dire, dans ce contexte, et pour bien mesurer la portée symbolique de ce choix romanesque, assoiffé de vie et de participation, marque à la fois le dépassement du héros stendhalien distingué et le déclassement de toute la littérature consentante. Et, pour passer des motivations larges et profondes aux détails de mise en œuvre liés à des souvenirs, il est intéressant de noter que la pension bourgeoise, avec son système d'abonnements pour les repas, avec sa table d'hôte, est déjà là dans l'histoire de Raphaël, jeune homme pauvre du quartier Latin. S'il mange en effet d'abord seul dans sa mansarde, dès qu'il a quelque argent, il paie d'avance « soixante cachets de dîners », ce qui ne saurait renvoyer à Flicoteaux, où l'on payait comme dans tout restaurant au repas. D'autre part, dans *Une vue du grand monde,* texte d'octobre 1830, c'est-à-dire contemporain de l'époque où Balzac ébauche le personnage anonyme du jeune désespéré qui deviendra Raphaël, parmi ceux qui, au bal, affectent la joie et l'insouciance alors qu'ils sont rongés par l'inquiétude, Balzac cite « des jeunes gens [qui ont joué] leurs cachets de table d'hôte ». Ainsi se constitue une association de thèmes et d'images qui aboutit en 1832-1833 dans la « Confession du médecin de campagne » : « Mon père, raconte Benassis, m'installa dans *une pension bourgeoise du quartier Latin,* chez des gens respectables, où j'eus une chambre assez bien meublée. » La crasse, la vulgarité, les mystères sont encore en réserve, et Balzac tient à éclairer d'une manière relativement noble son héros du repentir et de l'action. Mais par les études ardentes de Benassis, par la découverte démoralisante de Paris, on est conduit, à partir de la pension bourgeoise, à la fois à Bianchon (Benassis sera médecin) et à Rastignac.

Rastignac

Dans la même *Peau de Chagrin,* apparaissent le personnage et le nom de Rastignac, dandy, viveur, lancé dans les milieux de la littérature marchande et du journalisme. Rastignac n'a pas alors de passé, mais il incarne assez bien toute une technique et tout un style de vie parisienne. Ce Rastignac a été inspiré à Balzac par ses amis et relations d'alors : le bordelais, Jacques Coste, directeur du *Temps,* Charles Lautour-Mézeray, l'ami de la « boutique » Girardin. *Mais il n'est pas Balzac,* qui se sert uniquement ici du personnage de Raphaël pour se raconter et pour s'exprimer. Rastignac se développera trois ans plus tard. Le nom, toutefois, existe, et le personnage est disponible. Peut-on parler alors d'une influence, au moins d'une relation à laquelle chacun pense?

Julien Sorel?

Se pose, en effet, le problème des rapports avec Julien Sorel. Balzac fut l'un des rares critiques à signaler l'importance du roman de Stendhal, *Le Rouge et le Noir,* paru à l'automne de 1830. Dans sa onzième *Lettre sur Paris,* le 10 janvier 1831, il avait écrit :

> Cette année, commencée par *La Physiologie du Mariage,* dont vous me permettrez de ne pas vous parler beaucoup, a fini par *Le Rouge et le Noir,* conception d'une sinistre et froide philosophie : ce sont de ces tableaux que tout le monde accuse de fausseté, par pudeur, par intérêt, peut-être. Il y a dans ces [...] conceptions littéraires le génie de l'époque, la senteur cadavéreuse d'une société qui s'éteint [...] M. de Stendhal nous arrache le dernier lambeau d'humanité et de croyance qui nous restait; il essaye de nous prouver que la reconnaissance est un mot comme *Amour, Dieu, Monarque. La Physiologie du Mariage, La Confession, Le Roi de Bohême, Le Rouge et le Noir,* sont les traductions de la pensée intime d'un vieux peuple qui attend une jeune organisation; ce sont de poignantes moqueries; et la dernière est un rire de démon, heureux de découvrir entre chaque homme un abîme de personnalité où vont se perdre tous les bienfaits.

L'éclat d'un tel hommage doit faire réfléchir. Pour Balzac, *Le Rouge et le Noir* constitue, avec les autres ouvrages cités, « l'école du désenchantement »[4]. Comment dès lors

---

4. Voir *Balzac, une mythologie réaliste,* p. 83.

ne pas se demander si le personnage de Julien Sorel ne se trouve pas quelque peu sur le chemin qui conduit à la création du second Rastignac? Les passerelles sont nombreuses entre les deux univers et les deux œuvres romanesques, et les deux hommes se connaissaient depuis 1828 (tous deux fréquentaient alors chez Latouche, et chez le baron Gérard); peut-être même s'étaient-ils rencontrés dès 1823, dans le salon de Delécluze dont l'une des figures marquantes était leur ami — qui devait devenir leur éditeur commun — Auguste Sautelet. Le dénouement d'*Annette et le Criminel* (l'ensevelissement d'Argow) ressemble de manière étrange à celui du *Rouge et le Noir,* et dans *Armance,* l'héroïne est prête à aimer, à protéger Octave, même si celui-ci se révélait être « un criminel ». Dans la *Physiologie du mariage,* une anecdote, plus tard attribuée à Latouche, était dans l'édition originale attribuée à Beyle. Plus tard enfin, les noms de Lucien, de Rubempré, les personnages de Michel Chrestien et de Ferrante Palla, le fameux article de 1840 sur *la Chartreuse de Parme* seront les plus voyants témoignages de contacts et d'interférences entre deux carrières sans doute moins rigoureusement parallèles qu'il ne paraît. Il ne semble pas toutefois qu'il faille beaucoup tenir compte de Julien Sorel pour conduire à Rastignac. Non seulement certaines différences sont évidentes (milieu social, milieu familial, carrière parisienne et nature du « choix »), mais le contenu, la signification des deux héros, leurs entours affectifs et leurs consonances sont assez radicalement hétérogènes. Pour Julien Sorel, l'ambition n'est qu'un moyen de l'affirmation et de la réalisation du moi. Stendhal considérait l'ambition comme un sentiment contre-nature, fruit de la civilisation du « paroistre ». On ne retrouvait, pour lui, la nature qu'en cessant, précisément, d'être ambitieux, en n'ayant plus besoin de l'être. Pour Balzac au contraire l'ambition est profondément légitime; elle est liée au dynamisme même du monde moderne : elle fait souffrir ou dévier; elle brise même, et certains héros ne retrouvent un peu de paix qu'en renonçant à l'ambition (David Séchard d'*Illusions Perdues*); elle se dénature, en acceptant les formes et les moyens que lui impose la société libérale; mais enfin, Rastignac sera fermement dans son droit en souhaitant s'accomplir et s'élever, tandis que Julien Sorel aura été jeté dans une voie sans issue, loin du bonheur, loin de l'image italienne et des jardins de l'ouverture du *Rouge,* l'idéal de Stendhal, homme plus âgé qui a vu se développer à partir de la Restauration une société qui n'était plus la sienne. Balzac, au contraire, a participé à la grande poussée d'après 1815, à cette explosion d'énergies, d'intelligences et de capacités qui s'est manifestée alors dans l'Université, dans la littérature, les arts, les sciences. Il a vite pris l'exacte mesure de cette poussée telle qu'elle *devenait,* alors que s'affirmait le pouvoir de l'argent, mais il est demeuré *à l'intérieur* de ce qu'elle conservait de positif et de conquérant, l'épousant et l'exprimant. Aussi son Rastignac, qui vient des profondeurs de ses souvenirs et de son expérience, sera-t-il, beaucoup plus qu'un type psychologique, un type social, et il est frappant que dans les éloges qu'il décerne au roman de Stendhal, Balzac paraisse frappé uniquement par sa signification historique et sociale et non par le mystère des caractères. *Le Rouge et le Noir* est pour lui l'épopée de l'ingratitude et de la solitude : beaucoup plus explicitement que Stendhal lui-même, il voit dans Julien un produit, un symbole, et si Stendhal a été surpris par l'article de 1840 consacré à la *Chartreuse de Parme,* on peut supposer qu'il ne l'a pas moins été, s'il les a lues, par les quelques lignes parues dans *le Voleur* en janvier 1831.

Dès lors on peut dire que Balzac n'avait pas besoin de Julien Sorel. Il existe, certes, quelques ressemblances : le désir de ne pas être dupe, l'amour-propre à fleur de peau, les poussées de rage et les promesses faites à soi-même de s'imposer un jour à ces gens-là. Mais ceci va assez naturellement dans le sens du développement psychologique des personnages. La fraîcheur, la jeunesse d'Eugène et de Julien peuvent également être rapprochées : mais Julien est quand même moins naïf, plus crispé, plus marqué (ce qui n'est pas le cas de Rastignac) par son père, premier symbole de l'inhumanité sociale. Les convergences, les nuances sont ici du premier intérêt. Il ne saurait toutefois être question de « sources ». En voici, en revanche, sans doute d incontestables et, celles-là, vraiment balzaciennes.

La femme abandonnée

Au mois d'août 1832, dans *la Femme Abandonnée,* est contée l'histoire de Mme de Beauséant, abandonnée une seconde fois par un jeune homme, Gaston de Nueil, à qui elle avait fini par céder malgré une ancienne catastrophe qui lui avait fait se promettre à elle-même de ne plus jamais aimer. Aucune précision n'est donnée sur ce premier abandon, mais la figure de la femme abandonnée, née en 1822-1823 dans le manuscrit de *Wann-Chlore,* a suffisamment de présence pour s'imposer (des éclaircissements sur son passé risqueraient de faire éclater le cadre de la nouvelle vendue à la *Revue de Paris* et qui doit être livrée à temps). Il faut lire ici une addition marginale du manuscrit de 1822-1823 :

> Une femme abandonnée a quelque chose d'imposant et de sacré. En la voyant, on frissonne ou l'on pleure. Elle réalise cette fiction du monde détruit et sans Dieu, sans soleil, encore habité par une dernière créature, qui marche au hasard dans l'ombre et le désespoir; une femme abandonnée, c'est l'innocence assise sur les débris de toutes les vertus mortes.

Cette addition prend tout son sens si l'on se réfère à ce qui la précède. Balzac décrit l'état dans lequel se trouve l'aimante et discrète Eugénie au moment où elle apprend que son mari vient de la quitter pour aller retrouver Wann-Chlore qu'il a follement aimée avant elle, qu'il a crue coupable de trahison et dont il vient de découvrir l'innocence :

> Incapable de raisonner et d'agir, elle éprouvait cette horrible apathie qui saisit notre âme quand elle a perdu son idole.

Le texte alors continuait ainsi :

> Souvent Eugénie se surprenait à rire de douleur. La solitude était effrayante, le monde un fardeau pesant. Elle ne répandait plus de larmes, son cœur était desséché [...]

Relisant ce qu'il venait d'écrire Balzac avait alors ajouté les quelques lignes concernant non plus Eugénie mais *la* femme abandonnée en tant que thème et sujet, d'ailleurs moins sujet psychologique (c'est ce que suggérait simplement le premier jet : « une femme abandonnée éprouve [...] », directement cousu au développement préexistant sur ce qu'éprouve effectivement Eugénie) que sujet-spectacle : à saisir de l'intérieur, à voir et à montrer. Le *tableau* de la femme abandonnée, plus que l'analyse de son caractère, est l'un des grands sujets, l'une des grandes *scènes* qui s'imposent au romancier d'un genre nouveau : le romancier de la vie privée. *« Esquisse d'une vie privée » :* c'est ainsi que Balzac, relisant son manuscrit en novembre 1824 au moment où il croit qu'enfin il va pouvoir le publier, appelle l'histoire d'Eugénie d'Arneuse dans cette post-face qui devait demeurer inédite. Et l'on comprend désormais où l'on va, du moins où l'on peut aller. La vie privée ne relève plus seulement du roman d'analyse (Mme de La Fayette, Benjamin Constant), mais du roman social, et comme d'un nouveau roman historique. La femme abandonnée n'est pas seulement un *cas* moral, mais un phénomène. La mobilisation de Saint-Simon pour évoquer et signifier la catastrophe de Mme de Beauséant achèvera cette esthétique du *vu* qui dit très bien que la femme abandonnée, dans la société moderne (Maurice Bardèche l'a souligné à juste titre), est un cas social.

Lady Brandon

Toujours au mois d'août 1832, dans *la Grenadière,* Lady Brandon meurt de faiblesse et de misère morale auprès de ses deux garçons nés d'un amour adultère. Ni le rôle du mari, ni celui du père dans cette sombre et trop discrète histoire ne sont précisés. On apprendra plus tard (mais quand cette idée est-elle venue à Balzac?) que l'amant n'était autre que Franchessini, le spadassin utilisé par Vautrin pour éliminer le fils Taillefer.

Le père

En 1833, dans *Ferragus,* prend consistance un type de personnage qui, tant par ses incarnations que par la charge symbolique dont il est investi, vient, lui aussi, des profondeurs balzaciennes et conduit au *Père Goriot.* Ferragus aime sa fille à la folie, accepte, pour elle, de vivre quasi infâme, et compare lui-même son amour paternel à la frénésie des amants. Or, Ferragus était annoncé, dès 1830, dans les premières *Scènes de la vie privée,* par le Bartholoméo di Piombo de *la Vendetta,* lui aussi espèce de maniaque de la paternité, inventeur et dispensateur, à l'adresse de sa fille Ginevra, de diminutifs qui sont bien d'« hommes à passion ». Il y a là un thème qui court et remonte, par l'intermédiaire du père Gérard dans *Annette et le Criminel* (1823), au Borgino de *Falthurne* (1820). Encore convient-il de préciser. Le père Gérard, en effet, aime sa fille d'un amour sain, comme César Birotteau, et l'atmosphère familiale chez les Gérard est parfaitement normale, alors qu'avec di Piombo et Ferragus apparaît un type très nouveau de père : celui pour qui l'amour paternel n'est nullement une vertu, mais bien une déviation, une déformation aberrante de l'amour de soi et de la volonté de puissance. Il y a quelque chose d'inquiétant et de malsain dans cette fétichisation de l'amour de ces hommes plutôt vieux pour leurs filles-femmes. Non qu'il y ait là quoi que ce soit d'incestueux : seulement, au lieu de les élever, de les « moraliser », l'amour paternel réduit ces hommes à l'état d'ilotes, et le paroxysme de leur passion après la catastrophe (mort ou rupture) n'est que la suite psychologiquement normale de ce qui apparaît, dès le début, comme une sorte de névrose. Dans cette lignée, Goriot ne sera nullement le père de la tradition moraliste et idéaliste, rassurante et confortante pour la conscience bourgeoise (Diderot, Greuze), ni même le père de la tradition héroïque (le roi Lear). Goriot sera, avec une sorte d'horrible sénilité, un vieux brigand au passé plus que discutable, capable, pour des filles qui seules peuvent accéder aux splendeurs sociales que lui interdisent et son âge et son statut propre, de toutes les vilenies, voire (Rastignac le surprend d'abord, en même temps que Vautrin, dans une lumière criminelle et se livrant la nuit à de louches machinations) de tous les crimes. La critique traditionnelle a voulu moraliser l'histoire et le personnage de Goriot alors qu'en fait il s'agit d'une étude tout à la fois clinique *et* symbolique d'un bel exemple de ce que devient, dans une société tout entière livrée à l'égoïsme et à l'entreprise privée, un sentiment des plus naturels et des plus constructifs. On sort ici de la « psychologie » du père. Mais le thème central de Goriot a bien d'autres racines encore que cette pratique littéraire récente.

Dans l'expérience de Balzac, en effet, si la mère est le pôle négatif (c'est d'elle que viennent la solitude, le sentiment de frustration, préfiguration du sentiment d'aliénation), le père est le pôle positif. C'est lui qui est la figure de conquête, d'affirmation, d'ouverture au monde, d'initiation aux sciences, voire de sagesse et d'intelligent gouvernement de soi. Ceci de par les origines historiques, sociales, de par l'odyssée politique et l'orchestration idéologique de Bernard-François de Balzac. La mère, au contraire, ce fut, dès le départ, la souffrance des autres, les folies de l'orgueil, de la coquetterie, de l'adultère, puis de l'usante respectabilité bourgeoise. D'où la valorisation romanesque de la figure du père avec, pour contrepartie, la revanche sur la mère, sur l'épouse, constamment châtiée, impitoyablement ramenée, la main au collet, à ses composantes et motivations véritables. Mme d'Arneuse, dans *Wann-Chlore* et M. d'Espard, dans *l'Interdiction,* Mme de Restaud, dans *Gobseck* et dans *le Père Goriot,* et le père de Félix de Vandenesse, qui dans le manuscrit du *Lys dans la vallée,* le tire de chez les Oratoriens, c'est entre ces deux formes extrêmes de l'expression que se module la création balzacienne. Mais d'autre part la solitude, le sentiment d'être rejeté, dont est responsable la mère, se conjuguent avec une aptitude réelle à l'organisation (d'origine historico-sociale : Balzac est le fils d'une bourgeoisie en pleine ascension; d'origine individuelle aussi : Balzac est un fort, un sanguin, un être sexuellement supérieur), ainsi qu'avec une terrible volonté de puissance (qui vient d'un désir d'*être,* malgré tout, malgré le siècle de la dégénérescence du grand optimisme initial, du désir de s'affirmer, de posséder, de façonner, selon d'autres lois que celles de l'univers aliénant de la bourgeoisie libérale). Tout ceci conduit Balzac à la constitution d'une paternité d'expression et de projection du *moi,* qui trouve en 1832-1833 une prodigieuse incarnation dans le Benassis du *Médecin de Campagne.* Benassis n'est pas le « père » du village, au sens banal et franciscain du terme. Benassis est un être de passion, un possessif, un démiurge; il est volontaire et volontariste; il aime le village moins pour le village que, finalement, pour soi. S'il n'a pas d'enfants, il a quasiment adopté la Fosseuse, à la fois — ceci est capital — sa fille et sa « bonne amie ». Il meurt foudroyé, comme un titan. Benassis est le père créateur et organisateur passionné, dans certains cas passionnel, et il en ira toujours de même chez Balzac. Sa paternité brûle aussi bien le père que l'enfant. Elle n'installe ni l'un ni l'autre dans une *sécurité* que la bourgeoisie et le règne des intérêts déchaînés ont rendue impossible et impensable. Face aux aristocrates décadents (Lovelace), la famille (les Harlowe) avait exprimé longtemps la santé et l'optimisme bourgeois; mais, au temps de Diderot déjà, on s'accrochait à cette image, et Balzac devait montrer ce qu'étaient ces nœuds de vipères. Le père, donc, incarne la volonté d'être pleinement, de durer au-delà de soi-même sans plus avoir recours aux métaphysiques ni aux fables, mais il ne peut échapper à la perversion de son propre influx, ni à celle du besoin qui préside à sa promotion en tant que figure significative. La paternité balzacienne, expression d'un prométhéisme inquiet, nerveux, menacé, n'a plus rien à voir avec la paternité rabelaisienne, heureuse, confiante, détendue, Gargantua se trouvant assuré et fier, de par l'essor de la civilisation renaissante, de voir Pantagruel se développer et conclure dans l'harmonie ce que lui-même avait jadis entrepris et commencé avec les armes insuffisantes d'alors. Le temps, pour Gargantua cessait d'être malédiction, et chez lui on ne mourait plus puisqu'il y avait les autres et l'avenir de l'humanité. Mais les enfants du père balzacien ne sont pas de jeunes princes, symboles de culture et de liberté. Ce sont des êtres soumis aux passions et aux terribles lois d'un monde destructeur, qui fait de l'amour paternel comme une préface à la vie tout entière qui attend les héros de la génération suivante. L'amour paternel de di Piombo comme celui de Ferragus, n'ayant plus devant lui aucun avenir historique valable, se retourne contre lui-même et contre son objet, comme la pensée, dans *la Peau de Chagrin* et dans *Louis Lambert,* finit par tuer le penseur. Ce n'est que dans le cas de Benassis, hors du monde « réel », que le prométhéisme peut retrouver en partie son efficacité, que l'on peut être père et promouvoir, être père et créer, non seulement en désir, mais dans le paysage même et dans la vie des hommes. Création toutefois menacée, et rien n'est assuré pour le village : on ne se sauve pas seul. Au fond, l'illusion de la paternité, comme principe organisateur du monde, est à la fois un héritage féodal (on est libre lorsqu'on est chef et propriétaire d'hommes) et l'une des échappatoires auxquelles le monde moderne condamne le prométhéisme (à défaut du reste, on a des enfants). Balzac écrira, le 18 octobre 1834, à Mme de Castries : « Il me faut achever pour la *Revue* la peinture d'un sentiment si grand qu'il résiste à de continuels froissements. C'est une source où les ingrats puisent sans la tarir. » Précisément : l'amour paternel est fondamentalement aliénant, dans la mesure où, supposant un type de rapports humains libres et propres, mais s'adressant à des êtres comme Delphine et Anastasie qui sont soumises aux lois de l'aliénation, en sont jouées, et en jouent, il fonctionne nécessairement à sens unique. On n'aime avec quelque raison et efficacité que dans un monde régi dans son ensemble par l'amour; mais l'amour paternel, tel que le pratiquent et le vivent Goriot et ses parèdres, suppose naïvement le monde refait, rétabli ou changé à partir de la sincérité, de la bonne volonté, du désintéressement individuel. Goriot lui-même d'ailleurs n'a-t-il pas contribué à faire ce monde ce qu'il est? Le piège se referme, et c'est exactement ce que Balzac disait à propos du *Rouge et le Noir :* il y a, entre chaque homme, un abîme de personnalité. Ainsi, le mythe du père chez Balzac et le thème romanesque des souffrances de l'amour paternel contribuent-ils à liquider l'illusion idéaliste et moraliste. Toutes les « vertus » de Ferragus et bientôt de Goriot ne changent rien, ni au monde, ni à leurs enfants, ni à ce qui les conditionne et les fait vivre.

Relire « le Roi Lear »?

Nous voici en pleine mythologie et loin des « sources » de la tradition positiviste universitaire. Mais celles-ci ne vont-elles pas se venger? De bonne heure on a dit — mais pourquoi ce genre de dénonciation? — que Balzac avait tout simplement copié. Il faut y regarder de près.

Comment, bien sûr, ne pas songer d'abord à Shakespeare et à son *Roi Lear?* Les rapprochements qui s'imposent ont été faits par P.-G. Castex qui a signalé que

> déjà les contemporains de Balzac avaient mis *Le Père Goriot* en parallèle avec *Le Roi Lear.* Le critique du *Courrier français* [5], par exemple, note les analogies et les différences entre les deux œuvres, avec l'intention bien claire de faire ressortir, pour des raisons morales, la supériorité du dramaturge anglais : « Shakespeare avait voulu représenter dans son vieux roi la paternité aveugle et folle, se dépouillant de tout, sceptre, grandeurs, fortune, au profit de deux filles dont la noire ingratitude le payait de ses sacrifices. Mais, pour l'honneur de la nature humaine, en regard de deux filles perfides et barbares, Gonerill et Regane, Shakespeare avait placé Cordelia, fille pieuse et dévouée. Pour l'honneur de la paternité, autant le poète lui avait donné de tendresse pour les enfants qui devaient le trahir, autant, la trahison consommée, il l'avait embrasé de fureur contre ces indignes objets d'une passion non moins vive que malheureuse. M. de Balzac, au contraire, n'a rien accordé à l'honneur de la paternité; le père Goriot n'a point d'Antigone qui le console, point de colère qui le venge. »

Or, ajoute P.-G. Castex,

> Shakespeare est bien, avec Dante, l'écrivain dont Balzac se réclame le plus volontiers en 1834. Ces deux gloires de la littérature universelle ont plus ou moins supplanté dans son esprit Walter Scott et Byron, dont les succès le hantaient au début de sa carrière littéraire. En évoquant, dans le préambule de *La Fille aux yeux d'or,* l'enfer parisien « qui, peut-être, un jour, aura son Dante », il laissait apercevoir son ambition de rivaliser, en utilisant les moyens propres au roman, avec le poète de *La Divine Comédie.* Quelques mois plus tard, il plaçait en épigraphe au *Père Goriot* les trois mots *All is true,* qu'il attribuait à Shakespeare, et Félix Davin, sous son inspiration, dans la préface des *Études philosophiques,* définissait l'œuvre

5. Le 15 avril 1835.

balzacienne comme un miroir du monde, *speculum mundi,* en ajoutant de la façon la plus explicite : « Jadis Shakespeare s'est, dit-on, proposé dans ses compositions scéniques un semblable but. » Cet exemple va l'accompagner dans sa propre création. Il lui arrivera de vouloir écrire un « Othello retourné » ou de désigner un de ses personnages comme « une affreuse Lady Macbeth ». *Le Roi Lear* ne pouvait être loin de sa pensée, alors qu'il travaillait au *Père Goriot.*

Comme le héros de Balzac, celui de Shakespeare, au seuil de la vieillesse, a voulu doter chacune de ses filles. Gonerill et Regane obtiennent par d'hypocrites flatteries les plus grands avantages, tandis que Cordelia, trop franche, est déshéritée. Bientôt les deux ingrates se plaignent de leur père, dénoncent la bizarrerie de son caractère et l'imbécillité de son jugement, s'emploient à réduire le train de sa maison. De si cruels procédés suscitent sa colère, avant d'égarer son esprit. Lucide par intervalles, comme Goriot, il s'écrie : « C'est donc la coutume aujourd'hui que les pères, dépouillés de tout, ne trouvent plus de pitié dans leur propre sang? » A d'autres moments, il tâche de se persuader, comme Goriot encore, que l'une de ses filles est meilleure que l'autre : « Les yeux de ta sœur sont farouches; le doux éclat des tiens console... Tu connais mieux les devoirs de la nature. » Vers la fin de la pièce, Gonerill et Regane s'affrontent avec violence, comme Delphine et Anastasie; et cette rivalité, qui conduit Gonerill au crime et au suicide, achève d'accabler leur père. Prophète et témoin des événements, le fou du roi les a, d'avance, commentés dans des termes qui pourraient s'appliquer à l'histoire du père Goriot : « Tu as coupé ton empire en deux, et tu n'as rien laissé pour toi dans le milieu »; ou encore, « Le père qui traîne les haillons de l'indigence/Rend ses enfants aveugles : ils ne le connaissent plus. » La réalité humaine qui inspire les deux œuvres est donc bien la même, malgré la différence des époques et des conditions. Toutefois, Lear, à travers sa fureur, puis sa folie, s'exprime, dans la tragédie royale de Shakespeare, avec une intensité soutenue qui serait déplacée dans une « tragédie parisienne ».

Voici qui paraît démonstratif. Mais jusqu'à un certain point. Car il faut manier cette matière avec précautions. La possibilité d'une dette formelle de Balzac n'est pas niable, mais le plus intéressant est sans doute que l'on aurait ici, dès 1835, l'équivalent de ce que tenteront au xxe siècle un Cocteau *(les Parents terribles,* avec *Britannicus),* un Bresson *(les Dames du Bois de Boulogne,* avec l'épisode de Mme de la Pommeraye dans *Jacques le Fataliste)* et tant d'autres : le transfert, aisément reconnaissable pour des hommes de culture, d'un mythe et d'un sujet consacrés dans un cadre moderne — le jeu et la double lecture étant quand même moins importants en 1835 que dans notre époque, nourrie de variations et d'exercices scolaires. Balzac a-t-il eu la claire intention de faire relire *le Roi Lear* au travers d'une histoire parisienne? Outre que la pièce de Shakespeare n'était pas très connue des acheteurs du roman, les contrepoints, utilisations et transferts sont peu voyants et jamais systématiques, les signaux de reconnaissance peu clairs et jamais voulus, jamais non plus ironiquement ou suggestivement parodiques. *Le Père Goriot* n'est en rien un exercice à la Giraudoux. Il faut — il faudra — s'interroger, en revanche, sur la reprise du thème de la dégradation du lien père-enfants chez Shakespeare puis chez Balzac dans le cadre d'une société nouvelle : il y a là une filiation en profondeur qui fait étrangement communiquer, quoi qu'en pensent les tenants d'une littérature de l'homme éternel, deux littératures de la prise de conscience. Mais, puisqu'on en est aux problèmes de démarquage éventuel, il faut noter — ce qui conduit à des problèmes de signification — la disparition apparente dans le dispositif balzacien du personnage de Cordelia : face aux filles ingrates on n'a pas la fille aimante et fidèle.

L'idéologie bien-pensante ne s'y est pas trompée. Il fallait re-moraliser *le Père Goriot,* et P.-G. Castex a signalé cette étrange adaptation théâtrale de Théaulon, Decomberousse et Jaime, représentée au Théâtre des Variétés en juin 1835, alors que le succès du roman de Balzac était à son apogée :

> Le premier acte se déroule dans la boutique de Goriot vermicellier, le second à la pension bourgeoise, le troisième dans la maison de santé où le vieillard a été

interné, par l'entremise de ses gendres, en attendant d'être admis à Bicêtre; mais le père Goriot a eu, avant son mariage, une fille naturelle, Victorine, qui, ayant gardé sa dot intacte, le sauve et qui est unie à Rastignac, grâce à l'intervention d'un Vautrin généreux et affadi.

Dans un dessin de Bouchot qui reproduit la grande scène finale (*le Charivari,* 19-20 avril 1835) on a la situation suivante :

> L'artiste a choisi le moment où le Père Goriot (Vernet), appuyé sur sa troisième fille (Mme Atala Beauchêne), qui ne l'a pas abandonné dans son malheur, et sur le jeune amant de cette dernière (Bressant), maudit ses deux filles aînées (Mmes Jollivet et Pouzault) ainsi que ses gendres (Alexis et Delamarre), pour qui il s'est dépouillé de toute sa fortune, et qui, sur le bruit que la misère lui avait fait perdre la raison, venaient l'arracher d'une modeste maison de santé pour le faire conduire à Bicêtre. Le personnage placé à droite est le chevalier d'industrie Vautrin (Dumoulin).

Simple « spéculation »? ou concession aux « goûts » du public? Évidemment désamorçage et prophylaxie, et remise dans le circuit du théâtre digestif d'une œuvre insupportable pour l'idéologie dominante [6]. Victorine Taillefer est ici réintroduite comme on peut dans un schéma techniquement simplifié (comment faire une « pièce bien faite » à partir de ce roman foisonnant?), mais en fait elle ramène à un modèle idéologiquement acceptable. Il ne fait aucun doute que cette suppression par Balzac du personnage de Cordelia (ici remplacée auprès du père par les deux étudiants et par Christophe, qui sont ses enfants par substitution et par adoption — mais ce sont les enfants qui adoptent le père!) dit un univers d'abord plus radicalement mauvais que celui du *Roi Lear* et dans lequel semble ne plus pouvoir exister de possibilité de choix : Balzac, pour des raisons qu'il faut

6. Dans une autre adaptation d'Ancelot et Paulin, « Delphine de Nucingen ruinée par son mari, qui est passé en Angleterre, se réfugie auprès de son père à la Maison-Vauquer, se met courageusement au travail et noue une idylle avec un étudiant en droit, qui l'épouse après avoir hérité d'un commis-voyageur nommé Martel » (P. -G- Castex).

lire, est plus impitoyable que Shakespeare. Eugénie Grandet et Marguerite Claës, malgré leurs révoltes, demeuraient jusqu'à un certain point soumises et bonnes : ce n'était pas conformisme; c'était surtout qu'enfermées dans leurs maisons de province et non réellement libérées, surtout n'ayant pas, si l'on ose dire, à leur disposition ce diabolique univers parisien qui est la négation même et la destruction de la commune originelle, elles ne pouvaient pas, en termes de structure, être des monstres. Il y avait encore en elle des Cordelia possibles, là-bas, dans cet univers préservé de la province. Mais elle est là, pourtant, dans *le Père Goriot,* Cordelia : c'est Victorine Taillefer. Mais Cordelia est ainsi décentrée par rapport à la donnée centrale. On a d'un côté Goriot qui voudrait être aimé de ses filles et qui ne l'est pas, de l'autre Victorine qui aime malgré tout un père indigne et cruel. La scène dans laquelle Goriot entend Mme Couture raconter la visite faite à Taillefer est, à ce sujet, particulièrement significative. Le manuscrit laissait d'abord entendre que Victorine était peut-être bien une enfant illégitime : manière de la rendre intéressante. Balzac a renoncé à ce roman possible qui en rendait impossible un autre, lui-même, il est vrai, bien discret mais dont la signification est assez évidente. Le monde est définitivement écartelé. Cette Cordelia, que les boulevardiers et les fabricants de pièces ont réintroduite là où elle était bien nécessaire pour sauver l'image de la famille bourgeoise, elle est bien dans le roman de Balzac : simplement Cordelia n'a pas le père qu'elle mérite et elle n'appartient pas à une famille que l'on puisse sauver. *Cordelia existe, mais la Cordelia de Balzac n'a pas de père.* Ici apparaît une fois encore ce fait que le roman dit ce qu'il a à dire par le moyen de ses propres structures, non par celui d'une simple « psychologie ».

« Les Deux Gendres »?

Pour ce qui est de l'engendrement de texte à texte de multiples exemples prouvent que si des romans à succès furent exploités au théâtre et adaptés pour la scène (Vautrin emmène Mme Vauquer voir à la Gaieté *le Mont Sauvage* de Pixérécourt, une adaptation du célèbre *Solitaire* du vicomte d'Arlincourt), le système fonctionnait aussi en sens inverse, le vaudeville, la féerie, la comédie, le mélodrame étant démarqués par des romanciers en mal de sujets, soucieux d'exploiter un succès consacré sur les planches ou sensibles à une situation dramatique efficace. Balzac lui-même avait probablement collaboré fin 1822 à ce *Michel et Cristine,* signé Viellerglé, qui était un remake d'une pièce de Scribe et il avait écrit sa *Dernière fée* en 1823 à partir d'une pièce d'Étienne *(Aladin ou la lampe merveilleuse),* d'une autre de Scribe et Mellesville *(la Petite Lampe merveilleuse)* et de celle de Tobin *(la Lune de miel)* qui figurait en 1822 dans les *Chefs-d'œuvre du Théâtre Étranger.* On pourrait citer ou trouver sans doute bien d'autres exemples. Dans un cas on mettait le roman en dialogue, dans l'autre on mettait la pièce en récits, en ajoutant descriptions et commentaires, aucune question sérieuse ne se posant, ni n'étant posée, semble-t-il, sur les rapports entre les deux modes d'écriture. On notera aussi, pour ce qui est des passerelles entre le théâtre et *le Père Goriot* que c'est un certain Vautrin qui, en compagnie d'une demoiselle Florville (Florine?), jouait en 1822 *la Lampe merveilleuse* de Merle et Carmouche...

Or, aux sources écrites du *Père Goriot,* il semble assuré que se trouve une autre pièce de cet Étienne, académicien, figure marquante de l'école impériale. *Les Deux Gendres* (1810, réimprimée par Nodier et Panckoucke dans la *Bibliothèque dramatique ou Répertoire universel du théâtre français* — Balzac a beaucoup utilisé ce genre de recueils et il avait largement puisé pour ses premiers romans dans les *Chefs-d'œuvre poétiques du théâtre étranger,* publiés en 1822 chez Ladvocat) étaient l'un des textes les plus représentatifs de cette comédie néo-classique qu'aimait tant le public voltairien nourri des souvenirs de Molière, amateur à la fois de bien dire, de belle technique et de théâtre reposant. Grande machine en cinq actes et en vers, semée de traits d'esprit et de remarques morales, discrètement satirique et laborieusement édifiante, avec des personnages à la fois conventionnels et prudemment modernisés, cette pièce marque bien le piétinement du théâtre avant que ne s'amorce la révolution romantique. Mais elle avait été et demeurait un succès considérable du théâtre bien fait.

Stendhal, qui avait assisté à la première représentation (*Journal,* 11 août 1810) en avait apprécié le style (« plein de substantifs et presque sans épithètes, de ces vers auxquels on ne peut rien ôter » — c'est-à-dire pour lui qui ont presque les qualités de la prose), en notant qu'elle ne tombait « ni dans le genre du drame, ni dans le genre niais ». Mais il notait aussi : « Elle attaque les ridicules; c'est une satire en dialogues », et il concluait : « ce n'est pas une bonne comédie ». Ces remarques sont importantes : *les Deux Gendres* renoncent, dans le vers, à certaines conventions qui freinent l'expression du réel (l'épithète descriptive ou « de nature »), mais ne sont pas un drame (c'est-à-dire n'émeuvent pas) et finalement ne sont pas du théâtre. L'attaque contre les ridicules, la satire en dialogue, c'est la littérature légère qui continue, la littérature simplement intelligente et froide. On sort l'esprit content. Autre remarque le 6 mars 1813 : « le style des *Deux Gendres* n'est pas celui de la comédie mais celui de la satire ». Or qu'est-ce que la satire? Ce n'est pas la critique. La satire est un jeu social dans lequel chacun se retrouve. La satire repose sur une convention : ni vous ni moi ne sommes comme ces gens-là; nous pouvons donc en rire. La satire n'inquiète pas. Elle relève simplement du bien-dire et définit une complicité esthétique, donc idéologique. D'où, dans *Racine et Shakespeare,* en 1823-1824, cet éloge par le classique des *Deux Gendres,* l'une des pièces « conformes aux préceptes et aux exemples des écrivains du bon vieux temps, lesquels n'ont vécu, lesquels ne sont devenus classiques que parce que, tout en cherchant des sujets nouveaux, ils n'ont jamais cessé de reconnaître l'autorité de l'école ».

Mais voici une remarque de Stendhal lui-même, sur laquelle il faut s'interroger lorsqu'on songe à la postérité balzacienne de la pièce d'Étienne : « Ce que la comédie de l'époque a de plus romantique, ce ne sont pas les grandes pièces en cinq actes, comme *Les Deux Gendres :* qui est-ce qui se dépouille de ses biens aujourd'hui? » Qu'est-ce à dire? Pour Stendhal, *romantique* égale *réaliste,* et qui dit la vérité moderne. Or, un père qui se dépouille pour ses filles et ses gendres, cela n'existe pas! Ce Stendhal est bien loin de Balzac. On peut comprendre :

1. Dans le cadre de la comédie satirique, ce sujet n'existe pas, ou bien il est trop dramatique. Mais ce n'est sans doute pas ce que veut dire Stendhal.

2. Les pères d'aujourd'hui ne se dépouillent pas pour leurs enfants. Stendhal pense peut-être à ses propres parents bourgeois, si peu héroïques, sans conscience et sans volonté. Il pense aussi sans doute à cette prudence de la société bourgeoise installée. Mais c'est qu'en 1823 toute une dimension du réel moderne lui échappe. Pour Stendhal, esthète et peu sociologue, le bourgeois est à jamais bourgeois et condamné, la bourgeoisie déjà tout entière engluée en elle-même. Balzac, lui, saisit quelque chose qui échappe à Stendhal, et qui est l'ambiguïté même de la révolution bourgeoise, installée certes, mais sur des origines et sur un fond d'héroïsme et de valeurs qui, pour être en voie de perversion et de dénaturation, n'en ont pas moins été la condition de sa victoire.

Au tome IX des œuvres d'Étienne, la pièce avait été accompagnée d'un important dossier renvoyant à une polémique qui avait passionné le Paris littéraire. Étienne, en effet, avait été accusé d'avoir plagié *Conaxa,* œuvre d'un jésuite anonyme du XVIIIe siècle, et il s'en était habilement et abondamment défendu. Pour marquer son originalité, il avait reproduit en tête du volume le récit d'un certain Gayot de Pitaval, publié en 1760 dans *l'Esprit des conversations agréables,* dont le Jésuite s'était lui-même servi. Voici la reproduction intégrale de ce document que Balzac n'a pu ignorer. Les ressemblances avec Goriot sont extrêmement frappantes : il y a même l'idée de faire un livre avec le sujet !

HISTOIRE DE JEAN CONAXA

> Un riche marchand d'Anvers, qu'on appeloit Jean Conaxa, maria deux filles qu'il avoit, et leur constitua une dot de duchesses : leurs maris, qui étoient gentilshommes titrés, jouèrent grâce à leurs richesses, avec plus de dignité, après leur mariage, le rôle de gens de distinction. Conaxa quitta son commerce, et se retrancha à faire valoir son argent, afin de pouvoir figurer avec ses gendres, et se tirer de la foule des personnes de sa

condition. Il avoit sa maison, ses domestiques; il vivoit séparément de ses gendres; il les régaloit de temps en temps. Il entra dans la vieillesse. Après avoir voyagé quelque temps dans ce pays-là, il approchoit à grands pas de celui de la décrépitude, à mesure que sa démarche en devenoit plus lente. Ses gendres et ses filles, qui mouroient d'impatience de le voir à la fin de sa carrière, parce qu'ils convoitoient ses trésors, lui persuadèrent de s'en dépouiller : « Vous ne devez, lui dirent-ils, songer qu'à vivre tranquillement, et à mettre un espace entre le temps et l'éternité; votre vie s'achèvera de s'user par les soucis que votre bien vous cause. Vous n'avez qu'à nous les remettre, nous vous sauverons toutes vos inquiétudes, et nous travaillerons de concert à vous donner toutes les commodités de la vie, et à vous sevrer des embarras des richesses. » Il les crut; il leur partagea ses biens. Les premiers jours il goûta la douceur du repos; ses gendres et ses filles disputèrent à qui le chériroit, le révèreroit le plus. Sa maison étoit entretenue avec la même magnificence; ses domestiques le servoient également. Bientôt ses enfans se lassèrent du joug qu'il s'étoient imposé; et leur intérêt ne les aidant plus à porter le fardeau, ils le laissèrent tomber à terre. On retrancha le nombre de ses domestiques; ceux qui lui restèrent le méprisèrent; sa table fut servie par la frugalité elle-même : ses gendres et ses filles se mirent de niveau avec lui; enfin le placèrent au-dessous d'eux, et le regardèrent comme un ancien domestique à charge, qui ne tenoit à leur cœur que par un petit filet de bienséance, si mince, si délié, qu'on admiroit à tout moment qu'il ne se rompît point. Ce n'étoit plus un père qui étoit le roi de sa famille, mais c'étoit un bon homme qui n'étoit d'aucun usage, et qu'on souffroit par commisération, et que bientôt on se lasseroit de supporter, si le poison lent qu'on lui donnoit par un pareil procédé, ne faisoit pas plus de progrès. Le voilà en proie à de cruelles réflexions : donnez-lui une plume et de l'encre, il va faire un beau livre sur l'ingratitude des enfans, en faveur de qui un père s'est dépouillé. Avec quelle couleur ne vous dépeindra-t-il par l'intérêt? N'êtes-vous pas épouvanté de la figure monstrueuse qu'il lui donne? et n'êtes-vous pas frappé de l'éloquence avec laquelle il vous représente ce tyran de l'Univers? Quel est le fruit de sa méditation? Il ouvre son cœur à un riche banquier son ami. Voici la pièce qu'ils concertèrent ensemble. Le banquier remplit le coffre-fort de Conaxa d'un million d'or; il connoissoit sa probité; il étoit sûr que Conaxa lui rendroit cette somme quand il en auroit fait l'usage qu'ils méditèrent.

Conaxa invita le lendemain ses filles et leurs maris à venir dîner chez lui, leur disant qu'il vouloit les régaler. Où prendrez-vous, lui dit l'un deux, de l'argent? Je ne vous en demanderai point, lui dit Conaxa, venez seulement. Ils se rendirent tous dans son appartement. C'étoit en hiver : il les reçut auprès d'un grand feu; ils virent les apprêts d'un festin, ils furent très surpris. Pour les guérir de la crainte où ils étoient de payer les frais du repas, le vieillard avança de l'argent au traiteur qui étoit venu prendre ses ordres. La chère fut délicate et somptueuse; des vins exquis en furent l'ame. Après le repas, un facteur du banquier vint demander le vieillard, qui le fit approcher : « Monsieur, lui dit le facteur, je venois quérir ces mille écus que vous avez promis de prêter à mon maître. » Les conviés ouvrirent les oreilles; le vieillard leur dit : « Je vous laisse, je reviens à vous dans un moment; j'aurai bientôt compté cette somme. » La cadette, plus curieuse, le suivit de loin. Elle entra dans son cabinet après lui; elle le vit aller à son coffre-fort : elle marchoit doucement. Il feignit de ne la point voir; et pendant qu'il regardoit ses registres, il la laissa contempler à son aise dans le coffre qu'il avoit ouvert, et où elle vit le million éparpillé. Elle s'échappa aussitôt, et alla porter la nouvelle aux autres, qui tinrent conseil ensemble. Le résultat fut, qu'ils ne pouvoient trop témoigner de tendresse et de respect à un père si riche, qui avoit du moins cent mille vertus en ducats bien comptés. A peine fut-il de retour, qu'il s'aperçut du résultat du conseil. On vint au-devant de lui. « Ah! mon père, lui dit sa fille aînée, approchez-vous du feu; vous vous serez refroidi, c'est pour en mourir. » La cadette joua une scène pareille. Tous, unanimement, représentèrent un même rôle, varié en cent façons. Il se regarda comme s'il eût été à la comédie, et siffla intérieurement les acteurs.

La conversation tomba sur son trésor. « Mes enfans, leur dit-il, je vais vous découvrir ma manière. Je n'ai pu refuser ces mille écus à ce banquier, qui est mon intime. A cela près, je ne fais aucun usage de mon argent, de peur qu'il ne se dissipe. Mon dessein est de n'y pas toucher tant que je vivrai; vous le trouverez après ma mort. Je le destine à celle de vous deux dont je serai le plus content; je le partagerai, si je m'aperçois que votre tendresse soit égale. » Ils lui jurèrent tous fidélité, amour, vénération. Ils auroient promis, s'il eût voulu, qu'ils l'adoreroient. Leurs anciens sentiments, qui avoient déserté leur cœur, revinrent. Je juge toujours par les apparences. Il fut flatté, loué, caressé, respecté, chéri au-delà de tout ce qu'il pouvoit espérer, grâce au million, qui fut rendu au banquier le lendemain, à la réserve des frais du repas, qu'il voulut bien sacrifier à son ami. Le vieillard vécut cinq ou six ans. Il eut le plaisir de voir toujours ses enfans dans cette même crise de sentiment. Il n'avoit qu'à souhaiter, on se rendoit à ses désirs; on le prévenoit même, on ne lui épargna rien. Par son testament, il partagea son coffre-fort entre ses deux filles : il leur imposa la loi de ne l'ouvrir que quarante jours après son décès, en présence de son confesseur, à qui il en remit une clef; chacun de ses deux gendres en avoit une aussi. Le coffre ne pouvoit s'ouvrir qu'avec les trois clefs. On fit au vieillard des obsèques magnifiques. Le quarantième jour, si désiré, arriva enfin. On ouvrit le coffre-fort; on n'y trouva qu'un vide affreux, et seulement une petite massue de fer dans un coin, avec ces vers écrits sur un morceau de papier :

On a forgé cette massue
Pour assommer le fils ingrat,
Dont l'esprit, le cœur scélérat,
A mépriser un père aisément s'habitue,
Dès qu'il s'est dépouillé pour lui de son trésor.
En contemplant ce coffre-fort,
Mourez de honte à l'aspect de ce vide;
Que votre sort effraie un cœur aussi perfide.

Avez-vous l'art de deviner? Eh bien, devinez à quel degré monta la confusion de cette famille consternée.

On voit, à la fois, l'intérêt et les limites de ce « modèle » : un drame d'abord, un arrangement selon les meilleures traditions, ensuite, et fort plat. En fait, il y avait là, brut, de quoi nourrir une conversation ou une comédie satirique en forme d'apologue. Étienne n'a pas manqué l'occasion.

Sa pièce met en scène Dupré, « ancien négociant », qui a marié jadis ses deux filles à deux hommes puissants, Dervière, « riche capitaliste », et Dalainville, « homme en place ». Il a été convenu (souvenir du roi Lear) qu'il logerait alternativement six mois chez l'un et six mois chez l'autre. Mme de Dalainville est une mondaine qui ne rêve que fêtes, luxe et plaisirs. Elle joue dans des pièces de société, en particulier — ô habileté ! — dans *l'Amour filial,* et c'est pour cet événement qu'elle n'a pu recevoir son père :

> [...] vous concevrez bien qu'une aussi grande affaire
> Ne lui permettait pas de songer à son père.

Mme de Dervière est morte, mais il reste sa fille, Amélie, aimante et bonne, qui joue vis-à-vis de son grand-père un rôle assez semblable à celui de Louison dans *le Malade imaginaire.* Les deux filles de Dupré ont épousé dans deux zones bien distinctes de la nouvelle société : Dervière est un spéculateur qui cherche à se faire un nom en jouant au philanthrope et au correcteur des mœurs; il appartient au monde de la bourgeoisie nouvelle. Dalainville, lui, appartient à une aristocratie assez mal définie dans laquelle se retrouvent des éléments de la douceur de vivre du XVIIIe siècle et de la fureur de vivre de la nouvelle noblesse; il est fort lancé dans la politique et dans l'administration. Les deux masses sont assez clairement semblables à l'univers Nucingen (la Chaussée-d'Antin) et Restaud (le Faubourg Saint-Germain). Le portrait de Dervière, tel qu'il résulte d'une conversation entre Dupré et son domestique Courtois, ne manque pas d'intérêt :

DUPRÉ

> Lui c'est un philanthrope; il est des comités
> De secours d'indigence; il régit les hospices,
> Les maisons de vieillards, le bureau des nourrices;
> Pour les pauvres toujours, il compose, il écrit.

COURTOIS

> Oui, mais s'il faut payer, jamais il ne souscrit.
> C'est pour les malheureux un homme de ressources :
> Il leur prête sa plume, et leur ferme sa bourse.

DUPRÉ

> Dans les journaux encore on le vante aujourd'hui.

COURTOIS

> Les articles tout faits, sont envoyés par lui.
> Il a poussé si loin l'ardeur philanthropique
> Qu'il nourrit tous les gens de soupe économique.

On mesure ici l'intrusion dans la comédie de mœurs et de caractères d'éléments que certes ignoraient Molière et Regnard : la spéculation, le paravent philanthropique, la recherche d'une clientèle, le carriérisme, les journaux. Le réel moderne se fait quand même sa place. Mais on l'arrête vite. Il n'y a ni âpreté ni drame chez Étienne, mais de bons sentiments. Grâce à un subterfuge (Dupré se fait passer pour riche grâce à la complicité d'un vieil ami banquier, obtient la restitution de tout ce qu'il avait cédé à ses gendres et reprend le gouvernement de sa famille), la pièce s'achève sur une « correction » dans la meilleure tradition et le bonhomme Dupré tire la conclusion en se tournant vers les spectateurs, sans doute ravis et rassurés :

> Vous avez des enfants, méritez leur amour,
> Mais si vous redoutez de trop souffrir un jour,
> N'ayez jamais pour eux de lâche complaisance
> Et ne renoncez pas à votre indépendance.

C'est pire que du théâtre digestif. D'une part nulle *passion* n'a poussé Dupré à se dépouiller. Il a seulement, par imprudence, eu trop confiance en ses gendres. Il ouvre les yeux, se reprend et fait triompher la raison. Les gendres eux, sont des ambitieux, mais assez conventionnels et sans envergure. Quant à la seule fille qui joue un rôle dans la pièce, ce n'est qu'une écervelée, elle non plus sans aucune dimension sauvage; et il n'y a dans son ménage aucun drame privé. Enfin il y a ce bon cousin Charles, à qui on refuse Amélie parce qu'il n'est pas riche, qui se refuse à se faire protéger et s'en tient à sa compétence et qui est finalement récompensé. On met bien l'accent sur l'hypocrisie de la philanthropie, mais dans une perspective ambiguë. C'est le schéma traditionnel de la correction d'une erreur, de la leçon aux déviants, du triomphe un peu court du bon sens bourgeois. Dupré d'ailleurs est un brave et honnête homme qui a gagné honnêtement sa fortune. Le commerce, l'argent ne sont pas mis en cause. Le seul élément un peu nouveau par rapport à Molière aurait pu être le tableau, dans la ligne du drame bourgeois, des malheurs d'un père. Mais ce tableau est singulièrement affadi dans le sens des préoccupations d'une bourgeoisie triomphante qui dédramatise déjà sa vision du monde pour ne pas se percevoir elle-même comme problématique. Le rapprochement, par Balzac interposé, entre Shakespeare et l'académicien Étienne est instructif. Car il est plus passé de Shakespeare que d'Étienne dans *le Père Goriot.* C'est que Dupré ne devient pas fou et que l'univers des *Deux Gendres* est un univers de sagesse et de raison, un univers rassuré et qui rassure. Dupré n'est jamais conduit à philosopher sur les grands ressorts du monde et de la vie. Rien ne craque autour de lui et en lui. Lear, lui, meurt abandonné, fou, délirant, mais Dupré rétablit une situation dans laquelle l'argent, jamais réellement mis en cause, retrouve ou trouve une pureté que rien n'avait jamais réellement menacée. Les aberrants sont toujours individuels et ne relèvent jamais de structures. Il est bien sûr que Balzac a dépassé Étienne, mais, d'une manière bien significativement anti-bourgeoise, en retrouvant, comme il pouvait, Shakespeare.

Vautrin

Il y avait dans *le Roi Lear,* mais non dans *les Deux Gendres,* un philosophe : celui qui dialoguait avec le vieil homme (le bouffon), mais aussi celui qui naissait peu à peu, de manière tragique, du déchirement de la conscience même du vieux roi. Il y aura un philosophe dans *le Père Goriot :* celui qui naît en Rastignac, celui qui naît du déchirement de la conscience du père, celui aussi qui, à la fois dans un coin et au centre du tableau, dit les choses et le monde, Vautrin. D'où vient-il, non cette fois au seul niveau des identifications et reprises internes mais à celui des significations? Cette fois encore, les « sources » permettent de mesurer la force de l'apport balzacien. Les modèles en effet permettent de mieux dégager l'originalité de la vision et de la création balzacienne dans leurs rapports avec le réel objectif à exprimer.

On peut prendre d'abord l'exemple du thème Vidocq. Il est certain que, dès 1822, Balzac avait abondamment entendu parler du fameux chef de la police de sûreté par M. de Berny, qui le connaissait bien et qui était en rapports suivis avec lui. C'est de Vidocq et de sa légende que vient une grande partie d'*Annette et le criminel* (l'argot du bagne et le nom même de l'héroïne, qui est celui d'une maîtresse de Vidocq, une jeune fille de bonne famille qui lui demeura fidèle dans la pire adversité). En 1827, Émile Morice et l'Héritier de l'Ain avaient rédigé et publié, à partir des documents fournis par lui et sous son contrôle, les fameux *Mémoires* de Vidocq. Le 26 avril 1834, enfin, avait eu lieu chez le philanthrope des prisons, Appert, ce non moins fameux dîner auquel assistaient Balzac, Alexandre Dumas et Vidocq lui-même. Si l'on ajoute, depuis 1823, le *Code des gens honnêtes* (1825, réédité en 1829), *le Capitaine Parisien* (1831), *Ferragus* (1833), on constate que le naissant cycle de Vautrin s'inscrit naturellement dans l'une des fidélités de Balzac. Toutefois, comme l'a démontré P.G. Castex, dans *le Père Goriot* ce n'est pas tant Vautrin que Vidocq a inspiré à Balzac que ce Gondureau que va trouver Mlle Michonneau [7]. Il semble que Vidocq s'impose alors à Balzac beaucoup plus comme chef de police ayant son pouvoir et sa technique que comme éternel évadé, encore moins comme adversaire résolu et systématique de la société, ce que Vidocq ne fut d'ailleurs jamais. C'est le destin de Vautrin, dans *Splendeurs et Misères des Courtisanes* qui a faussé les perspectives et surimpressionné l'idée qu'on se faisait du Vautrin de 1835. En fait Vautrin, personnage tout en puissance et l'une des incarnations de Balzac lui-même, est bien différent du personnage malin mais finalement assez grisâtre de Vidocq, tel que l'a rendu si platement célèbre la télévision. En particulier son amour pour les jeunes gens doit beaucoup plus à son créateur sans doute qu'aux renseignements fournis par Vidocq (lui-même très homme à femmes) sur la pédérastie dans les bagnes : c'est au mois d'octobre 1834 que Balzac, au moment même où il crée Vautrin, prend chez lui « le petit Jules » (Sandeau) dont le témoignage, en 1839, dans son roman autobiographique *Marianna* ne sera guère

---

7. Manuscrit et éd. Castex, p. XXIX. De sérieuses objections ont été faites également à une assimilation de Vautrin à Vidocq par Maurice Bardèche qui signale que d'autres « modèles » peuvent être imaginés, ne serait-ce que le fameux Coignard (le faux comte de Sainte-Hélène) ou Anthelme Collet, qui mirent sur les dents la police de la Restauration.

équivoque [8]. Philarète Chasles, dans un chapitre de ses *Mémoires* que censureront ses héritiers, dira d'ailleurs tout nettement que Balzac avait les goûts de Tibère au bain. Ceci ne l'empêchait nullement d'être, lui aussi, un homme à femmes, un amant qui savait satisfaire et qu'on n'oubliait pas : son homosexualité ou ses tendances homosexuelles ne seront jamais chez lui une de ces fatalités que traînent les parias de Sodome et Gomorrhe; ce sera plutôt, toujours, une sorte de choix, une exaspération de la volonté d'être et de se faire en modelant et en échappant aux fatalités destructives des amours féminines. Ceci nous met donc assez loin d'une inspiration anecdotique et d'une utilisation de rencontres ou de confidences. Que ce soit à partir de Vidocq, ou à partir des bagnes et des voleurs, Balzac n'a pas fait de folklore : il s'est exprimé. Mais il y a mieux encore.

Vautrin initiateur et corrupteur, en effet, Vautrin découvreur des secrets du monde et théoricien de l'arrivisme, doit beaucoup apparemment au *Neveu de Rameau* et à Gaudet d'Arras dans *le Paysan et la Paysanne pervertis.* Des rapprochements précis ont été faits, et ils sont convaincants [9] : cynisme, idée qu'il n'y a pas de principes mais seulement des occasions, passion de se dévouer pour un autre et de réussir par personne interposée, tout ceci Balzac l'avait lu dans Diderot et dans Restif. La différence, toutefois, entre ces cyniques du XVIIIe siècle et Vautrin est immense. L'attitude d'ensemble, le vocabulaire même, peuvent se ressembler, mais le contenu, l'orientation, la signification, la mise en perspective sont d'un autre univers. D'abord, parce que Vautrin parle dans l'univers post-révolutionnaire, après le triomphe des Lumières, de la raison et de l'égalité, après le grand effort de rationalisation et de clarification des rapports

---

8. *Marianna* raconte, sous une forme transposée, l'histoire de George Sand et de Jules Sandeau. Mais le « couple » masculin de Georges et d'Henry transpose assez évidemment les souvenirs de la liaison Balzac-Sandeau. Georges est fort et dominateur. Henry est jeune, frêle et beau. C'est une scène d'*Illusions Perdues* que celle-ci : « Georges était dans sa chambre, occupé à écrire. Couché sur le divan, un blond et frêle jeune homme le contemplait en silence d'un air mélancolique et doux. Parfois, Georges tournait vers lui un regard affectueux qu'il accompagnait d'un triste sourire. Alors, le jeune homme souriait plus tristement encore, et tous deux échangeaient une muette pression de main [...] ».
9. Édition Castex, p. XXXI – XXXIV.

sociaux que s'était voulu la Révolution Française et qu'on avait pensé qu'elle devait être. De même que la présence de Corentin aux côtés du naïf commandant Hulot, dans *les Chouans,* est un signe romanesque de ce qu'est *devenue* la Révolution, d'universaliste devenant policière, de missionnaire et d'organisatrice devenant répressive, de même le discours et l'action de Vautrin au cœur même du monde libéral sont un autre signe romanesque de ce qu'est devenu le monde né de la Révolution. Il est absolument impossible de mettre sur le même plan, du point de vue de l'histoire des mentalités et des réactions subjectives, la société d'avant 1789 et la société de 1819. Ni Vautrin, ni Rastignac, ni personne en 1819 ne peut penser la vie sociale dans les mêmes termes qu'avant 1789. Aucun lecteur s'il tient compte de l'Histoire (c'est-à-dire s'il accepte, aujourd'hui, de considérer la Révolution Française non comme la révolution définitive, mais bien comme l'opération politique majeure de la Bourgeoisie, non comme un absolu mais comme du relatif) ne peut donner la même signification politique et sociale aux paroles du Neveu (ou de Gaudet) et à celles de Vautrin (ou de Gobseck). Comment mettre, en effet, sur le même plan des thèmes pessimistes dans le contexte de la fin d'un monde (même s'ils sont annonciateurs de ce que sera le monde nouveau) et ces mêmes thèmes pessimistes dans le contexte d'un lendemain de rénovation, après un grand éclair libérateur? C'est déjà toute la différence entre le pessimisme de la fin de la Restauration et celui des premiers mois de la monarchie de Juillet. Dans le second cas le pessimisme porte accusation non contre une quelconque nature humaine, mais bien contre l'efficacité, contre la validité de ce qui vient de s'accomplir et qui se trouve ainsi radicalement contesté, récusé, *désenchanté.* Balzac a historisé un thème moral et sans racines précises. D'abord, en l'exploitant, en le *ressortant* dans un contexte historique qui lui donne nécessairement une résonance nouvelle. Puis il fait mieux : il l'a traité explicitement à coup de références historiques précises. Les références de Vautrin, en effet, ses justifications sont constamment historiques, politiques, et son histoire, sa politique ne sont pas celles de la rhétorique (Annibal, César, les grands hommes sur lesquels raisonnait encore un Montaigne), mais celles, brutales, immédiates, des hommes d'une génération : Napoléon, Talleyrand, Villèle, Manuel, La Fayette au sujet de qui l'un des personnages de *la Peau de Chagrin* s'était exclamé : « Est-ce ma faute si le libéralisme devient La Fayette? ». Vautrin ne discourt ni ne raisonne dans un éternel qui ne concernerait que les hommes de culture. Il raisonne et discourt sur le fond d'une expérience récente et en cours, vécue et comprise comme historique et comme politique. Non seulement le monde, mais le monde *moderne,* le seul que connaissent des millions d'hommes, est ainsi fait. C'est pourquoi, si le Neveu ou Gaudet peuvent exciter des esprits qui, d'avance, y « reconnaissent » Vautrin, ils ne s'adressent à personne d'autre qu'à une minorité de lecteurs de culture. Vautrin, lui, parle pour tous et s'adresse à tous, parce qu'il met en cause les fondements mêmes du monde nouveau.

De plus, le Neveu de Rameau et Gaudet parlaient dans un monde stable et clos, dans un monde sans perspective d'ouverture ni de changement. Vautrin, lui, va parler dans un monde ouvert, en proie à la fièvre, un monde en expansion qui permet tout à tout le monde. Vautrin ne se conçoit pas séparé de la grande poussée plébéienne consécutive à la révolution capitaliste qui a brisé les cadres de la société noble et parlementaire. Un lieutenant corse est devenu Empereur. Un berger de l'Albigeois est devenu adjoint au maire de Tours. Thiers est devenu Thiers. Certes, Sébastien Mercier l'avait bien montré dès 1781 dans son *Tableau de Paris,* la société nouvelle était en germe, était déjà présente dans l'ancienne. Mais seule la Révolution et ses suites, seule l'explosion économique, sociale et culturelle qu'elle a déclenchée ou rendue possible et qui, ensuite, s'est consolidée avec le retour de la paix et la fin des restrictions impériales, ont pu donner tout leur sens aux théories de l'arrivisme et de l'ambition. Le Neveu de Rameau et Gaudet n'exprimaient guère que du détail, de l'accidentel et du pittoresque. Ils n'allaient nulle part. Vautrin exprime une loi générale, celle de toute la société nouvelle. Le Neveu et Gaudet n'étaient que d'étonnants cyniques dans un coin du tableau. Vautrin est au centre de *la Comédie humaine.* Et lui va quelque part parce que le siècle est orienté. Sources, donc, en un sens, ces textes de Diderot et de Restif, mais sources, chez Balzac, d'effets et de leçons sans commune mesure avec ceux et celles de ses devanciers, et ceci non seulement parce que Balzac leur est « supérieur », mais aussi parce qu'il exprime un monde en totale mutation. Or, une mutation ne relève pas de la morale. Une mutation relève du fait, de l'objectif, de la science, et c'est encore l'une des clés du personnage. Vautrin le dit : il fait un décompte (« Voilà votre compte, jeune homme ». Balzac, quelques mois plus tard, mettra des paroles presque identiques dans la bouche de Gobseck initiant Derville). Or, un décompte n'est pas moral ou immoral. Il est juste ou faux. C'est par là que Vautrin, loin de n'être qu'un « cas », comme le Neveu ou Gaudet, prend de la grandeur et de la stature. Vautrin est un moment du devenir historique et social : par là il accède à l'épique, il est l'une des figures majeures de la création romanesque au XIXe siècle. Exprimant leur siècle, Diderot et Restif pouvaient mettre leurs cyniques et leurs corrupteurs dans un coin du tableau. Exprimant son siècle, Balzac devait mettre Vautrin au centre. C'est ainsi que, la nature des choses et l'histoire y contraignant, le réalisme opère sa propre mutation à partir des lectures et des anecdotes. Balzac aurait pu faire de Vautrin un simple original ou un monstre : il aurait alors donné une image menteuse de la société qu'il exprimait. Ce n'est pas l'art, au sens étroit du terme, que ce dépassement de Diderot et de Restif : c'est de la fidélité au réel — quelles qu'en soient les conséquences.

On voit combien profondes et multiples sont les racines repérables du *Père Goriot :* personnages, événements, rencontres, pratiques d'écriture, sujets-formes et formes-sujets, réaction-formes et réactions-sujets à des sujets et à des formes. Rien de moins inexplicable que cette mobilisation par Balzac, fin 1834, de tant d'éléments qui sont en lui, sans toutefois vraiment y être puisqu'ils ne sont pas encore écrits. Ce qui fit de la rédaction un travail épuisant dut être en partie l'effort de synthèse narrative mais surtout d'écriture organisatrice nécessaire pour passer du disponible et de l'implicite à l'explicite et à l'exprimé, lui-même d'ailleurs jamais clos et toujours donnant naissance à du nouveau. Là sont les véritables sources, là est le véritable jaillissement, qui, on le verra, bien loin de se contenter d'aboutir au *Père Goriot,* y trouvera de quoi porter plus loin encore. Ceci n'exclut nullement l'intervention d'autres sources, secondes, accidentelles, mais qui ont pu aider à la cristallisation, à la mise en œuvre et d'abord peut-être à cette éclosion mobilisatrice d'un titre.

Balzac lui-même a déclaré et fait déclarer que l'histoire de Goriot reposait sur des faits réels et avérés :

> Quelques lecteurs ont traité *Le Père Goriot* comme une calomnie envers les enfants; mais l'événement qui a servi de modèle offrait des circonstances affreuses, et comme il ne s'en présente pas chez les Cannibales; le pauvre père a crié pendant vingt heures d'agonie pour avoir à boire, sans que personne arrivât à son secours, et ses deux filles étaient, l'une au bal, l'autre au spectacle, quoique elles n'ignorassent pas l'état de leur père. Ce vrai-là n'eût pas été croyable. (Préface de la première édition du *Cabinet des Antiques,* 1836)

Ce qui donne sans doute un intérêt un peu plus que littéraire et intra-balzacien au texte fameux de Derville dans *le Colonel Chabert,* ajouté par Balzac peu de temps après qu'il a écrit *le Père Goriot*. Balzac précise, dans cette préface du *Cabinet des Antiques* qu'« à toutes les époques, les narrateurs ont été les secrétaires de leurs contemporains ». Mais, ajoute-t-il, « si tous les auteurs ont des oreilles, il paraît que tous ne savent pas entendre ». Balzac n'a pas seulement entendu. Il a vu :

> Savez-vous, mon cher, reprit Derville après une pause, qu'il existe dans notre société trois hommes, le Prêtre, le Médecin, et l'Homme de Justice, qui ne peuvent pas estimer le monde? Ils ont des robes noires, peut-être parce qu'ils portent le deuil de toutes les vertus, de toutes les illusions. J'ai vu mourir un père dans un grenier sans sou ni maille, abandonné par deux filles auxquelles il avait donné quarante mille livres de rente! [...] Vous allez connaître ces jolies choses-là; moi, je vais vivre à la campagne avec ma femme. Paris me fait horreur. (Addition dans la *Comtesse à deux maris,* en 1835)

Les « J'ai vu » de Derville, qui prennent ici le relais des « J'ai vu » du jeune Arouet-Voltaire, visent non plus des scandales politiques ou institutionnels, mais des drames secrets qui renvoient à une politique profonde et à des institutions invisibles aux « philosophes » : le pouvoir de l'argent. Derville énumère sujets déjà traités et sujets possibles :

> J'ai vu des mères dépouillant leurs enfants, des maris volant leurs femmes, des femmes tuant leurs maris en se servant de l'amour qu'elles leur inspiraient pour les rendre fous ou imbéciles, afin de vivre en paix avec un amant. J'ai vu des femmes donner à l'enfant d'un premier lit des goûts qui devaient amener sa mort, afin d'enrichir l'enfant de l'amour. Je ne puis vous dire tout ce que j'ai vu, car j'ai vu des crimes contre lesquels la justice est impuissante. Enfin, toutes ces horreurs, *que les romanciers croient inventer,* sont toujours au-dessous de la vérité.

Qui a vu? Derville ou Balzac? La question est capitale, et le renvoi de la littérature à la littérature dans le second texte ne doit pas faire soupçonner la validité du premier, surtout depuis que tant de preuves ont été apportées — aussi bien pour ce qui est des sujets privés que des sujets publics — que Balzac a bien peu « imaginé » et bien peu « inventé ». Dans l'état actuel des connaissances on n'a pas encore identifié l'affaire Goriot. Mais on a, semble-t-il, identifié celui qui a fourni son titre au romancier, avec le statut social du père, qui ainsi échapperait à la seule littérature et à la seule psychologie tout en donnant à la littérature et à la psychologie de nouvelles dimensions et un nouvel impact.

Balzac a-t-il connu Goriot?

Un nom mystérieux apparaît dès le texte de manuscrit : ce Muralt qui à partir de la seconde édition Werdet devient le Muret de *la Comédie Humaine* (où d'ailleurs il ne reparaît jamais) et qui est censé avoir raconté à Rastignac l'histoire de Jean-Joachim Goriot. On sait que Balzac connaissait un certain Marest, « vieux marchand de blé de la Halle », qui était son propriétaire rue Cassini — où fut écrite la plus grande part du *Père Goriot* — et dont il parle à Mme Hanska. Il est bien probable qu'il y ait eu là un informateur, sinon un modèle.

Mais voici plus. Rue Saint-Jacques, à deux pas de la rue Cassini, habitait un « propriétaire » du nom de Goriot, qui était marchand-pâtissier. Et il existait un autre Goriot à l'Isle-Adam, l'un des lieux inspirateurs de Balzac (voir *Wann-Chlore* et *Un début dans la vie*). Ce Goriot-là était ancien meunier, et il était bien connu à la Halle aux Blés de Paris. En 1798, au moment de la disette, il avait livré du blé au gouvernement révolutionnaire. Habitué de la spéculation? En octobre 1789, des boulangers de Paris lui avaient volé du grain qu'il envoyait à la Halle. Boulangers patriotes, ou eux-mêmes spéculateurs? Toujours est-il, comme l'écrit A. Uffenbeck, que « pendant au moins douze ans, de 1777 au commencement de la Révolution, le nom de Goriot a dû être prononcé plus d'une fois à la Halle aux Blés à Paris ». Pour ne rien dire de l'épisode de 1798 dont les Archives nationales ont conservé la trace. Marest aurait-il informé Balzac sur ce Goriot? Et l'autre Goriot, le pâtissier de la rue Saint-Jacques, aurait-il achevé de donner consistance au personnage? Tout ceci paraît parfaitement vraisemblable, de même que Balzac a très bien pu coudre à ce personnage solidement situé dans le paysage social une histoire d'ingratitude filiale et de mort solitaire qui viendrait d'ailleurs. Comme pour *Z. Marcas* plus tard, Balzac n'a-t-il pu rêver sur ce nom? Les lapsus de Mme de Langeais (Moriot, Doriot, Loriot) qui, autant que des marques et des signes de son mépris aristocratique, de son égoïsme et de son inhumanité, sont en fait autant de variations d'auteur et peut-être de souvenirs d'exercices ou de brouillons sur un nom, la tentation que semble avoir éprouvée Balzac dans le manuscrit de jouer sur « père Goriot/compère Loriot » au sujet de la maladie d'yeux de son personnage, tout ce jeu autour de quelques syllabes n'est-il pas le signe de quelque chose qui se passe et qui prend? Goriot, familièrement appelé le *père* Goriot dans son voisinage, n'a-t-il pu conduire ou ramener à ce thème de la paternité, à une histoire vraie, le passage de *père* au sens classique de *bonhomme* et de *vieil homme,* fournissant peut-être la clé d'une chaîne sémantique en même temps que thématique? La véritable ouverture du texte n'est-elle pas là?

De tels efforts d'identification, même s'ils ont pu donner lieu et occasion aux plus discutables exercices et justifier les exploits d'une érudition friande de réalisme pour syndicat d'initiative (Visitez la maison du père Grandet ou le salon de madame Vauquer! Promenez-vous dans le parc des Aigues ou pique-niquez dans le jardin de Clochegourde!), ont un intérêt et une signification profonde. Charmés, surpris, choqués par des histoires auxquelles la littérature conférait (beaucoup plus qu'elle ne concédait) une extraordinaire dignité ainsi qu'une incontestable (mais aussi inquiétante) efficacité, les lecteurs et les maîtres de lecture se sont vite lancés dans une double entreprise :

1. Ces récits ne sont-ils que fiction, fantaisie ou exagération de l'auteur ou correspondent-ils à des réalités avec leur signification? Il s'agit ici de *justifier* la littérature et de lui conférer des raisons sérieuses. C'est une recherche amplificatrice et théoriquement prospective.

2. Ces récits ne sont après tout que copies, au mieux transpositions de faits banals. Le mythe et l'image se réduisent en anecdotes. C'est une recherche réductrice, pratiquement sceptique et scientifiquement démobilisatrice.

En fait les deux motivations interfèrent constamment à l'intérieur de la pratique critique idéaliste : la littérature à la fois dit ou sur-dit et sous-dit. Mondaine dans les deux cas, elle justifie la dignité des écrivains (et des critiques), mais aussi elle borne leur pouvoir en de sages limites. On a une littérature digne de son statut institutionnel et idéologique. Mais on a aussi une littérature qui n'est, après tout, que reflet et petite histoire.

Cela dit, on peut dépasser le double piège. Il est vrai que la littérature traite du réel. Mais il est vrai aussi qu'elle n'est pas simple copie ou rapport. Qu'un ou des Goriot aient existé n'épuise pas le texte du roman ni n'autorise qu'on passe à travers. Mais aussi, qu'un ou des Goriot aient existé, avec leur problématique et leur signification que Balzac a pu reprendre et relancer, leste le texte de réel qui ne l'est jamais tant que depuis qu'il est littéraire et constitue la forme d'un nouveau savoir.

Le non-dit et le dit disponibles

Ainsi, bien des choses, en termes littéraires au moins autant et plus qu'idéologiques, sont présentes à la conscience de Balzac au moment où il entreprend *le Père Goriot.* Le retour des personnages, en tant que noms, en tant que participants d'une intrigue plus ou moins complètement racontée, compte infiniment moins que ce retour de préoccupations, de tensions et de tentations qui n'est autre que la permanence et la continuité dynamique de soi-même dans l'expérience, dans la réflexion, dans la conscience et dans l'écriture. Il est vrai que, comme l'ont heureusement découvert les biographes, au moment d'écrire son roman Balzac était réellement père. Il est vrai qu'il contait à Laure avec ravissement et exaltation sa découverte et sa joie. L'antériorité de di Piombo et de Ferragus ne remet-elle pas toutefois à sa vraie place cet événement finalement fortuit? Et faut-il donner tant d'importance à cette naissance, au reste rapportée par Balzac sur un ton relativement dégagé? Il recourra à d'autres accents douze ans plus tard, pour le Victor-Honoré qu'il attendra de Mme Hanska. L'enfant né de la liaison (secrète) avec Maria du Fresnay (la dédicataire d'*Eugénie Grandet*), enfant du mystère pour lequel Balzac ne pouvait rien, a sans doute moins pesé dans la genèse du *Père Goriot* que ces déterminations qui venaient du fond de sa propre manière d'être au monde et de le concevoir. Il n'en demeure pas moins que rien n'est négligeable de tout ce qui tient à la plume.

On se trouve ainsi assez près de la conception du roman, avec tout un arrière-fond non de recettes, mais d'expériences et déjà d'expression. On peut établir un décompte relativement complet de tout ce qui, en un désordre disponible, se trouve alors en suspension dans la conscience du romancier :

— le cadre (visuel) d'une pension bourgeoise, avec le nom de sa patronne;

— la famille d'un jeune homme ambitieux;

— le thème (vengeur) d'une fille qui, par orgueil, cesse de voir un père qui s'est dépouillé pour elle;

— l'autre thème vengeur de la femme infidèle et punie;

— le personnage de l'initiateur, puis du corrupteur;

— la figure du forçat en rupture de ban;

— le thème du mandarin et des crimes cachés;

— le thème de la pension bourgeoise, lié à celui des jeunes gens pauvres et laborieux;

— le personnage et le nom de Rastignac (non encore opposé à celui constitué, mais anonyme, de Maxime de Trailles);

— le thème de la femme abandonnée;

— le thème de la découverte de Paris;

— l'image des souffrances de la paternité;

— le nom Goriot, avec ses divers arrière-plans et connotations.

Des fusions ne sont pas encore opérées (le hors-la-loi n'est pas encore l'initiateur, l'initiateur n'est pas encore le corrupteur), et des dédoublements, voire des « détriplements », ne sont pas encore effectués (du jeune homme pourront sortir Rastignac et Maxime de Trailles, mais aussi Bianchon, Rastignac étant lui-même contradictoire et ambigu). Aucun de ces éléments n'est privilégié par rapport aux autres, pas même celui du père, que l'on n'isole et reconnaît vraiment aujourd'hui dans *Ferragus,* dans *la Vendetta* et dans la *Correspondance* que parce qu'il y a eu *le Père Goriot* et les lectures qui en ont été faites. Chacun de ces éléments a pu se manifester à des moments divers, reparaître, céder la place à d'autres. Balzac, d'autre part, a pu envisager des développements, retours en arrière, explications qu'il était dans une totale impossibilité de mener à bien (manuscrits promis à terminer, textes d'une longueur limitée à donner aux revues). Il y a ainsi constamment chez lui cette mise en réserve, cette non-écriture, avec toutes ses conséquences (ce qui n'est pas écrit n'existe pas vraiment et nul ne sait quel destin l'attend le jour où l'on pourra l'écrire), qui s'explique :

1. par une expérience large et riche, secondée par une extraordinaire mémoire et appuyée, parfois, sur les débuts d'écriture;

2. par des nécessités professionnelles immédiates.

En ce qui concerne *le Père Goriot,* que ce soit la famille lointaine, la pension, le jeune homme, les premières figures de la vie parisienne, tout est là, présent, non pas « fond » ou sujet n'attendant que la forme, mais possible dépendant de sa propre expression, de sa propre écriture qui le transforme et seule le fait être, cette expression, cette écriture, elles-mêmes, ne relevant pas seulement de la simple volonté de faire une œuvre, mais aussi de contingences de métier, en même temps qu'elles ne jouent jamais à partir de leur seul et magique pouvoir, mais à partir de quelque chose apte à être signifié. Balzac — la genèse du *Père Goriot* en fournit une preuve entre autres — n'a pas distillé, prémédité ses ellipses et ses silences. Il n'a pas calculé ses feintes, ses annonces et ses reprises, ses vus et ses non-vus, ses re-vus et ses compris-après-coup comme le fera Proust dans *Du côté de chez Swann.* Il n'a pas laissé en blanc, en vue d'effets à produire, des événements, des tranches de biographie, des morceaux de souvenirs. Mieux : certaines des histoires qui auraient pu être écrites, et qui étaient impliquées par ce qui était déjà publié ou commencé, ne l'ont pas été. On ne saura jamais par exemple tout le secret de Lady Brandon, dont une part importante sera livrée par une page du *Père Goriot,* avant de disparaître de Furne corrigé, mais quelques allusions dans *le Lys dans la vallée,* dans les *Mémoires de deux jeunes mariées* seront la preuve qu'il exista quelque part une nouvelle ou un roman que Balzac n'écrivit jamais. Jules Romains, dans ses *Hommes de bonne volonté,* fera exprès de laisser « se perdre dans le sable » certaines des histoires dont il aura donné le début, arguant qu'il en va ainsi dans la vie, que l'on n'apprend pas toujours la suite de tout et que l'on ne connaît l'immense réel que par fragments. De telles planifications, comme les motivations qui les inspirent, sont étrangères à Balzac. S'il y a des trous dans ses histoires, si l'imagination du lecteur est chargée de reconstruire les intervalles, si c'est même là parfois ce qu'a de plus fort et de plus suggestif *la Comédie humaine,* cela ne résulte nullement d'une volonté de donner du monde réel une image volontairement fragmentaire, qui relève en fait non d'une pratique mais d'une idée qu'on se fait un peu à froid du réel et pour des raisons qui ne sont pas innocentes, pour des raisons idéologiques dont les racines sont à chercher dans une expérience historique et sociale précise : le monde est plein de failles, désarticulé, mais le souvenir ou la bonne volonté peuvent lui rendre un sens. Pour Balzac, le monde est plein et tout se tient. Seulement il n'a pas eu le temps d'écrire tout ce qu'il portait dans sa tête ni tout ce qu'il y avait dans le monde. De là vient, sans doute, cet effet de richesse et de vérité de l'univers du *Père Goriot,* et ce qui fait comprendre son cheminement silencieux dans la conscience du romancier. *La Comédie humaine* écrite n'est qu'une partie de celle dont Balzac était capable, et *le Père Goriot,* écrit et rassemblant toute une immense part d'un à-écrire, demeure aussi le lieu de bien des choses qui ne le seront jamais. C'est le sens de ces raccourcis que prend Balzac dans sa manière d'arranger, compte moins réellement tenu de ce qu'il a publié que de ce que, ayant les yeux fixés sur son monde intérieur, il a toujours à écrire [10].

Retour des personnages

Lorsque Balzac entreprend de raconter « les mystères d'une situation épouvantable » dans une pension du quartier Latin, il y a quelque temps qu'il a commencé à écrire selon une technique assez particulière : en procédant non plus par récits totalement isolés, mais en pensant à des personnages et à des histoires qui figurent de manière ouverte et fugitive dans d'autres textes de lui déjà écrits, ébauchés, ou auxquels il songe. Mais aussi, en remontant plus haut encore, tout ce qu'il a écrit à partir de 1820 constitue une impressionnante somme que l'on peut lire aujourd'hui comme balzacienne. Balzac va constamment sembler puiser dans un déjà-dit, c'est-à-dire, à un niveau très particulier, dans un déjà-existant qui plus ou moins fonctionne, peut encore ou mieux fonctionner. Cela s'explique par l'importance de l'expérience 1820-1830, par l'emmagasinage aussi d'une masse de réflexions, par de multiples essais dans le cadre d'une pratique littéraire spontanément

---

10. « Nous n'avons que les rognures d'un J.-J. Rousseau tué par les chagrins et par la misère. Les Géricault, qui auraient continué les grands peintres, les écrivains à synthèse qui lutteraient avec les génies des temps passés, meurent quand il ne rencontrent pas les hasards pécuniaires indispensables à l'exécution de leurs pensées ou de leur peinture; voilà tout » (préface de *La Femme supérieure,* 1838).

unifiante. Cela s'explique aussi par le fait que l'écriture ne livre jamais que des bribes et des moments de tout ce qui est à dire. L'important est en tout cas de constater que chez Balzac depuis toujours existe cette forte tendance au *réemploi* et à la *relance* de soi-même. La mise en place, le fonctionnement comme la signification du retour des personnages ne peuvent être compris si l'on ne prend garde d'abord à cet aspect des choses.

Les situations reparaissantes

Il s'agit ici non plus d'un repérage thématique, mais d'un repérage formel : on reconnaît dans des situations d'œuvres de jeunesse ou de début des situations depuis longtemps consacrées comme « balzaciennes » par les chefs-d'œuvre classés et reçus. On laissera de côté pour le moment les réalités, vécues ou littéraires, qui peuvent se trouver derrière. Nous n'en sommes qu'à repérer des interférences purement narratives et non pas évolutives.

PREMIÈRES ŒUVRES	LA COMÉDIE HUMAINE
1820 — *Falthurne*	
Claye-en-Brie (vient de Villeparisis où les Balzac ont habité)	La Brie de Mme Goriot
1821 — *Sténie*	
les sites tourangeaux	le cycle de la Touraine
le conflit Bleus-Chouans	*les Chouans*
la paresse tourangelle	*l'Illustre Gaudissart*
1821 — *l'Héritière de Birague*	
le protecteur (vient du roman noir)	Gobseck, Vautrin
le nain mystérieux	Butscha, « clerc obscur » de Modeste dans *Modeste Mignon*
philosophie de l'histoire inspirée de Saint-Simon	philosophie politique
l'intendant fidèle à ses maîtres	*le Cabinet des Antiques*
Jeanne Cabirole	*Ursule Mirouet, Un début dans la vie*
1821 — *Jean-Louis*	
le commerce et la probité qu'il impose	*César Birotteau*

Barnabé, acheteur de biens nationaux	Grandet
Courottin, basochien arriviste	Fraisier, dans *le Cousin Pons*
1822 – *Clotilde de Lusignan*	
théorie de l'énergie vitale	*la Peau de Chagrin*
thème du retour du disparu	*le Colonel Chabert*
1822 – *le Vicaire des Ardennes*	
le curé jureur, le curé philosophe	*Lambert, le Curé de village, le Médecin de Campagne*
les paysans qu'on empêche de danser le dimanche	*le Médecin de Campagne*
la découverte intellectuelle de Paris	*la Rabouilleuse* *le Médecin de Campagne*
Argow le pirate devenu propriétaire	Vautrin *les Paysans*
le Cabaret du Grand I Vert qui a terre a guerre	*les Paysans*
1822 – *le Centenaire*	*Études philosophiques*
le « fluide vital »	le cycle de la Touraine
les sites tourangeaux	*la Cousine Bette*
l'empoisonneur Maïco (reparaît dans *l'Anonyme*)	*Melmoth réconcilié*
le pacte fantastique	*la Peau de Chagrin*
la « fusion » des classes sous l'Empire	*le Bal de Sceaux* *le Père Goriot*
l'initiation de Tullius	
l'homme aux deux femmes	*la Peau de Chagrin*
1823 – *la Dernière Fée*	
mariage d'amour ou mariage de sagesse	*Mémoires de deux jeunes mariées*
Juliette	la Fosseuse du *Médecin de Campagne*
l'homme aux deux femmes	*la Peau de Chagrin*
l'initiation d'Abel	*le Père Goriot*
les villages coupés de la civilisation et les scènes de village	*l'Illustre Gaudissart* *le Médecin de Campagne*
1823 – *Annette et le Criminel*	
Argow le pirate	*Vautrin*
Argow converti	*Splendeurs et misères des courtisanes*
la conversation en voiture	*Un début dans la vie*
la poursuite en voiture	*la Femme de Trente Ans*

le don de l'argent au cousin Charles	*Eugénie Grandet*
Annette	les jeunes filles balzaciennes
l'arriviste Charles de Serigné	Rastignac
1822-1825 — *Wann-Chlore*	
Les sites de l'Oise	*le Colonel Chabert, un début dans la vie*
la province, la vie privée	*Eugénie Grandet*
Eugénie qui vieillit solitaire	*Eugénie Grandet*
la belle-mère dominatrice	*le Contrat de mariage*
le second amour impossible	*le Lys dans la vallée*
le Cloître Saint-Gatien	*le Curé de Tours*
l'homme aux deux femmes (l'ange et la sirène)	*la Peau de Chagrin*
Les deux enfances malheureuses	*le Lys dans la vallée*
La femme abandonnée	*la Femme Abandonnée*
1825 — *Code des gens honnêtes*	
Le monde de la pègre	*le Père Goriot*
1827 — *le Corrupteur*	
l'initiateur corrupteur	*le Père Goriot*

Les modèles reparaissants

Il faudrait ajouter à ces situations et à ces thèmes reparaissants, l'idée lancée avec preuves à l'appui, par A.-M. Meininger, de « modèles reparaissants ». Voici les plus importants :

Laurence de Montzaigle (née Balzac)	Eugénie d'Arneuse *(Wann-Chlore)*, Augustin Guillaume *(la Maison du Chat-qui-pelote)*
Laure Surville (née Balzac)	la femme supérieure (Mme Camusot, Mme Rabourdin dans *le Cabinet des Antiques* et *les Employés*),
Eugène Surville	l'inventeur et l'ingénieur *(Illusions Perdues, le Curé de village)*
Théodore Midy (demi-sœur du précédent)	la parente pauvre
Madame Balzac	les mères tyranniques de *Wann-Chlore* à *la Comédie humaine*
Bernard-François Balzac	les pères positifs de *la Comédie humaine*

Il existe ainsi, à l'extrême ou moyenne périphérie du *Père Goriot* et des autres textes de *la Comédie humaine,* des constellations de thèmes, de sujets, de figures, de personnages, voire d'expressions qui s'inscrivent sur de grands cercles et d'où semblent s'être de toujours préparés le débarquement et l'installation sur la planète qui nous intéresse. Mais lorsque les cercles se rapprochent (cercle de 1830, cercle de 1832, cercle de 1834), il commence à s'agir d'autre chose : non plus d'une récurrence spontanée mais d'une technique délibérée qui vient lui donner une efficacité nouvelle.

Avant le Père Goriot : l'unité profonde et les résistances

L'idée de faire revenir ou de réutiliser un personnage vient nécessairement d'une certaine idée qu'on se fait de lui et de sa signification, même s'il n'a pas encore de nom et si, autant qu'une personne, il désigne un thème ou une situation. Or on a la preuve que Balzac, de bonne heure, a eu l'idée d'un personnage unique dont il se servit pour rédiger plusieurs textes, mais que dans un premier temps il se garda bien d'unifier ses diverses manifestations.

En octobre 1831 avait paru dans *la Caricature* un court croquis qui rapportait l'histoire d'un ancien meurtrier, aujourd'hui bien reçu et honoré. En mai 1831 alors qu'il était en train de travailler à *la Peau de Chagrin,* Balzac avait été saisi par un nouveau projet de nouvelle philosophique : *l'Auberge Rouge.* Il travailla aux deux textes en même temps. Le héros de *l'Auberge Rouge* était un certain Mauricey, aujourd'hui riche banquier qui reçoit le Tout-Paris, mais dont la fortune provient d'un assassinat commis pendant la Révolution sur la personne d'un ami de rencontre. Or il existait déjà un banquier amphitryon dans *la Peau de Chagrin.* Mais voici en quels termes il était présenté dans la première édition :

> S'il faut en croire les envieux et ceux qui tiennent à voir les ressorts de la vie, *cet homme aurait tué, pendant la Révolution, je ne sais quelle vieille asthmatique dame, un petit orphelin* scrofuleux, et quelque autre personne.

Cette version se maintiendra jusqu'en 1835, où Balzac

mettra : « S'il faut en croire les envieux et ceux qui tiennent à voir les ressorts de la vie, *cet homme aurait tué pendant la Révolution un Allemand et quelques autres personnes qui seraient, dit-on, son meilleur ami et la mère de cet ami.* » Tout ne se passe-t-il pas comme si Balzac s'efforçait, par quelques détails, de faire entendre que son banquier de *la Peau de chagrin* n'a rien à voir avec celui de *l'Auberge Rouge* et comme si toutefois il ne pouvait totalement empêcher les deux textes de se rapprocher? En 1835, dans *le Père Goriot,* Vautrin dit de Taillefer qu'« il passe pour avoir assassiné un de ses amis pendant la Révolution ». Le réseau se resserre. En 1837, dans la réédition des *Études philosophiques,* le Mauricey de *l'Auberge Rouge* devient Taillefer. L'année suivante, c'est le tour de l'amphitryon anonyme de *la Peau de Chagrin* de prendre le nom de Taillefer. La boucle est bouclée mais non sans mal, et il a quand même fallu sept ans avant que Balzac en quelque sorte *accepte* de ne faire qu'un seul et même personnage de celui dont, de manière plus ou moins élaborée, il s'était servi plusieurs fois. L'explication semble claire : Balzac, surtout lorsqu'il écrit pour les journaux, ne cherche pas à réunir, à rassembler, à unifier; il tient au contraire à bien donner l'impression qu'il n'écrit pas plusieurs fois la même chose; il résiste à ce qu'il ne semble considérer encore que comme du double emploi, non comme un procédé susceptible d'effets de récurrence et de profondeur de champ. Peut-être la publication en volumes, avec textes rassemblés, le libère-t-elle en quelque sorte et l'encourage-t-elle dans ce sens. C'est un autre aspect de l'interférence des conditions concrètes du métier sur la littérature. Voici qui va le confirmer.

Le début du système

Dès que sa production a pris de l'importance, c'est-à-dire lorsque sont apparues des reprises et des suites de situation ou de personnages, à l'articulation 1830-1831-1832, Balzac a vu se poser à lui le double problème de l'unification (d'abord nominale) de personnages semblables et de leur maintien à distance les uns des autres.

A. P. Pugh a montré que « le besoin d'unifier son œuvre était pour Balzac un besoin pressant et [...] que le système du retour des personnages — moyen de satisfaire ce besoin — s'imposa à lui comme une nécessité »[11]. Dans la lettre célèbre du 24 octobre 1834, on constate d'abord un retour des titres : *Études,* qui semblent vouloir se substituer aux *Scènes* de 1830 et aux *Contes* de 1830-1831. L'ambition est visiblement plus haute, à la fois scientifique et artistique. Pendant l'été 1832, le mot et l'idée d'*Études* semblent assez fort pour que Balzac songe à écrire des *Études de femmes,* projet qui n'aboutit pas. Les *Scènes* n'étaient pas abandonnées : elles seraient des sous-sections des *Études* (en particulier de mœurs). En mars 1833, apparaît le titre de *Scènes de la vie parisienne* ainsi que *de la vie de province* (reprenant celles *de village*) qui devaient s'ajouter à celles *de la vie privée, politique* et *militaire,* commencées ou annoncées en 1830. Le premier élément des *Scènes de la vie parisienne* devait être la trilogie : *Ferragus, Ne touchez pas la hache, la Fille aux yeux rouges.* Le contrat pour les *Études de mœurs* signé avec Mme Béchet (octobre 1833) concrétise ce projet unificateur. Une série demeure provisoirement indépendante : les *Romans et Contes philosophiques,* mais ils deviendront bientôt (janvier 1834 , puis contrat Werdet en juillet) des *Études philosophiques.* La lettre triomphale du 24 octobre 1834 résume et salue cette grande entreprise, *les Chouans* seuls demeurant à l'écart. « Histoire parisienne », *le Père Goriot* se rattache donc par le sous-titre même à un grand ensemble préexistant : en octobre 1834, l'univers romanesque balzacien est idéologiquement organisé.

Mais il l'est déjà d'une manière discrète et diffuse par de multiples retours et réemplois aujourd'hui bien repérés. C'est d'abord, en mai 1832, au tome IV de la seconde édition des *Scènes de la vie privée,* une certaine unification encore timide de divers contes mis bout à bout et qui constitueront plus tard *la Femme de Trente Ans.* Une note de l'éditeur signalait que l'auteur s'était refusé à ce qui semblait pourtant facile : unifier radicalement l'ensemble sous le titre *Esquisse de la vie d'une femme,* avec « un même

11. « Personnages reparaissants avant le *Père Goriot* », in *l'Année Balzacienne,* 1964.

personnage déguisé sous des noms différents ».

Également en mai 1832, dans *les Célibataires (le Curé de Tours)* est annoncée, commencée, l'histoire de Mlle de Villenoix qui a soigné un fiancé fou. Le mois suivant, dans *Louis Lambert,* Balzac raconte l'histoire de ce fiancé et glose sur l'histoire antérieure de Pauline. En 1833, *les Célibataires* sont corrigés de manière que le récit puisse se raccorder à celui de *Louis Lambert.* Pauline de Villenoix est ainsi le premier personnage reparaissant.

En janvier 1833, dans *les Marana,* on note la réapparition du capitaine Bianchi des *Contes Bruns.* En mars 1833, *Histoire des Treize,* avec *Ferragus,* annonce un ensemble, une suite possible. En mars 1834, dans *Ne touchez pas la hache,* la duchesse de Langeais est présentée à Montriveau non plus par Mme de Vieuxmesnil (première version, 1833) mais par Mme de Serizy, qui figurait dans *Ferragus* où elle avait eu pour amant Maulincour. Mais surtout, Balzac raconte dans *Ne touchez pas la hache* des faits antérieurs à ceux de *Ferragus :* il ne s'agit donc pas de *suite,* au sens banal du terme, mais de rééclairage d'un passé.

Toujours dans *Ne touchez pas la hache,* Mme de Langeais fait allusion à la « récente aventure » de Madame de Beauséant, qui avait été contée en 1832 dans *la Femme abandonnée.* Quelle récente aventure? Dans *la Femme abandonnée,* Gaston de Nueil demandait si Mme de Beauséant était bien « celle dont l'aventure avec M. d'Ajuda-Pinto a fait tant de bruit ». Histoire non encore racontée, en mars 1834, et que Balzac ne publiera que quelque mois plus tard, révélant le passé de celle qu'on avait vu une *première fois* lors de son *second* abandon en 1832.

En septembre 1834, sous le titre de *Même Histoire,* Balzac unifie un peu plus les contes d'abord simplement alignés de 1832. Dans le chapitre intitulé *la Femme de Trente Ans,* il débaptise deux jeunes gens, Blamont et Vouglans, pour en faire Ronquerolles et de Marsay, qui viennent de l'*Histoire des Treize.* Balzac découvre un des moyens de donner de l'intérêt aux personnages secondaires, qui nécessairement entourent le ou les personnages principaux : faire jouer le rôle de figurants à des acteurs que nous connaissons déjà. Ainsi, lorsqu'en décembre Balzac se met à écrire *le Père Goriot,* il a déjà trouvé les deux éléments maîtres du système :

— compléter au niveau de personnages importants une histoire déjà partiellement connue dans un texte antérieur;

— donner de l'être aux personnages secondaires en faisant non des anonymes ou des inconnus, mais des personnages connus par des textes antérieurs.

Si le retour des thèmes ne doit pas être interprété selon les normes d'une sorte d'accumulation mécaniste, il en va de même de celui de certains personnages qui ont déjà figuré dans des textes antérieurs et que Balzac fait revenir dans *le Père Goriot :* non pour platement les « utiliser », exploiter leur succès auprès du public ou donner une « suite » à leur histoire, mais parce qu'ils peuvent lui *servir,* parce qu'il n'a pu encore dire à leur sujet tout ce qu'il a à en dire. On ne mesure toutefois l'importance et la signification de ces retours que si l'on détermine d'abord selon quelles lignes de forces ils s'opèrent. Pour cela il faut d'abord bien voir ce qui ne revient pas : ce qui ne revient pas absolument, ou ce qui ne revient que très indirectement ou de manière affaiblie. Si *le Père Goriot* est centre et point de convergence, il est aussi un centre et un point de non-aboutissement ou de remise à plus tard et à autre chose.

Ce qui ne reparaît absolument pas

• La vie de province. Il n'existe aucune communication thématique ou personnelle entre l'univers d'*Eugénie Grandet* (et celui de *la Recherche de l'Absolu* dans la mesure où le roman peint la vie de province) et celui du *Père Goriot.* Ce sont là deux sphères qui n'ont aucun point de contact et dont les personnages s'ignorent totalement. Cette séparation radicale dit bien l'enkystement, la sclérose, l'isolement de la ville de province dans l'ensemble de la réalité française. *Le Vicaire des Ardennes* (1822), *le Centenaire* (1823) montraient les notables, les nouveaux pouvoirs, la vie étroite et cancanière. *Les Célibataires (le Curé de Tours)* en 1832 donne ses premières lettres de noblesse littéraire, avant *Eugénie Grandet* (1833), au thème de l'étouffement par la province d'une certaine « nature », en même temps que se confirme l'articulation entre cette déshumanisation et la puissance de l'« establishment » local. Balzac écrit *le Père Goriot* absolument comme s'il n'était pas déjà le romancier de la province et comme s'il n'avait pas prévu, pour les *Études de mœurs* (contrat Béchet), des *Scènes de la vie de province.* La seule liaison, à la rigueur, se trouve dans le discours de Vautrin avec l'évocation d'une possible carrière de Rastignac en province. Or, ce roman du magistrat en province (Camusot, dans *le Cabinet des Antiques*) ne sera écrit que fin 1835 et publié en 1836. Si Balzac pensait au sujet dès novembre 1833, comme il l'écrit à Madame Hanska, il n'est nullement sûr que, dans les premiers feuillets écrits à cette date et qui n'ont pas été conservés, le magistrat en province ait eu sa place à côté de la coterie des aristocrates d'Alençon. Si l'on veut absolument, au niveau du texte actuel, trouver des raccords, il faut passer par Nucingen qui, sera-t-il dit dans la *Maison Nucingen,* a acheté au frère de Grandet les 300 000 bouteilles qu'il a fait boire aux troupes alliées de 1814 à 1817 au Palais-Royal. De même le comte d'Aubrion (le cousin Charles d'Eugénie Grandet) sera-t-il nommé à plusieurs reprises comme l'un des élégants de la vie parisienne, où il rencontrera Rastignac *(la Vieille Fille).* Mais ce ne seront là que de minces ajustements sans portée réelle. De même il faut faire le détour par Mme de Beauséant et *la Femme Abandonnée* pour trouver Bayeux et la petite ville morte.

• **La moyenne bourgeoisie du Marais.** Décrite dans *Gloire et Malheur* (1830), avec ses liaisons entre commerçants, notaires, rentiers et retraités, conduisant au thème de la vie des clercs et de l'apprentissage patient, elle constitue elle aussi, mais dans Paris, une sphère résolument étrangère aussi bien à celle du quartier Latin qu'à celle du Faubourg Saint-Germain. Il existe un lien dialectique et dramatique explicité en 1830 *(le Bois de Boulogne et le Luxembourg)* entre la jeunesse étudiante et la jeunesse fashionable, la première, ardente, pauvre et travailleuse, pouvant aspirer à passer du côté de l'autre, bénéficiaire du luxe et détentrice du pouvoir. Mais le milieu Guillaume ↔ Roguin ↔ Birotteau ↔ Cardot ↔ Camusot, pourtant parisien lui aussi mais encore très incomplètement constitué, n'a rien à voir avec cette articulation fondamentale de la vie parisienne. Des Gérard (*Annette et le Criminel,* 1823) aux Guillaume (*Gloire et Malheur,* 1830) Balzac avait mis en place un personnel romanesque qui devait croître et proliférer en direction des Birotteau, Camusot, Cardot, Matifat, Crevel, etc., mais qui ne joue aucun rôle dans *le Père Goriot* dont la géographie, limitée au quartier Latin, au Faubourg Saint-Germain et à la Chaussée-d'Antin, ignore résolument ces lieux qui, pour Balzac, sont encore, un peu comme la province, des lieux de simple médiocrité et d'étiolement. C'est seulement dans *César Birotteau* (1837), passé de la petite nouvelle réaliste (portrait d'un boutiquier) et du conte philosophique (danger du désir de s'agrandir) à la fresque épique de la vie bourgeoise, que le Marais deviendra un lieu où se prépare et se fait l'histoire nouvelle, qui conduira, en 1846 dans *les Parents pauvres,* au sacre des bourgeois triomphants (Crevel, les Popinot, les Camusot). L'exclusion du Marais et de l'univers de la boutique dans *le Père Goriot* a une profonde signification historique : en 1819-1820, l'Histoire ne se fait encore que dans les quartiers de la haute noblesse, de la finance et de la jeunesse étudiante.

• **Le journal et les journalistes; la littérature marchande.** *La Peau de Chagrin* (1831), avec Rastignac courtier en manuscrits (les *Mémoires* apocryphes de la tante de Raphaël), avec le puissant banquier bailleur de fonds d'un journal, avec les journalistes du banquet, avait, tout en reprenant quelques allusions d'Horace de Saint-Aubin dans la préface du *Vicaire des Ardennes* (1822), à la fois signalé avec éclat l'importance d'un problème (la commercialisation de l'intelligence et de la culture) et mis en place un type de personnage. Or, il est remarquable que, dès le premier état du manuscrit du *Père Goriot,* Massiac (même devenu Rastignac) n'ait jamais le moindre rapport avec les milieux de la presse et de l'édition. Sans doute la raison en est-elle qu'en 1819-1820 la presse n'est pas encore une puissance réelle, et surtout proliférante et sauvage, comme elle le deviendra un peu plus tard, à partir de la grande offensive contre le ministère Villèle. Lorsque Lucien arrivera d'Angoulême à Paris les choses auront changé. En 1819-1820, on en est encore aux grands journaux traditionnels *(la Quotidienne, les Débats, le Constitutionnel)* et du côté de l'opposition jeune, on en reste aux journaux sages (*le Pilote* libéral de Tissot, professeur au Collège de France, que lit Bianchon) : l'époque, comme le style, de Girardin est encore loin. On pourrait certes remarquer que Lucien de Rubempré arrive à Paris en 1820, soit à l'époque de l'intrigue du *Père Goriot* et que c'est à cette date qu'il découvrira la jungle de la presse, notamment celle des petits journaux comme *le Corsaire* qui, à côté du *Pilote* imposaient déjà à la profession un style et des méthodes de brigandage. Il est exact par ailleurs que Balzac-Horace de Saint-Aubin, dans les premières années vingt, a bien connu, notamment dans l'affaire du *Feuilleton littéraire* et de l'épisode d'*Annette et le Criminel* (1824), ce genre d'expérience. Mais on peut répondre que le roman de 1839 *(Illusions perdues)* s'explique en grande partie par les difficultés du Balzac de 1839 avec la presse de plus en plus commercialisée de la Monarchie de Juillet, la réactivation de souvenirs de la Restauration venant donner une signification prophétique autant que de confidence aux balbutiements d'alors. Mais aussi, il semble bien que dans *le Père Goriot* Balzac ait tenu à dire l'essentiel des forces qui jouaient au premier plan des rapports sociaux en 1820. Or la presse n'y tient pas encore un rôle important : il est significatif que Nucingen, déjà lancé dans ses grandes spéculations immobilières, ne songe pas à subventionner un journal. *Le Père Goriot* donne un tableau d'une société dans laquelle certaines forces n'ont pas encore commencé à jouer réellement. Et il est peut-être une troisième explication : dans la mesure où Rastignac est un être qui réussit à échapper au mécanisme destructeur du monde moderne, il est normal que Balzac l'ait fait vivre hors du mécanisme de la littérature et de la pensée qui avait broyé Raphaël et Lambert avant de broyer Lucien de Rubempré. Rastignac n'a rien d'un « intellectuel » : c'est l'une des conditions de sa réussite et c'est sans doute la raison de la non présence dans le roman de l'une des formes de la passion.

- **Les artistes.** Il en va de même pour le thème des artistes, orchestré en 1830 dans le grand article *Des Artistes* et dans *Gloire et Malheur* (le peintre Sommervieux). Monde de l'intense, monde où l'on se perd et où l'on perd les autres, le monde des artistes n'a pas sa place dans celui que domine et fait signifier Rastignac. Il y a bien un peintre parmi les pensionnaires externes de la pension Vauquer, mais ce n'est qu'un personnage sans relief et sans signification, un simple rapin.

• **Le monde des clercs.** Les clercs de notaire enfin, le monde de l'« Étude » qui jouait un rôle capital dans *les Dangers de l'inconduite* (1830) et dans *la Transaction* (*le Colonel Chabert,* 1832), trop évidemment liés à l'univers bourgeois et non héroïque du Marais n'interfèrent jamais avec les personnages et l'univers de cette tragédie parisienne. Seul Derville, avoué de Goriot, est nommé et se profile à l'horizon, établissant un lien avec cette autre sphère. Et Rastignac est quand même étudiant en droit.

Les liaisons occultées

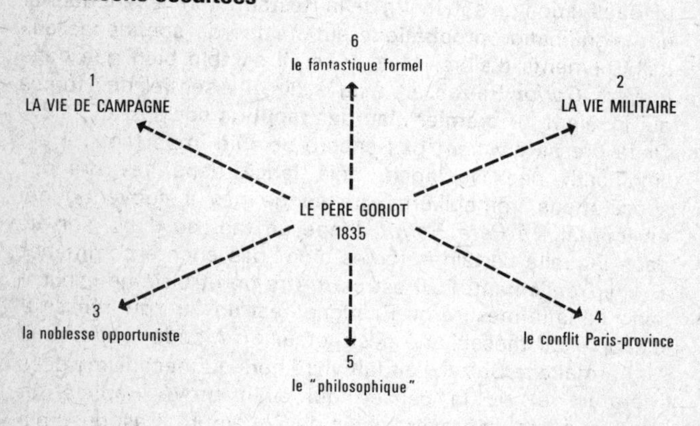

• **La vie de campagne.** Elle est évoquée à propos de la famille Rastignac : le pauvre domaine paternel, la vigne comme monoculture et subsistance unique, les difficultés à joindre les deux bouts. Chez les Rastignac, dira Couture dans *la Maison Nucingen,* on mangeait des hannetons rôtis et on buvait le vin du cru; le domaine ne valait pas (ne rapportait pas) mille écus, soit trois mille francs par an. Dans sa lettre à son fils, Mme de Rastignac dira que la récolte 1819 a été exceptionnelle. Une récolte que l'on vend en totalité sans doute, en se réservant une piquette faite avec le moût des pressoirs. La vie de la famille de Rastignac, croupissant dans son midi sous-développé, se rattache bien à la vie de campagne. Mais les réalités agronomiques ne sont que bien légèrement indiquées et le thème du domaine Rastignac ne se développe pas en traité d'économie rurale et en roman des « améliorations », comme dans *le Lys dans la vallée,* écrit sous la dictée des souvenirs de *la Nouvelle Héloïse.* Il s'agit encore moins d'une entreprise du genre de celle de Benassis en Savoie. Non seulement les paysans ne sont ni présents ni nommés, mais il est assez évident que le moi du héros trouvera d'autres voies que celles de l'utopie pour se réaliser. La vie de campagne est certes l'inévitable arrière-plan de la vie parisienne, mais, si elle est ailleurs chance et banc d'essai, elle n'est ici que réserve et vivier. La vie de campagne telle qu'elle est évoquée au travers de la vie des Rastignac, c'est la commune primitive, la mère, les sœurs charmantes, papa qui est baron mais brave homme, tout ceci menacé mais pur. En un sens, le domaine Rastignac est une petite utopie discrètement reliée à la peinture et à l'analyse de la vie parisienne. Mais il ne s'agit pas d'une utopie dynamique, tournée vers un avenir, vers une vie à refaire et à remodeler, comme dans *le Médecin de Campagne* en 1832, comme plus tard en 1839-1841, dans *le Curé de Village,* comme un peu aussi déjà en 1836 dans *le Lys dans la vallée.* Il s'agit d'une utopie-refuge, d'une utopie-image, d'une utopie passéiste et perçue comme telle. L'enclos Rastignac, là-bas, en Charente, est certes un point de repère, l'incarnation et le maintien de valeurs. Mais c'est aussi la vie devenue impossible, un lieu d'où il faut sortir et partir. Il faut doter les sœurs, assurer un avenir au petit frère. Rastignac réalisera ce programme après avoir assuré sa propre réussite et ce programme est déjà clairement indiqué dans *le Père Goriot.* Ainsi l'utopie passéiste se trouve relancée vers l'avant, vers la vie, mais par le biais des réussites selon le monde moderne et sa loi, non selon l'idée de refaire la vie et de se refaire soi-même sur des bases nouvelles. Ce n'est pas en sautant hors du système libéral que Rastignac, ses sœurs, son frère, se sauveront et échapperont à leur sous-humanité. C'est en jouant au contraire selon ses lois, intelligemment dominées. La sanction romanesque en sera d'ailleurs ce jeune abbé de Rastignac, prêtre mignon et mondain que l'on verra favori de son évêque dans *le Curé de Village* et que Balzac opposera aux vrais prêtres catholiques, disciples du socialisant Lamennais : le curé Janvier en Savoie, l'abbé Bonnet à Montégnac.

• **La vie militaire.** Le monde des soldats de l'Empire, des demi-soldes et des ralliés au régime n'est discrètement évoqué qu'à propos du colonel Franchessini, plus bretteur et homme de main toutefois (Vautrin le lègue à Rastignac au moment de son arrestation) que soldat caractérisé. Autre absence donnant un sens réaliste : le problème des anciens soldats et de leur présence dans la société restaurée en 1819-1820 n'a pas encore la virulence qu'il acquerra avec le déchaînement des luttes politiques en 1822 (carbonarisme, exécution des sergents de La Rochelle). Balzac sait pourtant que Chabert est revenu en 1817. Mais Chabert n'était pas politisé et il avait sombré dans la grande réinstallation des premières années de la Restauration. Sa femme, la comtesse Féraud, ne sera nommée que réflexion faite dans la seconde édition Werdet du *Père Goriot* parmi les invitées du bal Beauséant au cours duquel Rastignac fait la connaissance d'Anastasie. A cette époque elle est débarrassée de Chabert. Le roman et le réel aussi. Le mythe napoléonien ne joue aucun rôle avant 1821 (mort de l'Empereur et début de la grande bataille contre les ultras).

• **La noblesse opportuniste.** Dans *le Bal de Sceaux* (1830), le comte de Fontaine avait illustré ce grand thème même du ralliement de la plus pure noblesse, fidèle, combattante de la Vendée, aux réalités capitalistes. Le thème n'apparaît pratiquement qu'au plan mondain dans *le Père Goriot.* Le comte de Restaud a épousé une fille Goriot. Parce qu'il était amoureux fou, explique la duchesse de Langeais? Pour sa dot aussi sans doute. Mais Restaud, à la différence de Fontaine, n'est pas un noble moderne, un noble à idées. Il apparaît à peu près exclusivement comme soucieux du rang, de l'honneur et des intérêts de sa race. Sur ce point, l'aristocratie, bien qu'on finisse par accueillir Delphine de Nucingen (mais non son mari), demeure fermée. Comme pour la vie de province, comme pour le Marais, comme pour les artistes et les journalistes, on a donc l'image d'une société encore soigneusement cloisonnée.

• **Le conflit Paris-Province.** Il avait fait son apparition en 1832 dans *Louis Lambert* (avec l'esquisse du voyage de Lambert à Paris) et dans *le Médecin de Campagne,* avec le thème de la découverte d'abord excitante puis démoralisante des réalités parisiennes par un jeune provincial pur. Il est à remarquer toutefois que Lambert et Benassis avaient d'immenses appétits intellectuels, découvraient avec passion les cours de l'université, les bibliothèques, etc. Rastignac semble bien n'avoir que peu vécu cette vie-là. Lorsque Balzac évoque à son sujet la première année d'un étudiant de province à Paris, il parle surtout de ses découvertes matérielles. Rastignac, nous l'avons dit, n'est pas un intellectuel, et il ne sera pas un homme de désir. Y a-t-il une allusion à ses propres découvertes, lorsque Balzac écrit, en reprenant l'un des thèmes de *Lambert* (encore discret en 1832 et qui ne sera développé qu'en 1835 dans la grande « Lettre à l'oncle ») : « Il a son grand homme, un professeur au Collège de France, payé pour se tenir à la hauteur de son auditoire »? Ce n'est guère sûr. Par contre Balzac parle des « délices visibles du Paris matériel », des théâtres, des « issues du labyrinthe parisien », des voitures aux Champs-Élysées, des « splendeurs du luxe parisien ». Rastignac ne fait que du droit et très vite se contente d'aller répondre à l'appel du matin pour conserver ses inscriptions et ses droits aux examens. Il y aura bien chez lui étonnement puis révolte et scandale devant les réalités parisiennes, mais ce n'est pas exactement en provincial qu'il réagira. De plus, Rastignac n'échouera pas à Paris, à la différence de Lambert, Benassis, plus tard Victurnien d'Esgrignon, Calyste du Guénic, Lucien de Rubempré. *Le Père Goriot* n'est pas un roman de l'échec.

• **Le thème philosophique.** Largement développé en 1831-1832, de *la Peau de Chagrin* à *Louis Lambert,* le thème philosophique de l'usure vitale, du désir et de la pensée qui tuent, n'apparaît jamais en tant que tel, et surtout de manière théorisée, dans *le Père Goriot.* Balzac a bien lesté son récit, surtout à partir de la relecture des épreuves, de multiples maximes. Mais elles portent essentiellement sur la psychologie du jeune homme, sur la psychologie de l'amour ou bien elles formulent quelques considérations socio-morales. En fait, Balzac, depuis 1831, a rompu avec le style direct, explicite et théorisant, des contes fantastiques et philosophiques et, reprenant la thématique de ses premières *Scènes de la vie privée,* il est revenu à la peinture des mœurs. Les préoccupations toutefois demeurent et quelques affleurements disent leur permanence, en même temps que leur fusion avec le tableau réaliste dit le renouvellement d'une manière d'écrire. C'est d'abord la déclaration de Bianchon contre l'ambition. Rastignac s'est exclamé comme Raphaël et comme tous les héros impatients :

> [...] si tu aimais une femme à te mettre pour elle l'âme à l'envers [*ce qui n'est pas vrai, car Rastignac n'est pas un réel héros de roman d'amour*], et qu'il lui fallût de l'argent, beaucoup d'argent pour sa toilette, pour sa voiture, pour toutes ses fantaisies enfin? [...] Je suis fou, guéris-moi [...].

et Bianchon répond comme l'antiquaire :

> Les affections de l'homme se satisfont dans le plus petit cercle aussi pleinement que dans une immense circonférence [...] Notre bonheur, mon cher, tiendra toujours entre la plante des pieds et notre occiput [...].

Bianchon est un sage qui condamne les folies passionnelles ou d'ambition. Le dilemme romanesque et dramatique est-il donc le même? Non, car Rastignac ne se brisera pas dans la mesure où il sera intelligemment ambitieux et non un homme de désir fou, dans la mesure où son ascension et son développement se feront selon les lois objectives du monde sainement comprises et dominées, dans la mesure où l'on n'aura pas un nouveau conflit Rastignac/femme sans cœur (le clivage possible jeune fille aimante [Victorine]/femme sans cœur [comtesse de Restaud] étant ici court-circuité et décentré), mais une habile association Rastignac-Delphine Rastignac paiera sans doute de la mort ou du dépérissement de quelque chose en lui, mais cette mort sera équilibrée par toute une sagesse intime, une distance critique. Bianchon est là toutefois pour que se maintienne la grande mise en garde balzacienne.

C'est ensuite le thème du rythme impitoyable et fou de la vie moderne, avec des références lisibles à *la Peau de Chagrin.* Le char de l'idole de Jaggernat, bien sûr, dès le début. Puis : « Cette espèce d'argot varie continuellement. La plaisanterie qui en est le principe n'a jamais un mois d'existence » (62).

Le thème de la pensée qui détruit, du désir qui détruit (il ne s'agit plus de la pensée saine, spéculative, désintéressée, enrichissante parce que, développant la conscience, elle arme pour l'action sur le monde et la constitution de soi; mais de la pensée réorientée, remodelée, pervertie par les désirs, par l'attrait des prestiges) se retrouve lui aussi, mais intégré à l'action, en situation, dans l'évocation d'abord par Vautrin des parisiennes piégées par le luxe et par la vie mondaine, à la fois victimes et femmes sans cœur « bricolées par les lois, en guerre avec leurs maris à tout propos » (124). L'image de Mme de Restaud, dès 1830, illustrait déjà par avance l'analyse de l'antiquaire. Cette image est ici reprise, complétée, l'amante heureuse et comblée du début apparaissant ensuite comme une femme qui se détruit et qui détruit. Mais surtout on a l'histoire de Goriot comme histoire philosophique. Goriot a été heureux tant qu'il a vécu et fonctionné à l'intérieur d'un système clos. « Ouvrier stupide et grossier » (102), il réalisait cette vie végétative qui seule met à l'abri des orages et fait que l'emploi de soi n'est pas ruine de soi. Dans sa « spécialité », il est actif, entreprenant : mais il n'y a pas alors de risque, puisqu'il fonctionne à l'unisson des lois objectives du monde (le commerce et son développement spéculatif « normal », à un certain degré de conscience, sous la Révolution). Avec sa femme il forme un couple équilibré, dans lequel amour et plaisirs se composent sans drame, mais un élément de déséquilibre apparaît avec son veuvage : Goriot a juré de ne pas se remarier. Il reporte alors sa force vitale sur ses filles. Au début il n'y a pas de drame : Goriot économise et s'économise; il organise sagement sa vie en homme qui a du bien pour le reste de ses jours. Son arrivée à la pension Vauquer se fait sur le ton de la sécurité et de la solidité. Rien ne déchire cet homme. Mais il a marié ses filles hors de sa sphère. Ici commence son « erreur », comme celle de Birotteau le jour où il décidera de sortir de son sage commerce et de spéculer. Un banquier, un grand seigneur : deux folies; et pour ses filles et pour lui. Dès lors, à la sécurité organisée, planifiée (deux maisons où aller et être heureux, la paix et le confort chez Mme Vauquer) s'est substitué un impitoyable processus de destruction. Qui a commis la faute? Goriot, que flattaient des alliances au-dessus de lui? Ou ses filles, dont l'une voulait l'argent et l'autre la noblesse? Il semble bien que Goriot leur ait laissé faire ce qu'elles voulaient. C'est donc par le relais d'un amour paternel aveuglé, insuffisamment informé, que la folie passionnelle destructrice s'est introduite dans le système. Les deux gendres, pour des raisons politiques, n'ont plus voulu recevoir leur beau-père. Les filles ont été déçues : riche, Delphine s'est vue exclue de la haute société où était sa sœur; elle en est même venue à n'avoir pas d'argent. Titrée, reçue, Anastasie n'avait pas d'argent. Toutes deux sont allées d'erreur en erreur avec Maxime de Trailles et Henri de Marsay. L'engrenage est devenu impitoyable : les deux jeunes femmes brisées, humiliées, le père abandonné. La faute à qui ou à quoi? Goriot le dit dans son agonie, alors qu'il voit et mesure tout, alors qu'il se met à philosopher :

> Mon paradis était rue de la Jussienne. Dites donc, si je vais en paradis, je pourrai revenir sur terre en esprit autour d'elle. [...] Je crois les voir en ce moment telles qu'elles étaient rue de la Jussienne. Bonjour, papa, disaient-elles. Je les prenais sur mes genoux [...] Mon Dieu! pourquoi ne sont-elles pas toujours restées petites? (287).

Balzac a d'abord enrichi ce passage sur épreuves :

> [nous déjeûnions tous les matins] ensemble, nous dînions, enfin j'étais père, je jouissais de mes enfants.

> Quand elles étaient rue de la Jussienne *elles ne raisonnaient pas, elles ne savaient rien du monde,* elles m'aimaient bien.

puis il l'a commenté dans une autre addition sur épreuves à la fin du roman :

> Quand le corbillard vint, Eugène fit remonter la bière, la décloua et plaça religieusement sur la poitrine du bonhomme une image qui se rapportait au temps où Delphine et Anastasie étaient jeunes, vierges et pures *et ne raisonnaient* pas, comme il avait dit dans ses délires d'agonisants (307).

Le rapprochement de ces deux textes qui se recouvrent (mais toujours de manière dramatique : Rastignac est en train de *raisonner* lui aussi lorsqu'il repense aux paroles de Goriot) est très éclairant :

Rue de la Jussienne (l'unité perdue, l'oasis, la simplicité populaire et familiale)	Rue du Helder Chaussée d'Antin l'absurde désir de plus et les prisons dorées
« Bonjour, papa, disaient-elles » « Je jouissais de mes enfants » (la vie normale, sans problème; le partage)	jeunes vierges pures } la vie encore préservée, non encore menacée par la vie même
« elles ne raisonnaient pas » « elles ne savaient rien du monde » (l'innocence, le monde et soi acceptés tels qu'ils sont)	« elles ne *raisonnaient pas* » « ses cris d'agonisant » (la « vie » de ses filles et le monde ont tué Goriot)
« pourquoi ne sont-elles pas toujours restées petites? » (la vie qui n'est pas encore devenue la vie, avant l'expulsion de la matrice et dans l'histoire)	Madame la Comtesse de Restaud Madame la Baronne (titre faux, usurpé) de Nucingen Le cadavre de Goriot Le cadavre moral des deux filles

C'est très exactement la leçon de *la Peau de Chagrin :* « vouloir nous brûle et pouvoir nous tue ». La vie, voulant sortir de la non-vie ou de la vie insuffisante et incomplète, aboutit à sa propre destruction. Il ne faut pas vouloir. Il ne faut pas désirer. Il faut rester dans le cercle. Mais aussi, peut-on ne pas vouloir et ne pas désirer? Ce piège est infini : le sentiment paternel même, comme d'autres sentiments, est perverti, empoisonné. Faute de pouvoir s'accomplir soi-même on cherche à s'accomplir en ses enfants et par ses enfants. C'était l'ambition de Grangousier, justifiée par les promesses de la Renaissance et les perspectives du progrès humaniste et évangéliste. Mais à présent :

> Ah! mon ami, ne vous mariez pas, n'ayez pas d'enfants! Vous leur donnez la vie, ils vous donnent la mort. Vous les faites entrer dans le monde, ils vous en chassent. (289)

Jeu pourri. Mais il l'est encore plus qu'on ne croit, car, à ce jeu, nul ne gagne et la loi joue contre tous : « leurs enfants me vengeront » (293). La loi qui a joué contre moi jouera contre elles. C'est bien *la Peau de Chagrin,* mais plus actualisée encore que dans le conte fantastico-réaliste de 1830-1831, débarrassée de ses analyses et dissertations abstraites. Et surtout, ces passages du *Père Goriot* permettent d'éclairer de manière définitive le texte « philosophique » et d'allure abstraite de 1830-1831. Car choisir entre vouloir et pouvoir, entre être et durer, est-ce là de la métaphysique, un choix purement moral? *La Peau de Chagrin* le disait déjà : c'est la *nature* de la civilisation moderne, ce sont les nouveaux rapports sociaux de la France révolutionnée qui, à la fois mobilisant, lançant et piégeant le vouloir-vivre et le vouloir-être, transforment le légitime et le naturel en pernicieux, font sortir la mort de la vie et condamnent la vie, si elle ne veut pas mourir, à ne pas vivre. Tout ceci, dans *la Peau de Chagrin,* ressortait déjà de l'histoire de Raphaël, de son autobiographie, de son aventure, mais mis en discours qu'il fallait interpréter et lire. Cette fois il n'y a plus placage de discours théoriques, il y a essentiellement roman, récit, d'où sort la signification même et la même signification, que viennent seulement souligner quelques remarques dans le mouvement de la parole des personnages, elle-même née de leur expérience et de leur situation. C'est ainsi que Balzac intègre à son roman des éléments philosophiques, qu'ainsi le roman devient philosophique et la philosophie romanesque. *Le Père Goriot* à cet égard marque une autre avancée balzacienne décisive.

• **Le fantastique formel.** On retrouve exactement le même processus avec l'intégration du thème merveilleux et fantastique au roman de la vie parisienne et la mobilisation d'éléments psycho-fantastiques ou merveilleux qui sous-tendent depuis longtemps l'expérience et l'écriture balzaciennes.

On se souvient comment, dans *la Peau de Chagrin,* Raphaël, ayant décidé d'utiliser le talisman et formulé un premier souhait (faire un bon repas), rencontre ses amis, à la tête desquels se trouve Émile, qui l'entraînent chez le banquier. Raphaël est étonné de la manière à la fois miraculeuse et vraisemblable dont ses vœux se réalisent. Quel magicien, quelle fée ont agi? On se souvient aussi, en remontant, de l'importance du thème merveilleux dans ce roman capital de 1823, *la Dernière Fée.* Or, dans *le Père Goriot,* les deux thèmes et structures reparaissent et fonctionnent de manière très significative : « Si vous connaissiez la situation dans laquelle se trouve ma famille [...] vous aimeriez à jouer *le rôle d'une de ces fées fabuleuses,* qui se plaisent à dissiper les obstacles autour de leurs filleuls » (84). Coquetterie de jeune aristocrate? Chérubin et souvenir de Mélusine? En fait l'image est déjà parfaitement laïcisée, modernisée, actualisée. « Monsieur, dit-elle en continuant et en présentant Eugène au comte de Restaud, est Monsieur de Rastignac, parent de la vicomtesse de Beauséant par les Marcillac, et que j'ai eu le plaisir de rencontrer à son dernier bal » (72). *« Enchanté »* répond M. de Restaud, qui ne croit pas si bien dire, et Maxime lui-même regarde Rastignac : « Ce *coup de baguette* dû à la puissante intervention d'un nom, ouvrit trente cases dans le cerveau du méridional » (72), « et il lui rendit l'esprit qu'il avait préparé » étant une addition sur épreuves qui vise à justifier en termes psychologiques la notation magique. En fait cette magie s'explique parfaitement, mais l'étonnement de Rastignac, son heureuse surprise, sont bien de la même nature que ceux d'Abel et de Raphaël.

Le thème non plus de la fée mais de l'enchanteur qui découvre des merveilles reparaît avec Vautrin, qui propose au bel oiseau bleu de lui « [broyer] la civilisation en ambroisie », et le : « Que faut-il que je fasse? » avide de l'étudiant relève bien toujours du même étonnement. Mais Rastignac refusera le pacte que lui propose cet être au « regard divinateur » (115). Pour des raisons sur lesquelles il faudra revenir, Rastignac, qui sent la « large main » de Vautrin sur son épaule (139), préfère les fées. La preuve, lorsqu'il accompagne Mme de Bauséant au théâtre :

> Quelques moments après, il fut emporté près de Madame de Beauséant, dans un coupé rapide, au théâtre à la mode, et *crut à quelque féerie* lorsqu'il entra dans une loge de face, et qu'il se vit le but de toutes les lorgnettes concurremment avec la vicomtesse, dont la toilette était délicieuse. Il marchait d'enchantements en enchantements. (140)

C'est bien encore Abel-Balzac qui se laisse faire et conduire. De même lorsqu'il se trouve dans la voiture en compagnie de Delphine : « Allons venez, dit-elle à Eugène qui crut rêver en se trouvant dans le coupé de M. de Nucingen, à côté de cette femme » (162), et le manuscrit portait bien : « Eugène stupéfait qui se trouva *comme par magie* dans le coupé de M. de Nucingen à côté *d'une* femme ».

Mais c'est surtout lorsque Rastignac pénètre pour la première fois dans l'appartement de la rue d'Artois que le thème s'impose : « Eugène se vit dans un délicieux appartement de garçon [...]. Dans le petit salon [...] il aperçut, à la lumière des bougies, Delphine qui se leva d'une causeuse au coin du feu, mit son écran sur la cheminée, et lui dit avec une intonation de voix chargée de tendresse : Il a donc fallu vous aller chercher monsieur, qui ne comprenez rien » (234). Rastignac, toujours comme Abel, a été enlevé : « A-t-on bien deviné vos vœux? dit-elle en revenant dans le salon pour se mettre à table. — Oui, dit-il, trop bien. Hélas!, ce luxe si complet, ces beaux rêves réalisés, toutes les poésies d'une vie jeune, élégante, je les sens trop pour ne pas les mériter» (235). C'est déjà la scène de Lucien se trouvant lui aussi comme transporté dans l'appartement de Coralie. Et voici le point final, le retour aux sources, la signature :

> Enfant! Vous êtes à l'entrée de la vie, reprit-elle en saisissant la main d'Eugène, vous trouvez une barrière insurmontable pour beaucoup de gens, une main de femme vous l'ouvre, et vous reculez! Mais vous réussirez, vous ferez une brillante fortune, le succès est écrit sur votre beau front. Ne pourrez-vous pas alors me rendre ce que je vous prête aujourd'hui? Autrefois les dames ne donnaient-elles pas à leurs chevaliers des armures, des épées, des casques, des cottes de mailles, des chevaux, afin qu'ils pussent aller combattre en leur nom dans les tournois? Eh bien! Eugène, les choses que je vous offre sont les armes de l'époque, des outils nécessaires à qui veut être quelque chose. (237)

Delphine n'est pas seulement la dame mais la fée, et, autre miracle, la sexuation du pur et vierge Rastignac s'opère par et pour Delphine de Nucingen, sans que, bien au contraire, il y ait là pour elle ni pour lui diminution de l'être et renonciation à soi. Un sort ancestral est conjuré : l'amour n'est ni négateur ni castrateur; il est partage et assomption.

Ces épisodes, ces notations, sont sous-tendus par la relation magique qui structure le roman : d'un côté la pension Vauquer, de l'autre le luxe et les salons parisiens; d'un côté l'univers misérable du jeune homme pauvre et de Cendrillon (Victorine, évidemment); de l'autre l'univers merveilleux des grandes dames. Pour passer de l'un à l'autre, Rastignac n'a disposé comme talisman que de ses relations aristocratiques et de situations qu'il a su exploiter. Il n'en demeure pas moins qu'il éprouve, lorsqu'il change de monde, des sentiments « magiques », à la mesure du transfert et de la libération qu'il est en train de vivre.

Mais il est une autre manifestation du fantastique : ce sont les moments où les événements soit se produisent en semblant obéir à quelque mécanisme surnaturel, indépendant de la volonté de celui qui les vit, soit se concentrent, s'entrecroisent, de manière à produire un sens qui lui aussi semble relever de vérités et d'explications trans-rationnelles. Il y a, bien sûr, la scène du jeu, où Rastignac gagne de manière absurde, mais qui l'engage de manière invincible dans une voie nouvelle : devenir l'amant de Delphine et faire fortune grâce à son mari. Il y a ensuite ce pacte que propose Vautrin et qui investirait Rastignac d'un pouvoir qui le mettrait au-dessus du réel social vulgaire. Il y a enfin ce duel machiné par Vautrin, que Rastignac, neutralisé, ne parvient pas à empêcher, et c'est encore un miracle qui se produit (« vous êtes donc prophète, monsieur Vautrin ? »). Mais surtout Rastignac est lié (« Point de preuves ! », 216), la compensation venant en apparence aussitôt après, Vautrin tombant raide mort et Rastignac s'écriant : « Il y a donc une justice divine » (217). C'est bien du fantastique, mais seulement pour ceux qui n'ont qu'une vision incomplète des choses. C'est du fantastique explicable et expliqué, du fantastique non pas littéraire et gratuit, mais enraciné dans le réel dont il dévoile et manifeste les secrets, les ressorts et les contradictions. C'est à la fois un fantastique de la surprise et de l'explication. C'est un fantastique non de l'épaississement du mystère du monde, mais de l'éducation et de la prise de conscience. Il y a toujours plus de choses sur la terre et dans le ciel que n'en peut imaginer notre philosophie.

Mais la plus forte preuve s'en trouve dans l'ultime soirée chez madame de Beauséant. Tout se concentre :

— Goriot est mourant;

— Delphine et Rastignac nagent dans leur bonheur tout neuf:

— Delphine va enfin paraître dans un bal du Faubourg Saint-Germain;

— Mme de Beauséant est définitivement abandonnée, mais elle ne peut — ni ne veut — décommander son bal, ordonné depuis longtemps;

— Tout Paris vient assister à la chute de Mme de Beauséant;

— Rastignac hésite.

Il y a là un nœud de contradictions extrêmement serrées. Tous les secrets sont connus du lecteur. Rastignac essaie de retenir Delphine qui le rembarre (« Thérèse a tout préparé chez vous; ma voiture est prête, prenez-la; revenez. Nous causerons de mon père en allant au bal. Il faut partir de bonne heure; si nous sommes pris dans la file des voitures nous serons bien heureux de faire notre entrée avant onze heures », 275), ce qui, tout en renvoyant au thème du mouvement fou, miniaturise et « réduit » la situation, soulignant le contraste entre l'étroitesse de la conscience moyenne, l'immensité du monde et aussi l'agrandissement de la conscience de Rastignac. Il n'y a pas de fantastique sans un objectif immense d'un côté et un subjectif étroit de l'autre. « Les lanternes de cinq cents voitures éclairaient les abords de l'hôtel de Beauséant. De chaque côté de la porte illuminée piaffait un gendarme » (278) : c'est le grand final, le spectacle du monde, la grande comparution. Comme dans une tragédie, selon un mécanisme infernal, tout Paris afflue et converge vers l'hôtel de Beauséant, pour danser et pour contempler la chute d'une grande dame (la bourgeoisie sera là pour assister à ce triomphe! mais qu'a-t-elle à dire de plus, et de quoi s'enorgueillir?), Goriot agonise et Rastignac traverse les salons comme un acteur costumé en prince de Danemark. Car Rastignac, en habit du soir, est déguisé. Il regarde. Et c'est le grand moment : Mme de Beauséant va s'en aller vers sa solitude de province, bien plus douloureuse que Bérénice, et la duchesse de Langeais lui apporte le tribut de sa douleur. Rastignac voudrait rester avec elle, mais il faut bien qu'il rejoigne Delphine. Il met Mme de Beauséant en voiture et rentre à la pension : « Eugène revint à pied vers la maison Vauquer, par un temps humide et froid. Son éducation s'achevait » (283). La chute de la phrase, comme celle de la cérémonie, a quelque chose d'impitoyable.

Sur ce point encore on voit comment le roman progresse, non pas à froid, mais par la pratique même de l'écriture romanesque. Le thème merveilleux et la fée viennent à la fois de profondeurs psychologiques et d'une certaine idée du monde. N'est-ce pas, comme dans le roman de 1823, la fée (Mme de Beauséant) qui, en même temps qu'elle ouvre les portes au héros, lui dévoile les secrets du monde? Quant au thème fantastique, il vient à la fois d'une pratique littéraire exercée en 1830-1831 et d'une vision de plus en plus dramatique et dramatisée de ce monde que les libéraux et les bourgeois disaient désormais simple et clair. Tous deux s'intègrent ici au mouvement même qui dit le réel. Et tous deux se rejoignent.

Les quatre cercles

- **Le cycle pseudonyme**

1. *Wann-Chlore* (1822); 2. *Wann-Chlore* (1822); 3. *la Dernière Fée* (1823); 4. *Annette et le Criminel* (1823); 5. *Annette et le Criminel* (1823); 6. *Annette et le Criminel* (1823); 7. *la Dernière Fée* (1823); 8. *Annette et le Criminel* (1823); 9. *le Corrupteur* (1827); 10. *Code des gens honnêtes* (1825); 11. *l'Anonyme* (1823); 12. *Jean-Louis* (1822); 13. *Annette et le Criminel* (1823).

- **Le cycle de 1830**

14. *les Dangers de l'inconduite* (1830); 15. *la Peau de Chagrin* (1831); 16. *Scènes de la vie privée* (1830); 17. *la Peau de Chagrin* (1831); 18. *la Peau de Chagrin* (1831); 19. *les Dangers de l'inconduite* (1830); 20. Articles de revue (1830); 21. *la Peau de Chagrin* (1831); 22. *la Peau de Chagrin* (1831); 23. *les Dangers de l'inconduite (1830);* 24. *les Dangers de l'inconduite* (1830); 25. *la Peau de Chagrin* (1831); 26. Article de *la Mode* (1830); 27. *les Dangers de l'inconduite* (1830); 28. *la Peau de Chagrin* (1831); divers articles; 29. *l'Auberge Rouge* (1831) et *la Peau de Chagrin* (1831); 30. *la Peau de Chagrin* (1831); 31. *les Dangers de l'inconduite* (1830); 32. *Gloire et Malheur* (1830); 33. *Physiologie du mariage* (1829) et *Scènes de la vie privée* (1830).

- **Le cycle de 1832**

34. *la Grenadière* (1832); 35. *la Femme Abandonnée* (1832); 36. *la Transaction* (1832); 37. *le Médecin de Campagne* (1832); 38. *la Transaction* (1832).

- **Le cycle de 1834**

39. *Ne touchez pas la hache* (1834); 40. *Histoire des Treize* (1834); 41. *Histoire des Treize* (1834); 42. *Histoire des Treize* (1834).

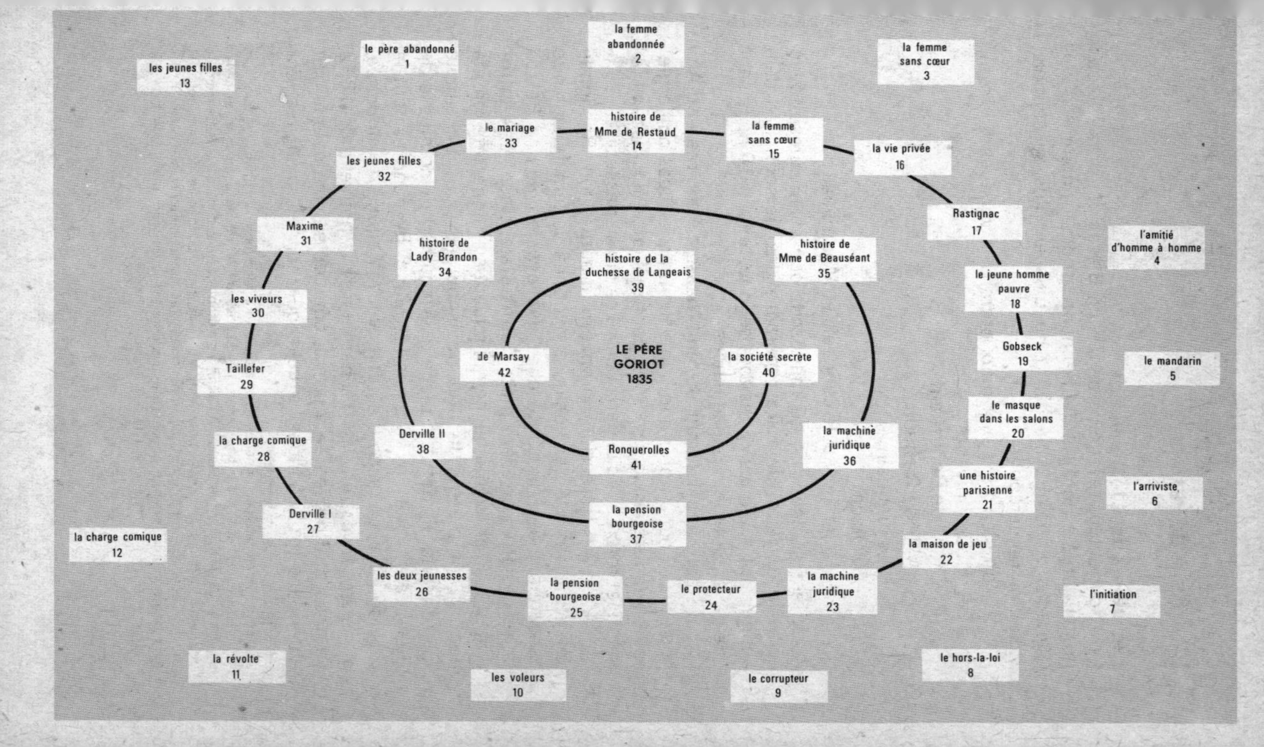

LE PÈRE GORIOT 1835
le père abandonné 1
la femme abandonnée 2
la femme sans cœur 3
l'amitié d'homme à homme 4
le mandarin 5
l'arriviste 6
l'initiation 7
le hors-la-loi 8
le corrupteur 9
les voleurs 10
la révolte 11
la charge comique 12
les jeunes filles 13
histoire de Mme de Restaud 14
la femme sans cœur 15
la vie privée 16
Rastignac 17
le jeune homme pauvre 18
Gobseck 19
le masque dans les salons 20
une histoire parisienne 21
la maison de jeu 22
la machine juridique 23
le protecteur 24
la pension bourgeoise 25
les deux jeunesses 26
Derville I 27
la charge comique 28
Taillefer 29
les viveurs 30
Maxime 31
les jeunes filles 32
le mariage 33
histoire de Lady Brandon 34
histoire de Mme de Beauséant 35
la machine juridique 36
la pension bourgeoise 37
Derville II 38
histoire de la duchesse de Langeais 39
la société secrète 40
Ronquerolles 41
de Marsay 42

L'écriture du retour

Les retours dans le manuscrit

On négligera les retours arrangés par Balzac dans les éditions postérieures à I et II et qui tiennent largement compte d'une *Comédie humaine* elle-même de plus en plus susceptible de fournir du personnel [12].

Si l'on s'en tient aux deux premières versions du texte, on a les retours suivants :

- Mme de Beauséant
- Mme de Restaud
- les mondains
- Gobseck
- La duchesse de Langeais et Montriveau

C'est au folio 17 du manuscrit que se manifeste avec éclat la décision de faire reparaître des personnages déjà connus. En quelques lignes tout se joue, le folio 18 ne faisant que développer les conséquences.

Il s'agit du bal auquel se rend Massiac à son retour d'Angoulême. Il est à noter que le bal (comme le repas ou l'orgie) est le lieu littéraire qui se prête par excellence aux rassemblements et retours. Voici dans l'ordre ce qui se passe.

A — « Il [Massiac, première mouture du Rastignac définitif] avait été par quelques relations de famille, quoique assez éloignées, présenté chez *une des femmes...* » Balzac barre ces trois derniers mots qui n'auraient peut-être introduit qu'une anonyme ou, ce qui revient au même, une femme dont il eût inventé le nom mais qui eût joué un simple rôle d'utilité. Il met à la place : « Madame la vicomtesse de Beauséant, l'une des femmes les plus à la mode et dont la maison [...] ». Le raccord est fait avec *la Femme Abandonnée,* et puisqu'on est en 1819, l'héroïne de la nouvelle de 1832 va nous être présentée à une époque de sa vie quelque peu antérieure (trois années) à celle que connaissaient les lec-

12. Le système des personnages reparaissants ne fonctionnera jamais vraiment que pour les *Scènes de la vie parisienne,* les *Scènes de la vie de campagne* et celles *de la vie de province* demeurant à l'écart et n'étant guère reliées au grand ensemble que d'une manière artificielle, purement nominale, par des voyages de Bianchon, par Derville, etc... *Le Père Goriot,* lui, fonctionne plus naturellement, la répartition des personnages dans le cadre parisien étant plus aisée, plus vraisemblable — ceci dès I et II.

teurs de la *Revue de Paris* (1822). Qu'est-il arrivé à Mme de Beauséant avant qu'elle ne soit abandonnée par Gaston de Nueil?

B — Balzac raconte ensuite comment Massiac, au bal Beauséant fait la connaissance, « parmi la foule des déités parisiennes » d'« une de ces femmes que devait tout d'abord désirer un homme ». Il raye alors « Elle » et il écrit en marge, d'une écriture nette, large, triomphale : « La comtesse Anastasie de Restaud »; et la phrase va : « La comtesse Anastasie de Restaud était grande et bien faite... ». Dès lors, il semble que le système soit enclenché. La comtesse de Restaud était l'héroïne des *Dangers de l'inconduite,* en 1830, où nous étaient contées ses folies, ses saccages, ses amours avec un jeune dandy (anonyme) qui la rançonnait et dont elle payait les lettres de change. Balzac a d'abord pensé faire rencontrer à Massiac une inconnue, dont l'histoire était à dire. Puis il s'est avisé qu'il disposait quelque part de cette comtesse de Restaud. Et voici les premières *Scènes de la vie privée* reliées aux *Scènes de la vie parisienne.*

C — On parle de la comtesse de Restaud. Qui? Le manuscrit dit d'abord « une femme qu'il fallait... ». Balzac barre : « une femme que le marquis de Ronquerolles nommait physiquement un cheval de pur sang ». Et voici l'*Histoire des Treize,* avec les cyniques parisiens, eux aussi bien connus du lecteur.

D — Dans la conversation qui suit, autre retour de personnages des *Treize :*

> Il avait eu le bonheur de rencontrer un homme qui ne s'était pas moqué de son ignorance, défaut moral au milieu des illustres impertinents de l'époque, les Maulincour, les Ronquerolles, les de Marsay, [les Montri] les Vandenesse, les Rastignac.

Examinons cette liste :

— Maulincourt vient de l'*Histoire des Treize* (1833);

— Ronquerolles vient de l'*Histoire des Treize* (1833);

— de Marsay vient de l'*Histoire des Treize* (1833);

— Vandenesse (certainement Charles) vient de *la Femme de Trente Ans;*

— Rastignac vient de *la Peau de Chagrin,* 1831.

Balzac puise donc dans un premier groupe cyclique de peu antérieur au *Père Goriot* et dans un roman philosophique qui lui fournissait un type de viveur. A la ligne suivante, il est dit que Massiac « tomba sur le marquis de Montriveau, une bonne et belle âme, un général simple comme un enfant » : autre renvoi à l'*Histoire des Treize,* et l'on comprend comment et pourquoi ce Montriveau dont on a besoin maintenant a été barré dans la liste des « illustres impertinents de l'époque » qui précède. On remarque que :

— Mme de Beauséant comme Mme de Restaud n'apparaissent aux dépens de femmes anonymes ou à nommer que dans un second mouvement et comme si Balzac avait hésité devant les difficultés de l'entreprise;

— Ronquerolles et les figurants mondains sont nommés de premier jet et sans hésitation. Ce système avait déjà fonctionné dans *la Femme de Trente Ans* et ne posait pas de problèmes particuliers. Pour le moment d'ailleurs, la présence de Mme de Beauséant et de Mme de Restaud peuvent n'être que décoratives, encore que la parenté de Massiac avec la première et le rendez-vous qu'il a obtenu de la seconde promettant de nouveaux développements possibles. Mais Balzac va bientôt passer à une vitesse supérieure.

E — Quatre folios plus loin (22), voici autre chose. Vautrin raconte :

> J'ai attendu le père Goriot qui a remonté dans ce quartier-ci et a été rue des Grès dans la maison d'un usurier connu, nommé le papa Gobseck.

Ce nouveau renvoi aux *Dangers de l'inconduite* ne présente aucune hésitation, « un usurier connu » prenant même des allures assez étonnantes. Car connu comment et pourquoi, sinon par un texte de Balzac, alors peut-être assez oublié, et qui n'avait jamais été réédité depuis plus de quatre ans? Le système de référence prend un sens nouveau. Il ne s'agit plus seulement de noms mais d'une cohérence et d'une signification internes. Cette fois le système est vraiment en place et peut fonctionner. Mme de Restaud peut jouer efficacement son rôle. Il suffira de nommer son amant, encore anonyme en 1830, qui sera ici Maxime de Trailles, et qui du coup nommera le dandy des *Dangers de l'inconduite.* Le texte travaille.

F — C'est au cours de la seconde visite chez Mme de Beauséant, lors de l'arrivée de la duchesse de Langeais qu'« Eugène de [Massiac] » devient, en surcharge, Eugène de Rastignac. C'est là le retour de personnage le plus spectaculaire du *Père Goriot.* Non que Rastignac ait sans doute eu plus d'importance pour le public ou ait laissé plus de traces que la femme de trente ans, que Mme de Beauséant ou la duchesse de Langeais, mais parce que, beaucoup plus qu'à un plaisir de l'allusion ou de rééclairage partiel, c'est à une véritable réfection et réorganisation du personnage que se livre le romancier, pratiquement à une récréation. Rastignac, pour le lecteur qui se souvenait, était un dandy, un viveur charmant mais cynique, un équipier de la curée d'après la Révolution de Juillet; et voici que Balzac ne se contentait pas de revenir à un passé remontant à deux ou trois ans comme pour Mme de Beauséant (de 1822-à 1819), ou encore moins d'une simple prise de vue sous un autre angle et sans bouleversements chronologiques comme pour la duchesse de Langeais, mais entreprenait de passer par-dessus *douze* pleines années qui séparaient la figure parisienne de 1831 de l'étudiant sensible et pauvre de 1819. Quelle plongée! On comprend que Balzac ait hésité, la consonance Massiac-Rastignac, leurs communes origines « méridionales » (c'est-à-dire, pour un Tourangeau, du sud de la Loire) ne suffisant certes pas à fournir les coutures nécessaires ni à résoudre tous les problèmes. Balzac ne réussira d'ailleurs jamais à arranger vraiment le Rastignac de *la Peau de Chagrin,* dans la mesure, par exemple, où il est en relations avec la jungle de la presse et de la librairie, avec le Rastignac financier politicien de *la Maison Nucingen* et celui des divers romans où on le voit faire carrière.

Le coup de force effectué, le changement de nom va mettre quelque temps à produire tous ses effets et ceci se manifeste déjà simplement dans l'hésitation, à nommer à nouveau Eugène Rastignac : pendant toute la suite de l'épisode Langeais-Beauséant le jeune homme continue à être nommé soit Eugène soit simplement l'étudiant, les deux

« M. de Rastignac » actuels de Mme de Beauséant (87 et 93) ne remplaçant « cousin » qu'à partir de l'édition Werdet. Force est bien de constater qu'alors que Balzac relisait ses épreuves pour la *Revue de Paris* il n'a jamais éprouvé la nécessité d'insister sur l'identité nouvelle de son héros. Par contre, dans l'épisode qui suit (retour à la pension Vauquer), après « Eugène avait faim », le manuscrit donne sans hésitation : « *Rastignac* était encore accablé après ces mots : la porte de Mme de Restaud sera fermée. » De même, plus loin, c'est bien *Rastignac* qui regarde Vautrin (96). A partir de là tout ira bien, le personnage étant pris tout entier par son propre passé proche et par le devenir inscrit dans le roman, quelles que soient désormais les conséquences pour ses relations avec son premier état.

La femme abandonnée : un retour de significations

Il s'agit ici de beaucoup plus que du simple retour nominal de Mme de Beauséant. Il s'agit beaucoup plus que du fonctionnement d'un élément d'intrigue; il s'agit de la récurrence et de l'obsession d'un thème, évidemment lié au moins partiellement au lointain souvenir de Laurence.

Dès le manuscrit, le thème se manifeste de trois manières, avec des rapports explicités et articulés :

1. Montriveau abandonne la duchesse de Langeais;
2. d'Ajuda Pinto abandonne Mme de Beauséant;
3. de Marsay abandonne Delphine de Nucingen;

Plus discrètement, mais non sans rapports :

4. Rastignac abandonne Victorine Taillefer.

Balzac diversifie une situation objective en conduites individuelles. On retrouve ici, au travers des problèmes d'apparence purement techniques, le récit.

D'Ajuda, grand seigneur portugais, est riche, très riche. Il est l'amant depuis trois ans (d'abord cinq dans I) de la vicomtesse de Beauséant. Cette liaison est tellement « innocente » (79) qu'elle ne supporte pas les tiers et que chacun et même le mari l'admet publiquement. « Innocente » signifie qu'il s'agit d'un amour tellement vrai, tellement partagé qu'il fonde à lui seul une morale, qu'il invente une fidélité et une légitimité plus vraie — et mieux reconnue —

que celle du mariage selon les institutions et le Code. D'Ajuda et Mme de Beauséant sont un couple exemplaire. Les premières phrases consacrées à cette liaison suggèrent clairement qu'au début, du moins, d'Ajuda a éprouvé les mêmes sentiments que sa maîtresse, que le monde s'est refait autour de leur couple *morganatique* (Balzac a ajouté cet adjectif sur épreuves, mais dès le manuscrit, il l'avait appliqué au couple Maxime de Trailles-comtesse de Restaud), c'est-à-dire ici, par un étrange abus de langage, illégitime. D'Ajuda a donc été un amant sincère et modèle. Mais d'Ajuda « *devait* se marier ». Aucune raison n'est d'abord donnée sur les raisons de ce mariage. Mais bientôt la duchesse de Langeais, rendant une hypocrite visite à Mme de Beauséant dont elle guette la ruine et qu'elle assassine d'allusions, va donner les précisions nécessaires. D'Ajuda doit épouser, dans le manuscrit, une demoiselle de Béthune-Charost, l'un des plus grands noms de la noblesse française. Balzac a vite corrigé en Rochegude-Charost (de moindre noblesse), ce qui était encore historique. Ce n'est que dans l'édition Charpentier, en 1839, qu'il a mis Rochegude-Tarost, avant de mettre tout balzaciennement dans l'édition Furne : Rochefide. L'évolution est intéressante. Épousant une Béthune-Charost, d'Ajuda, étranger, entrait dans l'une des plus hautes familles françaises : raison suffisante pour justifier (aux yeux de la famille) un mariage auquel devait bien finir par se résoudre un dandy habitué des salons parisiens et qui avait jeté sa gourme. Épousant une Rochegude-Charost, la justification perdait de son poids, à plus forte raison avec une Rochegude-Tarost et une Rochefide, « gens anoblis d'hier ». Mais la raison la voici : « Berthe réunira, dit-on, deux cent mille livres de rente » (86). « M. d'Ajuda est riche » réplique Mme de Beauséant (« M. D'Ajuda est trop riche pour faire de ces calculs », texte de la *Revue de Paris*). « Mais ma chère, mademoiselle de Rochegude-Charost est charmante », réplique la duchesse, et, au « Ah ! » de la vicomtesse, précise : « Enfin il y dîne aujourd'hui, *les conditions* sont arrêtées. » Ce qui est clair : il s'agit d'une bonne affaire et d'un mariage arrangé pour des raisons d'argent. On y donne le plus grand soin. Qui y gagne? Les Rochegude-Rochefide (leur fille épouse un grand nom et beaucoup d'argent) ou d'Ajuda (il épouse en moyenne noblesse, mais il augmente considérablement sa fortune)? Sans doute les deux. Tout ici s'explique par l'argent.

Madame de Beauséant va donc être abandonnée. Mais elle n'est pas la première ni la seule. « Avez-vous des nouvelles de M. de Montriveau? », avait demandé d'entrée de jeu Mme de Beauséant. « Ronquerolles m'a dit hier qu'on ne le voyait plus, l'avez-vous eu (*Revue de Paris* : chez vous aujourd'hui)? Ici Balzac qui avait mis : « La duchesse rougit en répondant : il était hier à l'Élysée », ajoute sur épreuves après « la duchesse » : « *qui passait pour être abandonnée de monsieur de Montriveau,* de qui elle était éperdument éprise, sentit au cœur la pointe de cette question » (86). Peu importe ici que Mme de Beauséant, femme après tout du système, ait attaqué la première. Ce qui compte, c'est que Balzac ait tenu à faire paraître Mme de Langeais comme femme abandonnée *avant* Mme de Beauséant. Seulement, le lecteur depuis 1834 le sait : la duchesse a été *justement* abandonnée en punition de son orgueil et de sa coquetterie envers un homme sincère qui l'aimait. Mais Mme de Beauséant, elle, ne mérite pas son abandon.

L'articulation Beauséant—Delphine se fait au théâtre, lieu une fois de plus, comme le bal, mais ici dans une signification plus large que de simple rassemblement de noms (Delphine est un personnage *nouveau* et à sa condition ressortit non plus à un armorial narratif, mais à une typologie), de rencontres et de retours. La vicomtesse apprend à Rastignac que de Marsay est en train de quitter indignement Mme de Nucingen : « Il n'y a pas de meilleur moment pour aborder une femme, surtout une femme de banquier [...] — Que feriez-vous donc, vous, en pareil cas? — Moi, je souffrirais en silence » (142). Ce texte est une addition de II et correspond au renforcement de la situation « femme abandonnée », à laquelle ne suffit visiblement pas la reprise et la précision concernant Mme de Beauséant. Car, cette fois encore, il faut qu'avant la vraie femme abandonnée (celle du texte et celle de l'avant-texte) il y en ait une autre; il faut qu'il en existe une autre pour le lecteur, moins émouvante et moins digne sans doute que la titulaire du titre et du rôle, mais plus digne cent fois quand même que la première, et promise, moins en ce qui la concerne elle seule qu'en ce qui concerne un couple encore à écrire et à faire signifier, à tout un devenir romanesque. Si la duchesse de Langeais méritait d'être abandonnée, si l'on pouvait voir dans son abandon comme une juste *leçon,* infligée dans une perspective assez comparable à celle du moralisme traditionnel (le mécanisme se retourne contre le coupable, et c'est du La Fontaine, comme dans *le Bal de Sceaux,* lorsque la méprisante Émilie se voyait méprisée à son tour), il n'en va plus de même pour Delphine qui n'a rien à se reprocher envers de Marsay et qui apparaît comme simplement victime d'un mécanisme social et parisien. On comprend ce qui se passe : il faut en venir, par gradations successives, au personnage exemplaire tout en suggérant une communauté profonde de victimes qui se manifeste dans le texte par une récurrence non plus de noms de personnages, mais bien de dénotations de rapports humains précis. Ce n'est plus un retour de personnages, c'est un retour de significations. D'où ces effets de leitmotivs qui ne relèvent jamais plus du bricolage narratif et de l'arrangement, mais de l'omniprésence et de l'omniconscience d'une loi subie et reconnue. C'est d'Ajuda lui-même qui dit — effet d'ironie dans l'ensemble du texte — à Mme de Beauséant :

> Vous seule avez pu lui conseiller de consoler une femme abandonnée. (I)

Balzac a du penser que ces mots étaient un peu durs dans la bouche du personnage, et il a mis sur épreuves :

> Vous seule avez pu lui trier sur le volet une femme au moment où il faut la consoler. (146)

Ce qui rend plus efficace la réplique :

> Mais, dit madame de Beauséant, il faut savoir si elle aime encore celui qui l'abandonne. (147)

C'est encore le conseil (naïf?) de Mme de Beauséant à Rastignac : « N'en abandonnez aucune », (279), qui renvoie à une illusion touchante, celle qu'on puisse refaire le monde ou faire en sorte, à partir d'une conduite personnelle, qu'il ne soit pas totalement ce qu'il est. La notion de situation reparaissante ou de thème récurrent apparaît ici infiniment plus pertinente que celle, en un sens plus mécanique, de personnage reparaissant, celui-ci tirant finalement sa force de se manifester et d'exister sur un fond thématique beaucoup plus que sur un fond d'intrigue.

Un autre retour significatif : la conscience et la société secrète

Il en va exactement de même de cet autre retour d'une communauté qui dit une conscience supérieure et libérée des lois du monde, avec des moyens d'action appropriés, le sens et la possibilité du raccourci dans la lecture du réel et dans l'action qu'on peut exercer sur lui. Les Treize, la bande [13], sont formellement dans *le Père Goriot,* avec plusieurs de leurs membres nommés. Redresseurs de torts, toutefois, les Treize ne joueront pas dans le roman le rôle qui leur était imparti dans la trilogie de 1833, et on ne les verra pas intervenir, par exemple, pour punir les responsables de la mort de Goriot. De même Rastignac ne sera pas l'un des leurs, et c'est sans leur secours, c'est tout seul qu'il réussira, de même qu'il réussira sans Vautrin. Passant à un réalisme plus complet dans sa nouvelle « histoire parisienne », Balzac ne recourra pas aux facilités que pouvait lui fournir cette franc-maçonnerie. Mais il ira plus loin et il fera mieux, faisant revenir, mais en la transposant et en la transformant, la pratique et l'idée d'une société secrète fournisseuse d'une contre-image et d'une contre-action. Il y a une société secrète dans *le Père Goriot,* mais ce n'est plus celle des Treize; ce n'est pas non plus celle, marginale, et seulement inquiétante en termes d'action, des Dix Mille. *C'est la société secrète de la conscience et de la littérature.*

Il y a, en effet, dans le roman possible ou écrit, deux sociétés secrètes, chacune à la fois de droit et de fait,

---

13. Voir *Balzac, une mythologie réaliste,* p. 139, et *le Monde de Balzac,* troisième partie.

qui chacune figure pour l'autre, la fait signifier et en tire sa signification. La première est la société secrète d'institution, avec ses règles, ses objectifs, ses clôtures romanesques et à terme son impuissance, sa stérilité littéraire : les Treize, comme plus tard la bande *(la Rabouilleuse)*, exploitent à leur profit la conscience à laquelle ils sont parvenus des lois objectives et mettent en commun leur solidarité. La seconde est la société secrète informelle, mais dont le lecteur reconnaît vite la communauté et la solidarité, et qui d'autre part se reconnaît vite elle-même : c'est la communauté de celles et de ceux qui ont souffert des lois du monde, qui ont pris conscience de leur condition, qui manifestent et explicitent leur souffrance et leur revendication. Cette société s'étend bien au-delà du cercle des personnages : dans un sens elle en vient vite à s'inclure le lecteur et dans l'autre elle inclut le romancier avec son expérience, lorsque ce ne sont pas les personnages eux-mêmes qui parlent en romanciers et indiquent des sujets de roman. Les héroïnes de la vie privée, les femmes de trente ans, Mme de Castries, Mme Hanska, Laurence Balzac, Balzac théoricien du roman de la vie privée, autant, dans un cercle qui s'élargit, de héros et d'héroïnes que l'on reconnaît et qui se reconnaissent. Dans cette perspective les êtres les plus apparemment différents ou séparés, parce qu'ils sont soumis aux mêmes lois objectives et parce qu'ils ont parcouru les mêmes étapes de prise de conscience, découvrent un jour avec émotion qu'ils sont de la même race et partagent la même condition : la duchesse de Langeais et Mme de Beauséant, après les dures passes d'armes et les cruautés qui les ont affrontées au début du roman, se découvrent réunies par le même malheur, comme déjà deux autres rivales, la duchesse de Carigliano et Augustine Guillaume. Dans les deux cas, le monde, le mariage, les hommes et la loi du paraître. Sous les apparences du monde qui va et continue à son rythme aveugle et fou, se met ainsi en place une société secrète fondée sur la découverte et sur les confidences, structurée par la vision et par le dit du romancier. Les choses d'ailleurs vont loin : on n'a pas ici tout le passé, tout le début, de Mme de Langeais et de Mme de Beauséant, mais l'histoire connue de Julie d'Aiglemont aide à dessiner ce qui dut être leur début dans la vie. Cette société n'est pas de fait, en ce sens qu'elle n'est ni institutionalisée ni ritualisée; en ceci aussi qu'elle ne vise à nul accomplissement temporel. Mais cependant cette franc-maçonnerie des victimes peut aisément, à court et à moyen termes et dans des conditions bien précises, passer au fait et à l'action : Mme de Beauséant dit à Rastignac (93) de traiter le monde comme il le mérite et lui enseigne les moyens de parvenir, préludant ainsi aux discours de Vautrin. De même Mme de Mortsauf écrira sa lettre à Félix en forme de recette pour réussir dans la société parisienne. Qu'est-ce que cela signifie, sinon qu'il n'est pas de fait qui ne dise un droit, et qu'il n'est guère de droit qui ne soit menacé de récupération par le fait? Le fait a pour lui *du* droit. Le droit, faute de perspectives critiques, peut engendrer *du* fait : le seul moyen de sortir de contradiction est, à défaut de révolution, la littérature. Une prise de conscience sans débouché littéraire ou révolutionnaire se tourne aisément en simple volonté de revanche et de puissance, essentiellement par personne interposée. Inversement, la participation à une bande anti-conformiste peut aussi bien préparer des ralliements à l'ordre renforcé que des ruptures nécessaires. Le Cénacle répondra ici aux Treize.

Devenirs

Les éditions

Les 1 200 exemplaires de l'édition originale ayant été vendus (avant même les annonces, explique Balzac à Mme Hanska le 11 mars 1835), une seconde édition parut chez Werdet en mai, précédée d'une nouvelle préface qui répondait à nouveau aux reproches d'exagération et d'immoralité. La moitié du tirage (en in-8°) fut mise en vente, mais l'autre moitié (en in-12°) qui était réservée, ne sera écoulée qu'en 1837, comme prime aux abonnés du *Figaro,* après la déconfiture de Werdet.

En 1839, *le Père Goriot* fut publié par Charpentier, les préfaces étant supprimées, ainsi que la division en chapitres. Le caractère économique et compact de la bibliothèque Charpentier exigeait des efforts pour gagner de la place; d'où ces suppressions, ainsi que celles de nombreux alinéas.

En 1843, *le Père Goriot,* entra dans le premier volume des *Scènes de la vie parisienne,* au tome IX de *la Comédie humaine.* En corrigeant son exemplaire personnel, Balzac le fit passer dans les *Scènes de la vie privée,* ainsi que *Gobseck* (*les Dangers de l'inconduite* de 1830, devenus en 1835 *le Papa Gobseck,* dans les premières *Scènes de la vie parisienne*), *le Colonel Chabert* (*la Transaction* de 1832, devenue, également en 1835, *la Comtesse à deux maris,* également dans les *Scènes de la vie parisienne*) et l'*Interdiction* (parue en 1836 dans la *Chronique de Paris* et rééditée, en 1839 toujours, dans le cadre des *Scènes de la vie parisienne*). L'entrée massive de ces grands textes dans les *Scènes de la vie privée* les fait définitivement échapper au genre intimiste qui les menaçait parfois dans leurs versions de 1830 à 1832. Ainsi se charge et se dramatise la plus ancienne, et sans doute la plus significative, des sections de l'œuvre. On constate, d'autre part, que, par Derville et par Rastignac, ces divers textes se tiennent : si les Restaud, en 1835, avaient suivi Rastignac et Goriot vers la vie parisienne, c'est l'inverse qui s'est produit dix ans plus tard. « Crime caché », la mort de Goriot relevait bien de la nouvelle tragédie domestique, les prolongements proprement parisiens du roman (Rastignac regarde la ville du haut du Père-Lachaise) étant intelligemment réservés pour une autre section.

Les développements

Au cours de ces rééditions successives, *le Père Goriot,* qui avait acquis sa forme quasi définitive sur épreuves entre le manuscrit et la publication dans la *Revue de Paris,* ne subit que des modifications mineures, la seule réellement importante étant la suppression, dans le *Furne corrigé,* de la rencontre entre Rastignac et Franchessini au bal Beauséant. Ceci est très significatif de la maturité balzacienne du roman en tant que tel dès 1834-1835. Alors, en effet, que *le Dernier Chouan,* les premières *Scènes de la vie privée* et *la Peau de Chagrin* ont dû, pour entrer dans l'ensemble de *la Comédie humaine,* subir parfois d'importants remaniements (changements de noms de personnages notamment), non seulement Balzac n'a pas eu à faire effort pour intégrer *le Père Goriot* au reste de son œuvre, mais c'est *le Père Goriot* qui a servi de base de départ et c'est du *Père Goriot* qu'ont procédé, très vite, d'autres romans, comme dans une véritable poussée libératrice. Outre son contenu propre, c'est probablement là l'une de ses plus puissantes originalités.

Si *le Père Goriot,* en effet, est un aboutissement et un couronnement pour un premier Balzac souterrain ou seulement à demi-dit dans les années précédentes, c'est aussi un point de départ pour un Balzac encore inconnu des lecteurs de 1835, et seule la douloureuse mise en forme romanesque, de septembre 1834 à janvier 1835, de toute une première accumulation primitive a permis le passage du Balzac virtuel au Balzac de *la Comédie humaine,* qui va vraiment pouvoir s'utiliser et surtout comme s'accomplir soi-même. C'est dans un mouvement d'amplification et de développement particulièrement visible que, du semi-Balzac d'avant *le Père Goriot* et du *Père Goriot* lui-même, est né, très vite, un nouveau Balzac. L'existence seule du roman, le fait qu'il soit écrit permettent développements et découvertes ultérieures : ayant tracé ses dernières lignes, Balzac, comme le prouve le bordereau de travail annexé à son manuscrit, qui déjà exploite l'avenir, peut, lui aussi, s'écrier : « A nous deux maintenant! »

L'histoire de Goriot est terminée. Contrairement à ce qui s'est passé pour d'autres personnages, Balzac ne reviendra jamais sur son passé, ne le fera paraître ni même ne le nommera dans d'autres histoires : sans doute considérait-il que les renseignements obtenus par Rastignac auprès de Muret étaient suffisants et que Goriot ne pouvait signifier autrement et plus que par sa fin. Mais aussi peut-être — et c'est du moins ce qu'on peut lire — Goriot, attardé sous la Restauration, appartenait-il à cette préhistoire de la « France nouvelle » qui était quelque peu hors du champ balzacien. Celle de Rastignac, celle de Vautrin, celle des Nucingen, celle de Bianchon, par contre, commencent.

Bianchon

Horace Bianchon, qui doit beaucoup à Émile Regnault, jeune médecin berrichon, ami de George Sand et monté à Paris avec Sandeau, reparaîtra l'année suivante, en 1836, dans *l'Interdiction,* plus âgé, en termes d'intrigue, d'une dizaine d'années, ayant fait son chemin grâce à sa valeur, mais « cher Robespierre à lancette » comme l'appelle ironiquement Rastignac (sceptique, lui, en politique), et demeuré franchement de gauche et libéral, souhaitant à la veille de Juillet une révolution qui débarrasse à jamais la société de « ces gens-là », soit la marquise d'Espard et ses semblables, les parasites nobles avec leur morgue et leur insolence. Balzac remplira par la suite les années qui séparent *le Père Goriot* de *l'Interdiction* (soins donnés à Nucingen, à Pierrette, à tant d'autres), mais un an ne s'était pas achevé depuis la publication du *Père Goriot* qu'il se donnait le plaisir de faire évoquer par l'ancien carabin et par Rastignac les vieux souvenirs des conversations en *rama.*

Les Nucingen

Pour les Nucingen, c'est dès le mois de mars 1835 que Balzac envisage de les faire reparaître dans *la Faillite de M. de Nucingen,* qui attendra jusqu'en 1838 pour paraître sous le titre de *la Maison Nucingen* (écrite en 1837).

Vautrin

Balzac songe à lui dès janvier 1835. Sur le bulletin de travail annexé au manuscrit figure, entre autres projets, celui de *la Torpille,* dans lequel, à nouveau évadé, l'ancien forçat devait, au bal de l'Opéra, se faire reconnaître par Rastignac sous les traits et l'habit de Carlos Herrera. La publication attendra 1838, mais l'idée apparaît avant même que le romancier n'ait enterré Goriot.

Et ce n'est pas tout : dans les mois qui suivent, Balzac prépare, pour *les Études de mœurs* en cours de publication chez la Veuve Béchet, la réédition de ses nouvelles de 1830. Parmi elles, *les Dangers de l'inconduite* qui reparaissent en novembre dans les *Scènes de la vie parisienne* sous le titre *le Papa Gobseck.* C'est sous cette appellation que l'usurier était couramment désigné dans *le Père Goriot :* le texte engendre ici le texte. Le discours de Gobseck à Derville est considérablement allongé, enrichi; ancien pirate, l'usurier fait à l'étudiant une leçon qui est visiblement la réplique et le complément de celle de Vautrin à Rastignac.

Si la monomanie finale de Gobseck qui meurt sur ses trésors inutiles doit beaucoup au père Grandet, il ne fait guère de doute que Balzac a transformé son usurier encore falot de 1830, simple protecteur de l'innocence et promis à la baronnie ou à la députation (dernières lignes des *Dangers de l'inconduite*), en un personnage vraiment fantastique et prophétique, sous l'influence de Vautrin aussi bien d'ailleurs que sous l'influence de l'antiquaire de *la Peau de Chagrin.* Il y a dans ce *Papa Gobseck,* un véritable second souffle de Balzac, qui revoit ses timides essais de 1830 avec les possibilités nées de son écriture propre. Dans l'ensemble de *la Comédie humaine,* l'effet est saisissant, car l'intrigue de *Gobseck* est de peu antérieure à celle du *Père Goriot* et la révélation de Gobseck à Derville est bien antérieure à la rencontre de Raphaël avec l'antiquaire. Le discours de Gobseck, dans le texte qu'on lit aujourd'hui, précède, en date d'intrigues, celui de Vautrin à Rastignac, et aussi de plusieurs années celui de l'antiquaire à Raphaël après la révolution de Juillet, dont l'inutilité est ainsi durement suggérée. Mais il est capital de constater que toutes ces antériorités, que cette profondeur de champ, ont été constituées après coup et regagnées sur le temps écoulé comme pour mieux faire comprendre le moment immédiat. Il n'est pas de plus juste preuve que l'architecture de *la Comédie humaine* ne relève en rien d'un plan préfabriqué, nécessairement plein de lacunes, mais bien d'une prise de possession à mesure que s'écoule l'Histoire et que s'assurent la conscience et l'écriture de ce qu'est le monde moderne lu et relu. Par la suite, Vautrin commencera une seconde carrière dans *Esther.*

Rastignac

Pour Rastignac, enfin, l'un des personnages-clés de *la Comédie humaine,* Balzac le fait apparaître dès 1835 dans la réédition d'*Étude de Femme* et dans celle du *Bal de Sceaux.* Puis, il figure en 1836, on l'a vu, dans *l'Interdiction,* à demi lancé seulement, n'ayant pas encore réellement réussi un coup décisif. Mais il devait jouer un rôle important dans *la Maison Nucingen,* profiter habilement et sans scrupules de toutes les circonstances, n'ayant pas eu besoin de Vautrin et faisant jouer ainsi contre le forçat lui-même la terrible loi de l'efficience personnelle, négatrice de toutes les amitiés comme de toutes les paternités. Mais si Rastignac conduit à tout chez Balzac et dans toutes les directions, si on le rencontre partout, dans le salon de Mlle des Touches, comme derrière le cercueil de Lucien de Rubempré, profitant de la ruine d'une famille comme intervenant pour faire obtenir une sépulture au républicain Michel Chrestien tué sur les barricades de Saint-Merry, aucun roman ne lui sera jamais particulièrement consacré, et il faudra pour recomposer son histoire courir d'un roman à l'autre comme l'indiquera Balzac lui-même en 1836 dans la préface d'*Illusions Perdues* puis, en 1839, dans la préface d'*Une fille d'Ève.* Si l'on tient compte que dans *le Père Goriot* Rastignac n'est normalement que l'un des personnages et que ce roman n'est pas le sien, on constate que pour la première fois dans l'histoire du roman un héros parvient à l'existence et s'impose aux générations comme figure symbolique et mythe (« Regarde Rastignac dans *la Comédie humaine »,* dira Deslauriers à Frédéric Moreau) sans être vraiment « héros » d'une « histoire » et sans avoir besoin, pour exister, d'une intrigue traditionnelle; avec nœud, péripéties et dénouement. A cet égard, la fécondité du *Père Goriot* est d'une nature toute particulière : Rastignac a été comme chimiquement libéré, mais il sera partout, comme on l'est dans la vie, sans jamais se laisser enfermer dans un livre. Suprême habileté d'ailleurs : Balzac a terminé son roman de 1835, sur des paroles ambiguës. Que signifie exactement le « A nous deux maintenant! »? Que Rastignac ayant satisfait à sa conscience va pouvoir, l'esprit et le cœur plus libres, se lancer dans la vie parisienne? Le manuscrit de *la Torpille* donne une réponse plus étonnante encore, confirmation de certaines idées qui peuvent venir à la lecture du roman : « Le masque l'attira dans une embrasure et lui dit à l'oreille ces singulières paroles : Comment vivez-vous? *Qui vous a logé? Le Père Goriot! l'avez-vous vengé? »* [14]. Outre, comme on le

---

14. *Lov.* A 222, f° 2, publié par Jean Pommier, in *l'Invention et l'écriture dans « la Torpille » d'Honoré de Balzac,* p. 110. Cet élément de dialogue ne sera pas repris par Balzac dans *Splendeurs et Misères des courtisanes.*

voit, et il est important que cela soit précisé, que la garconnière louée par Goriot pour faciliter les amours de sa fille n'a pas été inutile à un Rastignac encore impécunieux, qu'il a accepté de s'en servir et qu'elle lui a permis à quitter la pension Vauquer, on comprend que Vautrin a lu dans le cœur de l'étudiant : il retournait chez Mme de Nucingen, avec *l'intention* de venger la mort de Goriot; mais en fait, il a vite enterré ses souvenirs et son court passé. Ainsi Balzac ne se sert-il pas d'un prêcheur ou d'un moraliste traditionnel pour démasquer Rastignac, ou plus exactement le personnage qu'a été obligé d'assumer Rastignac pour réussir, et ceci va loin : c'est le monde moderne lui-même, par l'intermédiaire de l'un de ceux qui l'ont le mieux compris, qui force Rastignac à reconnaître qu'il n'y a plus d'autre morale pratique, et donc théorique, que celle de l'ambition et de la volonté de faire son trou à n'importe quel prix. A partir de là, Rastignac, jusque dans *les Comédiens sans le savoir* en 1846 va être tantôt, à nouveau, le Rastignac *vu,* qu'il était en 1831 dans *la Peau de Chagrin,* tantôt le Rastignac *vécu,* qu'il est incontestablement dans toute une majeure partie du *Père Goriot.* Y a-t-il là réels flottements, incohérences tenant non aux procédés, aux solutions de continuité dans la mise en œuvre, mais à l'inspiration même? Y a-t-il, après Rastignac I *(la Peau de Chagrin),* Rastignac II *(le Père Goriot)* puis Rastignac III (les romans où sont évoquées sa carrière et sa réussite)? L'hésitation du manuscrit entre Massiac et Rastignac était significative et permet de répondre : Rastignac, comme tous les héros balzaciens, et particulièrement comme tous les héros jeunes, représentatifs des expériences, rencontres et choix de la jeunesse, est double. Il est d'abord, suivant les moments et les éclairages, ce que Balzac a été en entrant dans la vie, en découvrant l'amour, Paris, la société; il est ensuite ce que Balzac aurait pu devenir, mais qu'il n'est pas devenu, et qu'il voit et domine comme romancier, le chargeant à la fois de tout son vouloir-vivre, de tous ses droits à vivre et de tout ce qui guettait la jeunesse du siècle si elle entrait à fond dans le jeu, si elle n'avait pas le moyen, par la création romanesque et par la distance qu'elle ménage (sans pour autant rendre impossible la conscience et la participation), de préserver son vouloir-vivre et de ne pas entrer dans des combinaisons pipées, qui, de toute façon, laissent meurtri, insatisfait. L'autre exemple le plus éclatant est celui de Lousteau : d'abord *(la Grande Bretèche)* jeune homme séduisant et charmeur, plein de feu; puis *(Un grand homme de province à Paris)* poète meurtri par l'impitoyable système de la littérature marchande, déjà perdu, mais ayant encore de l'amertume, de la révolte, et le souvenir de ce qu'il avait été; enfin *(la Muse du Département)* misérable bohème, ayant perdu tout ressort et toute dignité. Balzac aurait pu être Lousteau, comme il aurait pu être Rastignac, ou n'être que Rastignac, ou n'être que Lousteau. Mais il a vu se détacher de lui, et prendre corps dans la vie, dans ses romans, ces divers *moi* auxquels il a échappé, que tantôt il exprime en les revivant de l'intérieur, en leur prêtant la poésie, la fraîcheur de sa propre jeunesse, en maintenant en eux des exigences, un sens de l'honneur et du vrai qui sont les siens au cœur de cette société de plus en plus différente de celle qu'attendaient les enfants du siècle, et que tantôt il regarde et voit comme des étrangers qui se croient malins, mais que l'on devine, que l'on démonte et que l'on explique au lecteur, leur semblable, leur frère. Mais où se situe la coupure? Où prend naissance la contradiction? Sans aucun doute lors de la conversation avec Mme de Beauséant, lorsque Massiac devient Rastignac. Le Rastignac dandy était l'un des familiers possibles de Mme de Beauséant. L'étudiant qui interroge et cherche appui ne pouvait-il être le passé du dandy? Chez Mme de Beauséant le personnage, en termes de « psychologie », mais surtout en termes d'existence romanesque, est à la croisée des chemins : il est encore naïf, il cherche déjà le chemin de traverse; il est encore frémissant, il est déjà calculateur; il est prêt à venger Mme de Beauséant, il soignera Goriot. Mais il est déjà sur la voie des acceptations : celle de l'argent d'abord, celle de la garçonnière ensuite. Balzac le vit de l'intérieur, et déjà le voit. Une fois encore, on est en présence non d'une habileté technique, mais de l'expression littéraire d'une réalité profonde. Par la suite Rastignac, amant de Mme de Nucingen et faisant des affaires avec son mari, puis ministre de Louis-Philippe, sera dans la ligne du Rastignac *vu.* Mais

Rastignac à l'enterrement de Rubempré, Rastignac intervenant pour Michel Chrestien, Rastignac ministre refusant de se prendre au sérieux et préservant (comme déjà dans *l'Interdiction)* son arrière-boutique, sera dans la ligne du Rastignac *vécu,* maintenu malgré les apparences au contact avec sa propre jeunesse. Rastignac I n'avait-il pas déjà, d'ailleurs, tous les charmes de l'amitié et de la camaraderie? Il semble qu'il ne reste plus grand-chose des reproches d'incohérences souvent adressés à une construction certes peu « classique », mais exprimant plus largement et plus puissamment le réel que les constructions linéaires. Rastignac a la logique et la structure, subjectives et objectives, non d'un héros classique de l'éternel humain, mais d'un héros de la découverte historique d'un monde historiquement définissable. Rastignac, par son contenu, par sa manière d'être, est le héros-type et le héros-sommet du genre-type et du genre-sommet de la découverte du monde moderne par lui-même : le roman d'éducation.

Ainsi ce roman que pourtant sur le moment Balzac se refusa à intégrer à son œuvre en voie de rassemblement et d'organisation (*Études de mœurs,* publiées chez la Veuve Béchet, et *Études Philosophiques,* publiées chez Werdet), qui devait attendre *la Comédie humaine* en 1843 pour se voir officiellement classé (peut-être aussi parce que Balzac pour des raisons financières l'avait longtemps gardé en réserve et à l'abri des contrats qui le liaient à Werdet et à Béchet), ce roman est bien celui qui marque la naissance du Balzac balzacien tel qu'on l'aime et le comprend aujourd'hui, sans toujours rendre la justice qui convient au Balzac fantastique, philosophique et romantique qui précède. Comme le dit très bien Bardèche : « Raphaël voulait vivre, Rastignac veut doter ses sœurs »; c'est tout ce qui sépare l'époque ardente et philosophique de 1830-1831 de l'époque plus enfoncée (mais aussi plus efficace?) dans le réel bourgeois de 1835. Désormais il faut se battre sur un autre front que celui de Raphaël, de Claës, de la philosophie et de l'absolu. L'ardeur, les aptitudes subsistent, mais les perspectives et les points d'application — donc les mise en œuvre littéraires — ne sont plus les mêmes. A partir du *Père Goriot* Balzac intègre à une vision réaliste et parisienne sa philosophie et ses bandits, pour lesquels il recourait jusqu'alors au fantastique, au folklore, à l'exotique, en tout cas à l'exceptionnel. C'est vraiment avec *le Père Goriot* que le réalisme quitte définitivement les basses régions où le maintenait la littérature, qu'il s'éclaire, s'élève, se dramatise, se poétise et se fait mise en cause. C'est vraiment avec *le Père Goriot* que l'influx romantique et balzacien rejoint la vie concrète et ses véritables problèmes. Le public ne s'y trompa pas. Si la critique fit la petite bouche, souvent, affectant de vanter *Eugénie Grandet,* les lecteurs épuisèrent trois éditions coup sur coup. Aujourd'hui encore *le Père Goriot* demeure l'un des romans les plus célèbres de Balzac, l'un de ceux que la critique a toujours considérés comme les plus importants. Reste à préciser que, sur un point capital, *le Père Goriot* ne saurait plus être ce qu'on a longtemps voulu qu'il soit essentiellement.

Presque tous ceux qui se révoltent contre le ciel ont à se plaindre en quelque sorte de la société ou de la nature.

Chateaubriand, *Génie du Christianisme*

2

Structures

Le « il » et le « je », ou qui parle le roman?

L'attaque d'un texte, fatalité inhérente à la décision prise d'écrire une histoire, résulte d'un choix et dit un choix : quel est le réel, quelle est sa nature, son intérêt (et pourquoi en parler?), qu'est-ce qui compte dans le réel et dans la nature, et quelle est la voix qui le parle? Commencer suppose exclure, mais aussi ouvrir. Exclure de multiples possibles qui ne se verront pas reconnaître le plein droit de conduire à l'histoire et de la constituer. Ouvrir à plusieurs possibles — ou à un seul, mais c'est bien rare — la possibilité de dire l'histoire et de la constituer. Les premiers mots tracés, qui définissent un alpha et supposent un destinataire précis, butent aussitôt sur d'autres qui veulent s'écrire, derrière lesquels se pressent d'autres alphas, d'autres trajets vers d'autres destinataires. C'est un autre aspect du problème des récurrences. Commencer suppose que l'on s'arroge un droit. Mais ce droit, on le conteste aussitôt à soi-même au nom des droits qu'il faut bien reconnaître à tout ce par quoi on ne commence pas, qui n'en est pas moins du réel à dire et qui fait partie de soi. Il n'est guère de début balzacien où ne se bousculent plusieurs thèmes, plusieurs systèmes d'ouverture : narration *(la Peau de Chagrin),* description *(Eugénie Grandet),* tableau d'ensemble *(Ferragus),* biographie, prise de position ou mise en scène du narrateur, dialogue dans lequel on est jeté comme au théâtre *(le Colonel Chabert, César Birotteau).* Tant qu'on n'est pas dans un système qui se veut (et se peut) rigide, dépouillé, neutre ou blanc (la nouvelle néo-classique, le roman réaliste, naturaliste ou post-naturaliste), un certain fouillis, une certaine exubérance sont la rançon de cette nécessité de commencer. Le début du *Père Goriot* est un bon exemple de cette sorte d'écriture, qui en ouvrant se refuse à clore, parce que le réel n'est pas dégradé, appauvri, aplati, valable seulement par la manière dont on décide de l'écrire, mais immense, et donc les voix et les voies pour le dire nécessairement multiples et confuses. *Madame Vauquer, née de Conflans, est une vieille femme qui, depuis quarante ans, tient à Paris une pension bourgeoise établie rue Neuve-Sainte-Geneviève :* c'est un début de nouvelle (le premier projet de Balzac) qui annonce un récit linéaire et peut-être « sobre ». Mais aussitôt la « pauvre jeune fille », un jeune homme, le drame qui commence, l'auteur qui prend la parole et la discussion socio-littéraire qui s'instaure et s'installe dans cette première page, le défi au lecteur : le récit bien fait, le texte bien dit éclatent et s'arrangent comme ils peuvent de ce qui conteste le droit du bien dire et du bien fait. La voix du roman ne peut être unique et claire. Une nouvelle manière d'écrire apparaît qui, loin de sécuriser le lecteur, lui dit à elle seule et déjà l'éclatement du monde et l'illusion de ce que la littérature puisse à elle seule l'ordonner et le réduire. Il faut franchir quelques lignes : on comprend vite que ce n'est probablement pas sans violence que le romancier a tenté de « bien » commencer. *Le Père Goriot,* comme texte caractéristique non d'une littérature d'assurante « représentation » et de compte rendu, mais bien d'une littérature de l'éclatement et du décentrement, manifeste à cet égard que Balzac est à un tournant de sa (la) vision des choses et de sa (la) manière de les dire. Ce fait enregistré donne tout leur sens aux motivations lointaines ou plus proches et à l'histoire des états successifs du texte. Le structurel tient au génétique et le génétique ne se saisit en ce qu'il a d'intéressant que renvoyé au structurel.

Une histoire racontée?

Voici, malgré son apparition relativement tardive au cinquième feuillet du manuscrit, ce qui fut (peut-être) le point de départ, le degré zéro du texte qui cherche à se dire et qui ne sait peut-être encore exactement s'il sera roman ou autre chose. Il permet de mieux lire ce qui constitue, aujourd'hui fixée de manière définitive par les leçons du texte revu et consacré, l'ouverture d'un roman qui a d'abord hésité, malgré une apparente fermeté descriptive et narrative, sur la voix qui le parlerait. Car la suite permet d'affirmer que la voix du romancier (le « je » téléguidant et montrant un « il ») — moins en intégrant un fragment de préface au récit même sur un ton à la fois d'objectivité et d'engagement qu'en l'écrivant *en romancier* — n'a peut-être pas été la première à laquelle ait songé Balzac :

> Au moment où cette histoire commence, l'une des deux chambres vacantes appartenait à un jeune homme [*de bonne famille*] [1] venu des environs d'Angoulême pour faire son droit et dont la nombreuse famille se soumettait aux plus dures privations pour lui envoyer douze cents francs par an.
>
> Eugène de Massiac était un de ces jeunes gens façonnés au travail par le malheur, qui comprennent dès le jeune âge les espérances que leurs parents placent en eux, et qui se font une belle destinée en calculant déjà la vie et la portée de leurs études. Sans ses observations curieuses et l'adresse avec laquelle il sut se produire dans la haute société de Paris, ce récit n'eût pas été coloré des tons vrais qu'il devra sans doute à l'esprit sagace du jeune étudiant et à son désir de pénétrer le secret d'une situation épouvantable, aussi soigneusement cachée par ceux qui l'avaient créée que par celui qui en souffrait.

Le sens est clair :

1. « un jeune homme de bonne famille », c'est une certaine « qualité » qui va juger la « situation épouvantable ». La « bonne famille » de premier jet n'est pas tant ici de valeur hiérarchique et sociale que de valeur instrumentale. Le jeune homme vient d'une certaine pureté qui va lui fournir la *distance* pour voir clair et juger. On retrouvera cette idée capitale que le jeune homme vient d'une sorte de commune

---

1. Écrit puis raturé par Balzac.

originelle, d'un lieu où les relations sont « normales », et d'« avant » un certain type de rapports humains qui se développent dans la société nouvelle. La province de deuxième jet (les « environs d'Angoulême ») concrétise et précise cette distance, cette différence : la province et les origines provinciales, c'est l'endroit géographiquement mais aussi qualitativement distant d'où Paris et son « bourbier » seront *vus.* On perd, pour l'instant, avec la « bonne famille », quelque chose qui sera repris plus tard : la noblesse pauvre, les sœurs, la mère, l'amour, le dévouement. Mais la direction est trouvée : le jeune homme sera un *témoin,* le regard que les représentants d'un ordre et d'une nature de droit poseront sur l'ordre d'une nature de fait.

2. Le jeune homme a su « se produire » avec « adresse » dans la haute société de Paris. Il a donc lui aussi une histoire et, témoin, il a été, il sera *acteur.* Bien des développements sont ici inscrits : c'est parce qu'il est « de bonne famille » — l'expression prenant cette fois une signification plus étroite et plus hiérarchique : les relations — que le jeune homme pourra faire carrière dans la haute société. Après le droit, de son côté aussi, le fait. Mais il y a plus important : c'est par le fait même de cette carrière mondaine (on ne voit pas encore le lien, la causalité exacte, mais ils existent) que le jeune homme s'est interrogé sur les secrets de la « situation épouvantable ». Une épaisseur se dessine ici, un élément d'interrogation romanesque en même temps que la mise en place d'une réalité objective faite de relations encore obscures. Il n'est de vrai témoin qu'un héros qui soit aussi acteur. C'est l'action, c'est l'entreprise, c'est le vouloir-être et ses problèmes qui nourrissent la curiosité, le désir de savoir et de comprendre. Derville déjà n'avait cherché à comprendre et n'avait compris que parce qu'il avait dû agir. Il n'y a pas de purs, de vrais témoins uniquement moraux. *Il n'y a que des témoins pratiques.* Le récit passe par le développement d'une conscience pratique.

3. Mais voici peut-être une autre suggestion du texte. L'histoire qui va suivre n'a-t-elle pas été racontée ou n'a-t-elle pas pu l'être à plusieurs reprises dans des salons parisiens par un jeune homme observateur curieux et esprit sagace, double en somme du romancier, qui a été témoin de

ce qui s'est passé dans une pension bourgeoise sise rue Neuve-Sainte-Geneviève et où il a fait ses premières expériences de la vie? Que signifie « se produire dans la haute société »? Réussir, certes, se faire valoir, agir. Mais aussi se donner en spectacle, briller. L'engrenage romanesque que va bientôt choisir Balzac (Massiac s'identifiant à Rastignac) va certes empêcher un développement ici encore possible, et ce ne sera pas le jeune homme d'Angoulême qui racontera la « situation épouvantable », mais Derville dans la seconde édition du *Colonel Chabert.* Il y aura répartition des rôles, Rastignac, bénéficiaire, ne pouvant décemment raconter lui-même quelles ont été les origines de sa réussite. Mais l'idée est bien là : une « situation épouvantable » (on ne sait pas encore laquelle) a été créée par des gens (on ne sait pas encore lesquels) et elle a été « soigneusement cachée », aussi bien par ces gens (qui devaient avoir intérêt au secret) que par la victime qui, chose étrange, devait avoir ses raisons pour que ledit secret fût gardé; le jeune homme a dû acquérir depuis de l'expérience et surtout se faire une situation dans le monde, car comment serait-il arrivé du statut de pauvre pensionnaire à celui de jeune homme reçu dans les salons de Paris? Mais il a été témoin de cette affaire. On ne sait encore s'il y a joué un autre rôle que celui d'observateur. L'auteur, le responsable du texte l'a-t-il entendu? A-t-il envisagé la possibilité de l'avoir entendu raconter cette histoire et de la raconter à son tour au lecteur? Si on allait dans ce sens il faudrait logiquement une présentation du jeune homme et du lieu dans lequel l'auteur l'a entendu raconter l'histoire. Or il y a là un prologue possible dont d'autres œuvres (par exemple en 1831, dans les *Contes bruns, Une conversation entre onze heures et minuit,* sur le thème de « la plus extraordinaire aventure qui me soit arrivée ») permettent de se faire une idée assez précise : un salon parisien, un brillant causeur ayant appris quelques secrets du monde, un auditoire attentif, surpris, captivé, pensant à ses propres affaires et réfléchissant (voir plus loin pour l'apostrophe au public et sa mise en cause). Lorsque Balzac écrit les premières pages de son *Père Goriot,* il a déjà une large expérience de cette présentation et, bien avant les

Contes bruns, il avait fait raconter en 1830 par un jeune avoué, ancien étudiant pauvre lui aussi, cette histoire de l'usurier Gobseck et du rôle qu'il avait joué dans le sauvetage de la fortune d'un héritier menacée par les folies de sa mère pour son amant. Comme il se trouve que la dame en question, Mme de Restaud, sera précisément ici l'un des personnages qui avaient créé la « situation épouvantable », un double lien apparaît, formel et de contenu. Mais l'avoué, encore anonyme, des *Dangers de l'inconduite* n'avait pas été un simple témoin. Il avait joué un rôle dans l'histoire qu'il racontait, puisque Gobseck l'avait pris en affection et, à de dures mais salubres conditions, l'avait aidé à payer sa charge et à se faire une position. En cours de route, il s'était marié avec une jeune ouvrière dont l'honnêteté, la propreté morale et la simplicité avaient été opposées, en une double scène à effet, aux absurdes folies de la comtesse. Voici, à la fois, d'autres éléments romanesques (un personnage mystérieux prend sous sa protection un jeune homme qui débute dans la vie et en ignore les mystères; un jeune homme légitimement ambitieux, mais honnête et travailleur, réussit de manière méritoire non sans avoir acquis de troublantes lumières sur la manière dont va le monde) et formels (peut-on être à la fois pleinement témoin et acteur d'une histoire, exister de la même manière en voyant et en étant vu, en racontant et en étant raconté?). Si le jeune homme est lui-même héros de l'histoire ne faut-il pas recourir, pour lui donner toute sa présence et toute sa signification, à un autre témoin, à une autre personne qui regarde et raconte? On est au cœur d'une contradiction et d'un double problème :

— ou bien le jeune homme devient personnage à part entière; il peut alors se dédoubler voire se détripler, car à côté du jeune homme honnête, raisonnable et modéré qui réussit grâce à son protecteur mais aussi grâce à son honnêteté et à son application, on peut imaginer, dans une perspective de moralisation ou de différenciation simplement objective, un jeune homme qui réussit de manière malhonnête, plus un jeune homme qui réussit de manière à demi honnête, mais sans avoir eu réellement recours aux offres de son protecteur : il faut alors renoncer à la technique du jeune homme narrateur, le jeune homme devenant vu et raconté; *il faut donc quelqu'un pour le voir et le raconter.*

— ou bien il demeure le jeune homme narrateur, mais on se privera ainsi de l'analyse et de la présentation qui peut en être faite par une conscience supérieure à la sienne, capable d'en rendre compte : du « je » s'impose le passage au « il », si le jeune homme doit être vu et raconté.

Les perspectives dès lors s'emboîtent, ainsi que les points de vue, qui conduisent de la non-conscience à la conscience, du non-dit au dit et moins-dit au plus-dit :

— le monde qui ignore ses propres secrets ou ne tient pas à les connaître;

— le témoin-personnage qui lui présente sa propre et réelle image;

— le témoin-narrateur-romancier qui n'a joué aucun rôle dans l'histoire (mais ici s'ouvre une autre perspective : le romancier peut raconter une histoire qui se nourrit de ses propres souvenirs, et alors il a joué lui aussi un rôle dans l'histoire), mais qui de simple facilité présentative devient incarnation d'une conscience supérieure avec tous les droits que cela comporte — et l'on s'arrangera comme on pourra pour rendre les choses vraisemblables, tantôt le narrateur s'arrogeant le droit de dire le passé de ses héros, tantôt le romancier, revenant à son premier schéma, prétendant que c'est le jeune homme héros et témoin qui a appris par d'autres personnes ce même passé (dans les deux cas, bien entendu, il tombera sous le coup du reproche fait par Sartre à Mauriac et au romancier traditionnel : il se prend pour Dieu);

— enfin une quatrième instance apparaît : celle du lecteur, informé ou curieux, qui lit l'histoire racontée par le romancier qui raconte l'histoire qu'aurait pu raconter le jeune homme qui a été le témoin de l'histoire mais qui aussi y a joué un rôle. A prendre les choses à l'inverse, le jeune homme vit et voit une histoire; il raconte l'histoire; le romancier raconte que le jeune homme raconte l'histoire; le romancier lit et raconte l'histoire que le jeune homme ou ses diverses incarnations ont vue et vécue; le lecteur lit l'histoire que raconte le romancier.

Cet emboîtement n'a pas qu'un froid intérêt technique. A mesure que l'on passe de *« histoire non racontée/non lue »* *à « narration/lecteur », à « narration de la lecture »* puis à *« lecture de la narration »* (et l'on peut encore passer à *« lecture de la lecture »*), le monde devient plus complexe et plus complet, les possibilités de divergence et de différenciation s'accroissent, des allées s'ouvrent et la signification progresse en complexité, le brut et l'unilatéral, le simplement vécu et subi devenant le lu et le raconté, aucun terme n'étant assignable à ce récit du récit et à cette lecture de la lecture. Dans l'état actuel des connaissances on ne saura jamais quand Balzac a renoncé ou s'il a renoncé à un possible scénario primitif : Massiac (qui deviendra Rastignac, s'identifiant à l'un de ceux qu'il devait d'abord rencontrer dans le monde, et c'est ici un phénomène complémentaire de ce qui vient d'être noté : aux différenciations progressives s'oppose ou s'ajoute une unification d'expérience), dans un salon que fréquente le romancier, raconte ce qui s'est passé dans une pension bourgeoise où il logeait à ses débuts : esprit sagace, observateur curieux, il prend une certaine distance par rapport aux faits qu'il rapporte. Puis Balzac s'avise que l'histoire de Massiac, à l'intérieur de la première histoire, est quelque chose qui vaut d'être raconté et que Massiac, qui ne dépasse ni ne peut dépasser un certain degré de conscience, ne peut pas tout dire de cette histoire, en souligner tout l'intérêt, en démêler tous les fils, que sa propre histoire à lui, à plus forte raison, lui échappe et que donc il convient de renoncer à la première fiction pour passer à un mode nouveau de présentation, et c'est le romancier lui-même qui prendra la parole. Il demeurera du premier scénario le passage plus haut cité, à peine modifié dans les états postérieurs du manuscrit, ainsi que cet autre, mais au style indirect, le romancier racontant que le jeune homme a appris (mais ne disant pas comment) :

> Dans son désir de parfaitement bien connaître son échiquier avant de tenter l'abordage de la maison du banquier, Rastignac voulut se mettre au fait de la vie antérieure du père Goriot et recueillit des renseignements certains qui peuvent se réduire à ceci [...] : ces

> renseignements confirmaient la supposition que Rastignac avait entendu faire par la duchesse de Langeais.

C'était un peu arbitraire et léger. Aussi, dans la *Revue de Paris,* Balzac a-t-il précisé :

> Ces renseignements étaient tout ce que savait un monsieur Muret sur le compte du père Goriot dont il avait acheté le fonds.

Inadvertances? Refonte maladroite? Au vrai, il faut lire, derrière ces arrangements, les craquements et difficultés d'un sujet et d'une forme. On peut bien penser qu'une fois arrivé dans le monde Massiac, devenu Rastignac, raconte la « situation épouvantable », *mais dans certaines limites seulement.* Il peut raconter comment il s'est dévoué pour un vieillard solitaire et malheureux; mais peut-il dire qu'il a cherché successivement à être l'amant de ses deux filles? qu'ayant dû renoncer à la première (elle avait déjà un amant, dont elle était folle, et de plus ne représentait socialement aucun avenir possible, sa fortune étant menacée et son mari, homme des vieilles maximes, peu utilisable) [2], il a réussi avec la seconde (qui était une femme frustrée), qu'il en a reçu de l'argent, qu'il a vu le parti qu'il pouvait tirer de la situation sociale de son mari, banquier, non plus seulement mondain et moraliste mais entreprenant et créateur, et que de là date sa réussite? Il peut bien encore raconter qui était ce mystérieux pensionnaire qu'un jour à la surprise de tous la police devait venir arrêter à la pension, mais peut-il dire quelles propositions lui avait faites ce même mystérieux personnage, quels échos, quelles tentations elles avaient éveillé en lui, et pour quelles complexes raisons il les avait repoussées, tout en extorquant de l'argent à ses sœurs et en décidant de s'arranger tout seul? Non, ce n'était pas possible. Si toute l'histoire était racontée par Massiac-Rastignac, beaucoup trop de choses de son histoire à lui, inséparables de la « situation épouvantable », ne pourraient

---

2. Voir chapitre 3 pour ce problème capital de la signification sexe-argent dans les relations Rastignac—Anastasie et Rastignac—Delphine.

être dites. Dès lors la décision devait être prise : la voix serait celle du romancier, et celle du jeune homme ne serait plus entendue que dans la distance, élément elle-même de l'histoire racontée. Mieux : puisque la voix du jeune homme ne serait plus la voix première, on pourrait en entendre une autre, la voix secrète en lui de ses doutes et des ses problèmes. Le jeune homme ainsi s'intérioriserait à mesure qu'on le verrait de plus en plus de l'extérieur. *Mais du même coup le romancier, loin d'être arbitraire, devenait dans le roman même un personnage indispensable.*

Le romancier parle

C'est pourquoi le romancier décide de parler et parle. Comment va-t-il commencer? On peut toujours (c'est chose courante en ces temps de querelles littéraires et de mise en cause aussi bien des formules esthétiques traditionnelles que des tentatives nouvelles, mais c'est aussi une tradition de toujours lorsque l'écrivain entend s'expliquer et justifier; ce peut être aussi un moyen de se faire lire et d'attirer l'attention sur ce qui va suivre) commencer par une préface. Mais chacun sait qu'on n'écrit une préface qu'après que le livre lui-même est écrit. Balzac ne manque pas à la règle : la préface de *la Peau de Chagrin* avait été composée à la dernière minute, après la remise totale de la copie, et pour *le Père Goriot* il n'y aura de préface en règle que dans la seconde version imprimée, celle qui suivra en librairie la publication en revue. Balzac attaque donc directement et de plein droit une description qui devrait normalement conduire à un récit :

> Madame Vauquer, née de Conflans, était une vieille femme qui, depuis trente ans, tenait à Paris une pension bourgeoise établie rue Neuve-Sainte-Geneviève, entre le quartier latin et le faubourg Saint-Marceau.

Cette description d'abord au passé mais déjà horizontale, immédiate, a valeur de présent descriptif, et, rendant compte d'un état de choses (elle pourra très vite dans le second état manuscrit passer au présent, suggérant ainsi tout simplement que la pension existe encore et que Mme Vauquer continue ses activités alors que les personnages qui vont être présentés ont évolué ou marché dans la vie), conduit à une première rupture : la pension accueillait « des hommes et des femmes des jeunes gens et des vieillards », cependant depuis trente ans on n'y avait jamais vu de jeune personne, et quant aux jeunes gens *pensionnaires* ils y étaient rares, seuls en effet de très pauvres prenant ainsi pension, les autres, comme Bianchon, ayant leur chambre en ville et ne s'abonnant que pour le déjeuner. Il n'y avait donc *ordinairement* à la pension que de vieilles femmes et des vieillards, exceptionnellement des jeunes gens, encore plus exceptionnellement des jeunes filles. Ici, Balzac sait où il va, car il y aura à la pension au moment où elle devient romanesque (mais ce n'est pas encore dit) trois pensionnaires exceptionnels : une jeune fille (« qui joue un rôle accessoire dans ce drame »), un jeune homme (peu fortuné, ni disposant que d'une maigre pension, et provincial) et un homme dans la force de l'âge. Les autres pensionnaires (la dame qui accompagne la jeune fille, le « vieillard nommé Poiret », la « vieille fille nommée mademoiselle Vérolleau », l'« ancien fabricant de vermicelle, de pâtes d'Italie et d'amidon qui se laissait nommer le père Goriot » — « père » n'étant pas ici seulement une familiarité mais, comme dans le français classique, signifiant qu'il est âgé — sont, eux, dans la norme, c'est-à-dire, on le verra, dans l'Histoire non consciente de son propre caractère problématique. Il s'agit de retraités : l'un on ne sait encore de quoi; la seconde, comme le suggère son nom de premier jet, d'une probable vie galante; le troisième du commerce des grains et farines. Les aberrants, les éléments rupteurs et qui vont lancer le roman, sont la jeune fille (elle est chaperonnée par la vieille dame, ce qui la préserve du scandale, mais dit aussi, puisque la vieille dame n'est pas sa mère, qu'elle doit être rescapée de quelque malheur), l'« homme âgé d'environ quarante ans qui portait une perruque noire, se teignait les favoris, *se disait* ancien négociant et s'appelait monsieur Vautrin » (que fait-il à son âge dans une maison pour retraités et pour étudiants? pourquoi se déguise-t-il? et pourquoi, alors que Goriot *est* un ancien négociant, cette suggestion de mensonge au sujet des anciennes activités de Vautrin?) et le jeune homme pauvre venu de province. Trio capital : la victime féminine, le héros sauvage et le jeune homme, significatif du déblocage dramatique de l'immobilisme et de la bonne conscience libérale, signalement littéraire de l'impasse idéologique de l'héritage bourgeois des Lumières [3]. Il a fallu devancer ce que dit pour le moment le texte, mais tout sera vérifié : en 1819 il se passe quelque chose à la maison Vauquer comme ailleurs et qui connaît les règles et le fonctionnement du roman traditionnel ne peut négliger ce fait qu'habite en ces lieux et pour la première fois une jeune fille (qui toutefois, nous dit-on dans le manuscrit, ne sera pas le personnage principal de l'histoire à venir). En même temps on nous propose un centre et on nous le retire : l'Histoire redémarre, mais elle n'est pas claire. Le récit réserve certainement des surprises, tout un réel non encore nommé débordant les premières indications qui risquaient, prématurément, de clore et de bloquer. Car qui est le héros?

Une préface?

Est-ce à cause de cette difficulté? Ici, toujours est-il, Balzac s'arrête. Il cesse de décrire et de raconter et il se lance dans un développement de caractère théorique et polémique sur les rapports entre la notion et la pratique du drame d'une part et ce qui va suivre d'autre part. Bien évidemment il s'agit là d'un élément de préface, mais qui n'est pas assumé et qui n'est pas écrit comme préface. Balzac aurait pu (?) avant de commencer à décrire et à raconter, prendre ainsi directement position :

> En quelque discrédit que soit tombé le mot drame par la manière abusive et tortionnaire dont il a été prodigué dans ces temps de douloureuse littérature, il est nécessaire de l'employer ici. Il serait difficile de trouver matière à duel, à poison, à flots de sang, à terreur ou à adultères sous les paisibles toits de la Maison-Vauquer.

On voit toutefois la difficulté, voire l'impossibilité d'une telle attaque théorique, puisqu'elle suppose qu'on sache ce qu'est

---

3. Voir *Balzac, une mythologie réaliste,* p. 110-121.

la Maison-Vauquer et donc implique les phrases qui précédent. Il faut voir comment s'est fait l'enchaînement (et encore ne dispose-t-on que d'un recopiage du tout premier état manuscrit) :

1. une pauvre fille dont il sera question
2. une pauvre fille qui joue un rôle accessoire
3. [dans l'histoire]
4. dans le drame dont les scènes vont être retracées par ce récit.

Premier départ : *la jeune fille jouera un rôle.* Second départ : *ce rôle ne sera qu'accessoire* (voir plus haut : Balzac réoriente la lecture vers d'autres héros). Troisième départ : *dans l'histoire* (le mot est banal). Quatrième départ : *dans le drame.* Pourquoi cette dernière et importante substitution? Deux explications sont plausibles : une histoire, impliquant une sorte d'écriture linéaire, est quelque chose de plus simple qu'un drame; si la jeune fille était l'héroïne principale on pourrait avoir une « histoire ». Mais il y a pluralité, éclatement, diversification, personnages secondaires et principaux, peut-être héros collectif; dès lors « drame » est meilleur et s'impose.

Mais on a aussi la liaison drame-*scènes :* il y aura des scènes parce qu'il y aura de nombreux personnages; et il y aura des scènes parce que Balzac a écrit des *Scènes de la vie privée,* parce qu'il a commencé de pratiquer ce nouveau romanesque qui fait passer dans la narration à lire le découpage, l'exemplarité et le... dramatique longtemps l'apanage du genre noble : le théâtre. Les *Scènes de la vie privée* (et celles envisagées de la vie militaire, de la vie politique, de province, etc.) étaient et demeurent la forme du drame nouveau, démarqué aussi bien par rapport au théâtre traditionnel (*les Deux gendres* et la tragédie fatiguée) que par rapport au néo-dramatique romantique, riche en duels, poisons, flots de sang, terreurs et adultères *(Hernani, Antony),* mais invraisemblable. Le mot drame s'est ainsi écrit non à partir d'abstraites considérations théoriques, mais bien à partir d'une écriture romanesque, à partir des « paisibles toits de la maison Vauquer », et c'est maintenant seulement que, la réflexion critique s'explicitant, on a, avec une nouvelle rupture, un nouveau moment d'homogénéisation du texte. Non pas une pause et un placage, mais ce qui va servir à amorcer un dialogue, non pas entre personnages mais entre auteur et lecteur, l'adresse au lecteur constituant ainsi l'auteur lui-même en personnage et en partie prenante de ce qui va suivre et se faire : deuxième justification de l'attribution à l'auteur de responsabilités précises. A partir de là, les choses deviennent faciles et claires : le vrai drame moderne ne se joue pas dans des décors et avec des personnages d'exception et le sang n'y coule pas nécessairement. Entre les classiques, amateurs de littérature reposante, qui ne disent et ne lisent plus les meurtres chez les hommes qu'au travers d'une « élégance » et d'un bien-dit qu'ils se sont forgés, et les romantiques, contestataires mais par les moyens d'une littérature irréaliste et exagérée, Balzac (comme Stendhal) propose dans un mouvement dialectique un troisième choix vers l'avant. Dès 1829, la tragédie de Fougères *(le Dernier Chouan)* avec les amants massacrés, avec Hulot bourreau malgré lui, avait installé le drame vrai au cœur du réel moderne (sous-développement rural et vie privée); en 1830, les *Scènes de la vie privée* avaient su faire l'économie des dénouements et épisodes sanglants : à société de la paix revenue, de l'abîme des révolutions fermé et de l'installation dans le quotidien, drame nouveau. Seul le suicide, pur produit social moderne, pouvait (avec la lointaine caution de *Werther,* mais aussi celle, immédiate, du coup de pistolet que s'était tiré Sautelet dans la nuit du 13 mai 1830) rendre un sens à la mort brutale : ç'avait été *la Peau de Chagrin* [4]. Mais le plus souvent les morts étaient invisibles, silencieuses, ignorées de la littérature comme des journaux : Augustine Guillaume dans *Gloire et Malheur (la Maison du Chat-qui-pelote)* et bientôt Goriot. Quant aux tyrans et aux vrais rois des destinées, le « capitaliste » Gobseck suffisait. Balzac porte ainsi le combat sur le terrain de l'adversaire le plus immédiat : non les tenants de la tragédie bien faite (ils sont en 1834 littérairement morts et annulés), mais ceux d'une littérature qu'il considère fausse et de pacotille. Il aura la même réaction en 1846 lorsqu'il écrira *les Parents pauvres*

---

4. Sur le suicide de Sautelet et le roman, voir P. Barbéris, *le Monde de Balzac.*

contre Eugène Sue et « les faux dieux de cette littérature bâtarde » du feuilleton révolutionniste et démagogique. Les romantiques avaient beaucoup parlé de couleur locale, c'est-à-dire d'exotisme historique ou géographique (qui était d'ailleurs une conquête sur l'abstraction et le rabotage pseudo-universaliste classique), mais Balzac parle ici d'« observations » et de « couleurs locales » qui « ne peuvent être appréciées qu'entre les buttes de Montmartre et les hauteurs de Montrouge ». Il subvertit ainsi le cliché romantique dont se moquera encore Mistigris en 1842 dans *Un début dans la vie* (« lâchons la couleur locale ! »). *Couleur locale ne s'entend qu'au pluriel et suppose observation :* non pas clinquant de seconde main, mais réalisme. Il suffit de lire, à l'époque de *Goriot,* les romans de Félix Davin, par exemple *le Crapaud,* avec son espagnolisme et ses culs-de-basse-fosse, pour réellement comprendre ce passage. Balzac d'ailleurs insiste, quitte à choquer ou pour choquer, au minimum pour mettre en porte-à-faux avec des habitudes. Car qu'était-ce que Montrouge sous la Restauration pour les libéraux? Rien d'autre que la fameuse maison des Jésuites, rentrés en France à la faveur de la réaction et en dépit des lois. Mais Montrouge, c'est ici la banlieue minable dans le prolongement du boulevard de Joseph Delorme. Et quant aux plâtres (qui reviendront dans la description de la pension et dans celle de l'amour écaillé) et aux ruisseaux (c'est-à-dire les sentines où l'on verra la cuisinière de Mme Vauquer chasser les eaux grasses et les sous-produits de la pension), avaient-ils droit de cité en littérature? Pas de concession.

Mais est-on pour autant « en bas », comme le dit Michelet en 1831? Se rue-t-on vers le bas? Immédiatement s'établit non la récupération du prosaïque par une littérature familière ou flâneuse, mais son dévoilement et sa promotion. L'« illustre vallée », le creux de la Seine que Rastignac regardera à la fin du roman du haut du cimetière, évoque aussitôt la vallée de larmes, la Géhenne, mais dans un registre tout moderne. Goriot va mourir. Mme de Beauséant va quitter Paris. Rastignac va dire adieu à une partie de lui-même. Victorine, pourtant personnage non essentiel, va s'en aller vers le non-être pratique et ne sera pas même l'héroïne d'un roman, ce qui lui donne quand même un sens. Littérature? Sans doute. *Mais laquelle?* Roland Barthes peut bien parler de littérature de maintien de l'ordre et de sauvetage de la cohérence bourgeoise. C'est absolument faux. Les références à la Bible (en second rang à Dante et à son *Enfer,* avec le souvenir des ouvertures de *Ferragus* et de *la Fille aux yeux d'or)* ne renvoient plus à un univers culturel immobilisé, mais bien à ce Paris où tout va vite, à la vie galvanique, électrique, montrée dans *la Peau de chagrin* et que la critique alors avait vue. L'espace dramatique n'est plus stable et clos, consacré, mais à découvrir, et à écrire. Le regard indifférent n'est plus celui des Dieux ou du Dieu unique, mais celui des hommes qui ont autre chose à faire que d'être sensibles. On est revenu à ce qui fonde le droit et la dignité de l'œuvre, mais dans une perspective radicalement modernisée et laïcisée. Le Dieu aveugle et absent, c'est la société libérale. Le « char de la civilisation », c'est l'histoire humaine, et « l'idole de Jaggernat », c'est bien entendu le fétiche de la « civilisation », celle dont Lucien Leuwen se demandera, lui qui y avait cru, s'il n'y en a pas une « fausse ». Les adorations simplistes et mystificatrices des libéraux et celles des saint-simoniens opportunistes *(l'Illustre Gaudissart)* pour la « France nouvelle », pour « l'industrie » et pour leur unité vont être durement mises en cause. Et Balzac prend aussitôt un exemple, qui relève de bien plus que de la simple habileté présentatrice et met en rapport les structures sociales profondes avec les habitudes ou réflexes de surface :

> Ainsi ferez-vous, vous qui tenez la *Revue de Paris* [5] d'une main blanche, vous qui vous enfoncez dans un moelleux fauteuil en vous disant : peut-être ceci va-t-il m'amuser.

La main blanche, c'est celle de la parisienne commençant à lire une nouvelle du célèbre Monsieur de Balzac qui connaît si bien les femmes. Le moelleux fauteuil, c'est celui du bourgeois, qui ne se doute guère du vrai pouvoir et de la vraie

5. Texte du manuscrit et de la *Revue de Paris.* A partir de la première édition Werdet, on aura : « vous qui tenez ce *livre* d'une main blanche ».

signification de la littérature. Ce sont les profiteurs de la « civilisation ». La société — déjà? — de consommation, s'accommode fort bien de consommer de l'insolite et de l'émouvant. Mais voici que Balzac provoque, que l'on saute hors de la « pure » préface et que l'on peut commencer peut-être vraiment à lire ce qui n'est qu'en apparence du disparate et constitue le contrat fondamental du roman, SON SUJET.

Le Père Goriot et vous : quel destinataire?

Après avoir lu les secrètes infortunes du père Goriot [...]

Le titre déjà avait alerté le lecteur, et Balzac avait pensé dire que la jeune fille ne jouerait qu'un rôle secondaire. Le père Goriot serait-il donc alors, lui, au centre du livre? Et l'esprit du lecteur (de la lectrice), malgré les injonctions qui précèdent, trouve-t-il ici quelque peu de satisfaction intellectuelle? Il sait où il va, et le monde, par l'intermédiaire et la grâce d'une présentation romanesque, refait son unité? Du moins le lecteur peut-il le croire et reprendre sa lecture. Mais il ignore ce qui l'attend. Car que devient ici le jeune homme? Et Vautrin? Le roman, avec ses illusoires symétries, ses chausse-trapes et ses centrages trompeurs, guette le lecteur avec son besoin de certitude. *La littérature ne lui en fournira pas.* Elle est même là exactement pour le contraire : pour dire que l'unité vraie de l'œuvre n'est pas à chercher au niveau de l'intrigue, de son arrangement narratif et de la distribution des rôles ou emplois, mais à celui de la vérité. *All is true :* la formule de Shakespeare, qui apparaît à la trente-cinquième ligne du manuscrit et qui, sur épreuves, sera mise en épigraphe avant de disparaître des éditions postérieures, voit son sens développé non comme celui d'une abstraite affirmation, mais bien comme celui d'une déclaration à fins provocatrices de sens. Pour les bourgeois le monde est sans drame et sans problèmes, la « civilisation » n'est ni dramatique ni problématique. Aussi n'est-ce pas une histoire qui coupera l'appétit. Les écrivains exagèrent. Ce sont des menteurs, des *poètes,* des faiseurs de fables. Les poètes ne disent pas le réel. Or il a déjà été question des « *poésies* toutes en demi-teintes de cette scène de la vie parisienne ». Il faut lire l'articulation avec l'accusation « de poésie ». Il y a des poésies vraies, comme il y a un drame vrai. Mais seulement dans le roman. Et du coup, avec les faiseurs de drame, ce sont les faiseurs de vers qui sont récusés comme fournisseurs de vérité. On va donc avoir un roman, mais un nouveau type de roman. « Ce *drame* n'est ni une *fiction* ni un *roman* » : cette formule, cette idée ne sont pas neuves, mais c'est la première fois qu'elles prennent place dans un dialogue avec le lecteur et qu'elles s'inscrivent non dans un mouvement théorique abstrait mais dans le mouvement même de la narration. Dès la post-face inédite de *Wann-Chlore,* en 1824, Balzac avait protesté contre ceux qui appelleraient l'histoire d'Eugénie d'Arneuse (qui était celle de sa sœur Laurence) « un roman », et en 1832, dans le manuscrit de *Louis Lambert,* il y avait :

> en racontant cette histoire dans une forme inusitée, je la dépouillerai peut-être de l'intérêt dont elle pourrait se revêtir si je me servais des ressources que l'art prête aux romanciers.

L'histoire de Lambert et de Pauline (vie privée) est vraie :

> Quoique la délicatesse nous interdise de lever les voiles dans lesquels les infortunes contemporaines doivent être enveloppées, je me suis cru obligé de restituer à cette histoire sa vraie beauté, d'en retracer les détails qui, peut-être, la rendront chère à quelques âmes nobles.

Qu'on ne s'attende pas à des événements extraordinaires, ajoutait le Balzac qui *racontait* Lambert et prenait par rapport à lui ses distances, à « quelque chose de dramatique »; le sujet est « de sa nature, très vulgaire, ennuyeux peut-être », mais « *j'étais condamné par ma position d'historien* ». Or, le début du *Père Goriot* reprend exactement tous ces thèmes, que ce soit dans le texte raturé ou dans le texte conservé : l'histoire vraie, « la chronologie », « la vérité historique », le cadre vulgaire et banal : ce n'est pas du drame au sens où le mot est reçu; ce n'est pas du roman non plus, du moins tel qu'on l'attend. Et c'est bien à quoi vise ce nouveau morceau de préface non pas *inséré* mais *écrit* à la suite dans le récit et, malgré sa place, peut-être aux origines profondes du récit. Le roman est chose sérieuse, même paraissant dans une revue parisienne. La littérature vise à la même efficacité et à la même signification que l'histoire et la philosophie. Dès lors ce n'est pas par artifice que Balzac s'adresse à l'hypocrite lecteur qui devient le destinataire du roman, celui qu'on va soumettre à l'épreuve qualifiante :

> Ah! sachez-le : ce drame n'est ni une fiction ni un roman. *All is true.* Il est si véritable que chacun peut en reconnaître les éléments chez soi, dans son cœur peut-être.

C'est apparemment la reprise du thème de Pascal et de La Bruyère : forcer le lecteur à échapper au divertissement, admettre que l'on rend au public ce qu'il a prêté. Mais avec un sens précis et fortement renouvelé :

— « chez soi » : dans sa propre famille (qui perd un peu de son innocence; résurgence des *Scènes de la vie privée*);

— « dans son cœur peut-être » : quelles furent vos sentiments à telle époque de votre existence? Ou encore : êtes-vous sûr que dans de semblables circonstances vous n'auriez pas agi comme ceux qui ont fait mourir le père Goriot? ou comme Rastignac, se révoltant contre Vautrin au nom de sa conscience mais finissant par faire seul les mêmes choses?

Reprise, alors, de la confession et de la purgation classique? Mais ne s'agit-il que de vérités spirituelles et d'ascèse? Ici prend tout son sens le thème du mandarin : *c'est le romancier qui remplace le prédicateur chrétien.* C'est lui en fin de compte, lui au regard et à la droite de qui rien ni personne n'échappe, qui remplace, mais de plein droit et par nécessité, Dieu. Est-ce là comme l'affirment Sartre et Barthes, simple mesure d'ordre ou usurpation? Ne s'agit-il que d'un masque essentialiste destiné à tuer l'existence? Que de consommation littéraire destinée à tricher avec la vie? Que d'une opération idéologique destinée à masquer les ruptures? Mais si c'est par la même que sont dévoilées et rendues manifestes les ruptures de forme comme de signification? Ne serait-ce pas plutôt dès lors, sur le moment, quelque chose de plus important, comme une laïcisation de la connaissance, du jugement et de l'action (d'abord) par l'écriture? Une avancée dans la prise de mesure, de conscience, puis à nouveau, éclairée par la conscience, de mesure? Le romancier est ce qu'il dit être, et lorsqu'il présente son œuvre et lorsque parlent ses personnages. « Ce drame n'est ni une fiction ni un roman » : la phrase est provocatrice en 1834, alors que le drame est encore au plus haut de ses prétentions, mais aujourd'hui encore, alors que *le Père Goriot* est considéré comme l'un des archétypes du roman traditionnel prétendu clos sur lui-même. C'est toute une définition, mais ouverte, du roman qui est proposée, et cette proposition n'est pas faite à froid : elle est faite dans le mouvement même de l'écriture.

Ce drame signifie : *cette histoire dramatique,* le drame ne se définissant plus par des règles, fussent-elles nouvelles comme du temps de la préface de *Cromwell,* mais bien par un contenu et par un signifié courageusement assumés. *Ni une fiction ni un roman* établit une équivalence critique *fiction/roman de fait,* mais aussi trace un programme *roman de droit/roman de la réalité.* Le roman comme le drame ou la poésie de fait, ici rapprochés outre leurs invraisemblances et leurs artifices, proposent des solutions faciles (moralisations spectaculaires, proclamations de victoires et revanches, royautés des victimes, triomphes des innocents, punition des traîtres, fourniture d'images finalement, soit par le biais de la métaphysique, soit par celui d'un téléologisme historique ou moral, réintégratrices et réconciliatrices, rassurantes). D'abord il est d'autres sujets auxquels il convient de faire place, ensuite et surtout peut-être il convient de veiller aux dénouements et à leurs leçons. Balzac ici « diverge », comme diraient les atomistes. Pour les sujets, on a par exemple :

> Le pauvre étudiant de Paris n'est pas un des spectacles les moins dramatiques. *(Feuillet Sina)*

> S'il était bien peint dans sa lutte avec Paris, le pauvre étudiant fournirait un des sujets les plus dramatiques de notre civilisation moderne. *(Manuscrit)*

Et voici la glose :

> Peut-être l'œuvre achevée, la peinture des sinuosités dans lesquelles un homme du monde, un ambitieux fait rouler sa conscience, en essayant de côtoyer le mal, afin d'arriver à son but en gardant les apparences, ne serait-elle ni moins belle ni moins dramatique.

C'est tout un programme, mais en creux, pour le romantisme décoratif, qui ne le traitera jamais. Joseph Delorme n'aura de postérité que chez Balzac, et Hugo se demandant comment, après Juillet, le fleuve avait pu rentrer dans son cours, avait écrit le 10 août 1830 à propos des ouvriers et des étudiants :

> C'est qu'il est plus d'un cœur stoïque
> Parmi tous, fils de la cité;
> C'est qu'une jeunesse héroïque
> Combattait à votre côté.
> Désormais, dans toute fortune,
> Vous avez une âme commune
> ....
> Honneur au grand jour qui s'écoule!
> Hier vous n'étiez qu'une foule :
> Vous êtes un peuple aujourd'hui.

Ah! comme disait en 1832 le bon Petrus Borel :

> Les braves jeunes gens et les bons ouvriers

Quelle caution! Quelle assurance! Mais la pièce de cent sous là-dedans et le problème des débouchés? Balzac ici matraque le romantisme, oblige à le relire ou plus exactement à le dé-lire.

Or, puisqu'il s'agit de dé-lire, il faut revenir ici à la dédicataire vraie, la lectrice à la blanche main à qui est contée l'histoire, et qui compte plus que le dédicataire a posteriori, cette Mme Hanska dont le nom n'apparaît sur le feuillet initial qu'après que le roman a été écrit, comme une conjuration peut-être. Dans *Sarrasine,* en 1830, Balzac avait déjà entrepris d'expliquer un mystère du monde à une jeune femme. Malgré sa promesse initiale, la marquise prenait la fuite et se refusait, comme Nathalie de Manerville, à la fin du *Lys dans la vallée,* se refusera à ce Félix de Vandenesse sur qui pèsent trop de souvenirs. Dans les deux cas, le sujet vrai et profond est la tentative du récitant pour conquérir celle qui écoute et qui n'est habituée à lire que d'une certaine façon. Un pareil pacte n'apparaît pas aussi clairement dans *le Père Goriot,* puisque la destinataire possible du début ne reparaît plus à la fin (à moins que chez cette Mme de Nucingen où l'on va dîner... mais voir plus loin). Cette dame cependant qui aime les drames et les romans reçus, on va lui montrer que, dans la vie parisienne, se jouent des drames et se vivent des romans qui valent bien les autres. Quel sera l'effet produit sur elle, et quel effet entendait-on produire? Peu importe ici. Ce qui compte, c'est que cette apostrophe qui apparaît comme un peu noyée dans la masse descriptive et narrative du début, n'est probablement ni artifice ni placage, mais la voix même du roman. Cette lectrice (ou ce lecteur), on les a rassurés, soit avec du pathétique sans portée réelle, soit avec des constructions idéologiques réintégratrices au lendemain de 1830. Mais Foedora continue, et les grandes dames dînent en ville. La vie parisienne n'a pas besoin de la légende, qu'elle soit romantique, révolutionnaire ou non. Il lui suffit du réalisme.

Un nouveau code culturel

Mais alors? Chute? Appauvrissement? Sous-littérature? Balzac avait déjà réagi avec l'idole de Jaggernat, avec la vallée de larmes. Il ira plus loin. Il retrouvera non tant les cautions culturelles paresseuses que la communication naturelle entre mythes nouveaux et mythes anciens. Il faut bien voir l'importance de cette articulation. D'une part :

> enfin c'étaient des drames ambulants, non pas de ces drames joués à la lueur des lampes, entre des toiles peintes, mais des drames vivants et inédits [6], des drames glacés qui remuaient chaudement le cœur, des drames continus.

---

6. *Inédits :* que nul écrivain n'a jamais traités.

Puis, plus tard, dans un changement de cadre et d'univers, mais Rastignac assurant le passage et le lien, lors de la chute de Mme de Beauséant, non par placage d'hyperbole mais bien par réinvention, par réécriture, le souvenir et la projection des grandes pages de Saint-Simon, alors toutes neuves :

> les appartements, situés au rez-de-chaussée de l'hôtel, étaient déjà pleins quand madame de Nucingen et Rastignac s'y présentèrent. Depuis le moment où toute la cour se rua chez la grande Mademoiselle à qui Louis XIV arrachait son amant [...]

Puis, plus encore :

> Elle était belle, elle était de marbre *comme Niobé. (Feuillet Sina)*
>
> C'était *une Niobé de marbre (Revue de Paris)*
>
> Vous eussiez dit *d'une Niobé de marbre. (Édition Charpentier)*
>
> Elle se leva pour aller au-devant de la duchesse de Langeais sa meilleure amie, qui venait aussi. Rastignac partit, fit demander le marquis d'Ajuda à l'hôtel de Rochefide, où il devait passer la soirée, et où il le trouva. Le marquis l'emmena chez lui, remit une boîte à l'étudiant, et lui dit : « Elles y sont toutes. » Il parut vouloir parler à Eugène, soit pour le questionner sur les événements du bal et sur la vicomtesse, soit pour lui avouer que déjà peut-être il était au désespoir de son mariage, comme il le fut plus tard; mais un éclair d'orgueil brilla dans ses yeux, et il eut le déplorable courage de garder le secret sur ses plus nobles sentiments. « Ne lui dites rien de moi, mon cher Eugène. » Il pressa la main de Rastignac par un mouvement affectueusement triste, et lui fit signe de partir. Eugène revint à l'hôtel de Beauséant et fut introduit dans la chambre de la vicomtesse, où il vit les apprêts d'un départ. Il s'assit auprès du feu, regarda la cassette en cèdre, et tomba dans une profonde mélancolie. Pour lui, madame de Beauséant avait *les proportions des déesses de l'Iliade.*

Et tout ceci est parti des « toits de la maison Vauquer »! Mais le roman ne se parle pas à nouveau selon un code culturel mystificateur. Il l'a réinventé. Les voix se sont réunifiées. La structure fondamentale, à partir de l'éclatement initial, trouve son unité dans le mouvement d'une reprise et d'une réécriture. Qui l'eût cru? Balzac a commencé par condamner le drame banal et la légende facile. Il réinvente drame et légende et laisse derrière lui le réalisme à la petite semaine. L'idole de Jaggernat n'avait pas sa place chez les « Hermites » [7], et chez Hugo elle n'eût été que signal de distinction voulue. La nouvelle *Iliade* est bien en avant des contradictoires composantes d'une culture et d'une littérature qui, idéalistes dans les genres « réaliste » ou « poétique », ne faisaient que se contempler elles-mêmes avec complaisance. Mais que cette avancée ne trompe pas. Elle est inscrite dans le début. Il lui faut toutefois passer par d'autres éclatements qui (c'est décidément la loi organique et organisatrice de ce roman) sont autant de ruptures que de promesses.

Les personnages-romanciers

La couture préface-roman et roman-préface, qui signifie passage à un nouveau type de discours littéraire, apparaîtra de nouveau avec netteté dans la scène entre Mme de Beauséant et la duchesse de Langeais. En femme qui connaît la vie, la duchesse se met, en effet, à exposer — mais c'est nous, qui connaissons Balzac, qui pouvons vraiment lire ses paroles — les sujets non tant de quelques histoires mondaines que de toute une série de romans-drames :

> Dites-moi, ma chère, avez-vous pensé jamais à ce qu'est un gendre? Un gendre est un homme pour qui nous élèverons, vous ou moi, une chère petite créature à laquelle nous tiendrons par mille liens, qui est la joie de la famille, qui en est l'âme blanche, dirait Lamartine, et qui en deviendra la peste, et cet homme nous la prend, il a une hache à la main, il coupe sans pitié dans le cœur et au vif de cet ange tous les sentiments par lesquels elle s'attachait à sa famille. Hier, notre fille était tout pour nous, nous étions tout pour elle; le

7. Voir *Balzac, une mythologie réaliste*, p. 65.

> lendemain elle se fait notre ennemie. Ne voyons-nous cela tous les jours. Une belle fille est de la dernière impertinence avec son pauvre beau-père, qui a tout sacrifié pour son fils, un gendre met sa belle-mère à la porte; et nos petits auteurs demandent ce qu'il y a de dramatique aujourd'hui dans la société; mais le drame du gendre est effrayant. Nos mariages sont devenus de fort sottes choses. Je me rends parfaitement compte de ce qui est arrivé à ce vieux vermicellier puisque nous nous occupons de ces gens-là... *(Texte du manuscrit)*

On reconnaît aujourd'hui les sujets (mais vus ici d'un point de vue exclusivement féminin) de *Wann-Chlore* (la mère qui souffre de voir son gendre prendre autorité sur sa fille et l'éloigner d'elle) et du *Contrat de mariage* (la belle-mère qui assure, avec l'aide de sa fille, sa domination sur son gendre). De manière plus générale, « nos mariages [qui] sont devenus de fort sottes choses » renvoient à cette expérience moderne : le mariage de jadis (XVIIIe siècle) ne mettait rien en jeu de solide et de réel. Aujourd'hui la fille échappe à la mère et le pouvoir du gendre est sans limites. Tout ceci était déjà dans *Wann-Chlore* par l'intermédiaire de thèmes concrets : le mariage à l'anglaise, avec voyage de noces et enlèvement de la fiancée, a remplacé le coucher de la mariée à la française dans la maison familiale. Mais surtout reparaît la grande discussion : *aujourd'hui est dramatique,* malgré « nos petits auteurs » qui prétendent qu'aujourd'hui est plat et qu'il faut aller chercher le pathétique dans l'histoire, le fantastique ou la légende. Aujourd'hui est conjugal et bourgeois. Mais n'est-ce pas par là qu'aujourd'hui est dramatique? Se relisant pour la *Revue de Paris,* Balzac a précisé *« ne voyons-nous pas cela tous les jours? »* en *« ne voyons-nous pas cette tragédie s'accomplissant tous les jours? »* La duchesse fait la petite bouche lorsqu'elle dit « puisque nous nous occupons de ces gens-là », mais il faut bien comprendre : c'est la littérature, qu'on le veuille ou non, désormais, qui s'occupe de ces gens-là parce que leurs problèmes sont ceux de toute une humanité, d'une universalité dont fait désormais partie la duchesse elle-même, qu'elle le veuille ou non, sur le point d'être abandonnée par Montriveau comme Mme de Beauséant l'est par d'Ajuda-

Pinto et comme Goriot l'a été par ses filles. Mœurs uniquement bourgeoises, c'est-à-dire ici plébéiennes? Allons donc! Le « nous voyons cela partout » de la duchesse signifie que toutes les classes nominales sont soumises à la même loi : certes ce sont d'abord (registre social) les gendres de Goriot — un gentilhomme bien en cour et un banquier qui pour ses affaires fait le royaliste — qui ont d'abord été gênés après le retour des Lys. Mais ce sont aussi et bientôt les filles (registre privé et « humain » général) qui, soumises à la loi mondaine et l'intériorisant, achèvent le travail. *Notre cœur,* dit d'ailleurs encore la duchesse, que les dédains de Montriveau rangent à son tour sous la loi commune et vont amener à se conduire comme la dernière des petites bourgeoises amoureuses. *Notre cœur* (comme le « dans *son cœur* peut-être ») ne renvoie pas à la nature humaine abstraite, mais à une commune expérience de la vie parisienne et privée, à une commune expérience de la vie moderne et au brassage des classes sous la loi de fer de l'argent. Et la vicomtesse parle vraiment comme le romancier commençant son roman : « Le monde va, voilà tout. *Je me suis fait l'historienne de son allure. »* Qui se fait ici historien? Balzac, ou la femme d'expérience qui explique la vie à un jeune homme? Décidément les frontières fondent. On écrit des livres, ou on lit dedans. Ou on les donne à écrire. Et plus loin c'est Mme de Beauséant :

> *J'ai lu dans le livre du monde.* Il y avait des pages qui cependant m'étaient inconnues. Je sais tout ... Voyez-vous, vous ne serez rien si vous n'avez pas une femme qui s'intéresse à vous. Il vous la faut jeune, riche, élégante. [...] Il existe quelque chose de plus épouvantable que ne l'est l'abandon du père par ses deux filles, qui le voudraient mort. C'est la rivalité des deux sœurs entre elles. Restaud a de la naissance, sa femme a été adoptée, elle a été présentée; mais sa sœur, sa riche sœur, la belle Delphine de Nucingen, femme d'un homme d'argent, meurt de chagrin; la jalousie la dévore, elle laperait toute la boue qu'il y a entre la rue Saint-Lazare et la rue de Grenelle pour entrer dans mon salon. *(Texte du manuscrit)*

Or ce livre du monde n'est plus celui de Montaigne, non

plus celui que des « destinées » chez Voltaire. C'est le livre de la vie moderne, hypostasiée — car comment en sortir? — comme la vie tout court, la vie en soi, comme dans l'histoire que contera *Un début dans la vie.* La seule possible. Mais c'est aussi le livre à écrire et à lire. Métaphysique? Non pas! Balzac — Mme de Beauséant — n'écrit-il pas d'abord : « A Paris le succès est tout, c'est la clé de *la vie...* » *(Feuillet Sina)* quitte à corriger *(Manuscrit)* « c'est la clé *du pouvoir* »? Et quant à ces « batailles » que les femmes aussi ont parfois à livrer, ce sont de ces vraies batailles du monde moderne, qui déclassent désormais les batailles militaires. Mais voici plus.

Car où apparaît, se trouve et fonctionne la conscience? Certainement pas dans la sous-humanité moyenne de la pension Vauquer, lumpen-prolétariat du roman. La conscience n'existe que dans certaines hautes sphères *et chez le romancier :*

> D'un côté, les fraîches et charmantes images de la nature sociale la plus élégante, des figures jeunes, vives, encadrées par les merveilles de l'art et du luxe, des têtes passionnées pleines de poésie; de l'autre, de sinistres tableaux bordés de fange, et des faces où les passions n'avaient laissé que leurs cordes et leur mécanisme.

L'humanité totalement réifiée (Poiret) ne peut voir ni dire : admirable effet de réalisme critique et de refus de tout messianisme irréaliste, même « révolutionnaire ». Seule l'humanité qui s'éprouve comme sujet et qui ne peut s'éprouver telle qu'à partir d'une culture, d'un statut social et d'une expérience assumée peut dire, et dit. Les duchesses qui découvrent en leurs hôtels que leur aristocratie ne les préserve de rien, les duchesses qui deviennent femmes et se mettent à relever de la vie privée comme la première petite Guillaume venue en son Chat-qui-pelote, sont indispensables au roman et au romancier, cautionnant, lançant ou relançant l'un et l'autre. A l'inverse, les duchesses deviennent celles qui voient les sujets de roman vrais alors que les Poiret, les Vauquer et les Michonneau en sont encore au mélodrame, à d'Arlincourt et au « drame » du boulevard.

La société progresse toujours par la tête. Mais la tête n'est ici définie en termes de supériorités concrètes. Elle est définie en termes de supériorité de conscience. Rastignac, lui-même, qui échappe à la réification, puisqu'il a conscience d'avoir à résoudre un problème, le dira bientôt : « cette vie de Paris est un combat perpétuel ». Que sont ici les duels de la tradition? Les armes ne sont plus les mêmes et le champ a changé. *Hernani* a bonne mine. Quant à « cette obscure tragédie parisienne » *(Feuillet Sina)* appelé à devenir « cette obscure mais effroyable tragédie parisienne » dans la *Revue* du même nom (105), on comprend ce qui se passe, et qui a été approché plus haut, de décisif : la tragédie rejoint le réalisme avec armes et bagages. Il y a là une forme nouvelle et ne ressemblant à rien du « retour » étudié plus haut, le romancier reparaissant par l'intermédiaire de personnages non seulement de fonction, mais de vocation romanesque. Qui parle le roman? Le romancier, qui a bien dû le parler, ne parle pas seul et il trouve des doubles de soi-même dans ces lecteurs de l'existence à qui il ne manque que l'écriture.

Ainsi s'abolit, ou du moins s'affaiblit, la distance qui séparait texte critique et texte romanesque. Le romanesque est critique et la critique passe par le romanesque, sans que l'on puisse établir une démarcation claire dans le fil même du discours. L'analyse critique implique des personnages, et les personnages ont des idées sur le roman. Ici prend tout son sens, avec les considérations sur la morale et sur les moralistes, cette pratique de l'analyse et de la maxime qui semble chercher à clore parfois un texte qui par ailleurs échappe.

La maxime et l'analyse

Les moralistes condamnent le monde comme il va, mais, affirmera Vautrin, « les moralistes ne le changeront jamais » (124), ce qui est encore assez limité et peut se réduire à une profession de foi cynique du personnage sans intervention de l'auteur. Mais que dire de cette autre phrase où Balzac prend ses responsabilités :

> Ce que les moralistes nomment les abîmes du cœur

> humain sont uniquement les décevantes pensées, les involontaires mouvements de l'intérêt personnel. Ces péripéties, le sujet de tant de déclamations, ces retours soudains, sont des calculs faits au nom de nos jouissances.

Il y a donc réfutation des moralistes en même temps que recours à leurs méthodes : analyses et formulations, regard jeté sur le héros et passage à des constatations de caractère général. Balzac, c'est très clair, ne fait pas ici dans le genre La Rochefoucauld et il réfute très clairement *l'idéologie* moraliste, alors réactivée par le néo-pessimisme bourgeois. Musset, déjà, contre les « déclamations » avait demandé très explicitement en 1830 : « Le cœur humain de qui? Le cœur humain de quoi? ». C'est ce que fait ici Balzac. Mais il va plus loin que la contre-formule de rejet. Il reprend à son tour l'analyse et il vise à une formulation scientifique. Il a peut-être voulu mettre en épigraphe à son œuvre : « Ainsi le monde honore-t-il le malheur; il le tue ou le chasse, l'avilit ou le châtre ». La tentation de la maxime est chez lui permanente. Elle date, avec celle d'énumérer sur un cahier des pensées, formules, citations typiques, etc., des premières années de jeunesse, au temps où il se voulait philosophe. Concession à un genre classique? Ou jeu du parfait petit écrivain qui aurait honte d'être à l'occasion, et malgré lui, romancier? Ce n'est pas si simple. L'emprise classique, non seulement stylistique et mondaine, mais analytique et laïque, réaliste, voire matérialiste, souvent démystificatrice, est forte. Mais justement : Balzac à la fois part d'un modèle et face aux *nouvelles* certitudes, affirmations et prétentions mondaines (c'est-à-dire bourgeoises) reprend la tradition critique anti-« héroïque » du XVIIe siècle, mais, comme pour les images et mythes culturels, il lui donne une force nouvelle, retrouvant et réinventant motivations et formes. La maxime est pour lui conclusion d'expérience, couronnement d'analyse et d'écriture, mise au point et formulation face aux incertaines certitudes libérales. La meilleure preuve en est dans ce passage-bilan provisoire sur Rastignac : ce n'est pas ici ce qu'a dit ou ce qu'on a voulu faire dire à La Rochefoucauld. Ces « décevantes pensées » ne relèvent pas ici d'une pessimiste constatation; c'est l'illusion de réussite à l'intérieur d'un système frustrateur, et là on n'est pas chez les moralistes, mais chez Saint-Simon et déjà chez Marx. On trompe, mais on est trompé. Il n'est pas de victoire sûre dans l'univers des intérêts. Et les intérêts ne sont pas ceux de l'âme; ce sont l'argent et ses lois. Quant aux « mouvements involontaires », c'est la psychologie qui se trouve expliquée par les rapports sociaux. Les « abîmes » ne sont pas ceux du « cœur humain », mais ceux d'une aberrante inconscience ou de mystifications datées, figures de l'insondable abîme d'un réel non dominé, peut-être actuellement non dominable, ce qui explique le constat sous forme de maxime. Les moralistes expliquent tout par la nature et s'extasient. Balzac explique tout par la société et vise à la formulation de lois. En voici un autre remarquable exemple, où l'on voit le roman ne pas se contenter de « suivre » le personnage en sa surprenante mobilité mais, à partir de constatations, tenter de passer à la compréhension :

> Si Madame de Nucingen s'intéresse à moi, je lui apprendrai à gouverner son mari. Ce mari fait des affaires d'or, il pourra m'aider à ramasser tout d'un coup une fortune. (147)

> [...] Rastignac s'était épris de Mme de Nucingen. Elle lui avait paru svelte, fine comme une hirondelle. (148)

> Je préfère Madame Delphine [...], parce qu'elle vous aime mieux. (149)

> Ainsi la curiosité le menait chez madame de Nucingen, tandis que, si cette femme l'eût dédaigné, peut-être y aurait-il été conduit par la passion. Néanmoins il n'attendit pas le lendemain et l'heure de partir sans une sorte d'impatience. Pour un jeune homme, il existe dans sa première intrigue autant de charmes peut-être qu'il s'en rencontre dans un premier amour. La certitude de réussir engendre mille félicités que les hommes n'avouent pas, et qui font tout le charme de certaines femmes. Le désir ne naît pas moins de la difficulté que de la facilité des triomphes. Toutes les passions des hommes sont bien certainement excitées ou entretenues par l'une ou l'autre de ces deux causes, qui divi-

> sent l'empire amoureux [8]. Peut-être cette division est-elle une conséquence de la grande question des tempéraments, qui domine, quoi qu'on en dise, la société. Si les mélancoliques ont besoin du tonique des coquetteries, peut-être les gens nerveux ou sanguins décampent-ils si la résistance dure trop. En d'autres termes, l'élégie est aussi essentiellement lymphatique que le dithyrambe est bilieux. (158)

On a bien les ruses traditionnelles de la « psychologie », les faux-semblants, les alibis, évidemment en partie authentiques et sincères. Rastignac se joue la comédie. Mais Balzac ne se contente pas de le faire et de le regarder jouer. Il vise à établir des lois du comportement, une typologie. Comme derrière « le drame » et ses « scènes » on avait retrouvé celles de la vie privée, derrière le roman psychologique on retrouve ici d'autres formes qui se cherchent et qui ont commencé à se trouver : la « physiologie », le « traité », la visée de type « sciences humaines », par-delà la simple pratique narrative et littéraire. La connaissance et le sens du réel commencent par impliquer un certain éclatement du texte : le réel est à nouveau problématique, et c'est une nouvelle littérature. Mais la science implique à son tour la restructuration du texte par la formulation de lois. Après que la littérature a essayé de parler le roman, la science le tente à son tour. Par-delà ses *Études sociales,* Balzac songe toujours alors, ne l'oublions pas, à ses *Études analytiques* qui doivent couronner l'ouvrage [9]. Que l'analyse, la physiologie, le traité se soient, dans la pratique même de l'écriture, révélés peu aptes à dire le réel, son mouvement, ses contradictions, que la satire, le brillant plus ou moins facile, le péril scientiste et tout ce qui clôt le texte ou tend à le clore aient à la longue découvert leurs insuffisances et, que dès lors la nouvelle et le roman se soient montrés de meilleurs instruments, on le voit assez aisément aujourd'hui que l'œuvre romanesque est écrite : après *les Parents pauvres,* en 1846, Balzac ne pouvait plus se mettre ou se

8. Phrase ajoutée sur épreuves dans le texte de la *Revue de Paris.*
9. Voir *Balzac, une mythologie réaliste.*

remettre à une pédante *Pathologie de la vie sociale.* Ne l'avait-il pas, avec *La Comédie humaine,* tout simplement, mais autrement qu'il ne l'attendait et de manière plus efficace, écrite? En 1834, cependant, rien n'est encore aussi clair. Un Balzac à la fois de goût et de formation philosophique vise à la sentence; il se trouve qu'en écrivant il est conduit à des sentences nouvelles qui tendent à la formulation théorique des lois objectives du monde moderne, lois non pas révélées mais découvertes, et par le roman. Il n'y parvient que très imparfaitement, encore qu'il ne faille pas négliger les moments où s'amorce un dépassement du littéraire par une conscience pour qui le littéraire n'est pas une fin en soi. C'est la vérification de la thèse lukacsienne : seule la littérature pouvait donner une expression cohérente et pertinente, dessiner un nouveau savoir alors que manquaient encore les instruments théoriques indispensables à une vision pertinente et cohérente. Les tentatives en direction de l'analyse, de la maxime et de la formule dans *le Père Goriot,* les efforts vers un certain haut style philosophique disent à la fois cette maturation et cette immaturité : le roman restera quand même le lieu où se dit le réel, mais — tout ce début le montre bien — ce roman sera nécessairement *nouveau :* marquant nécessairement (et ceci d'autant que l'écriture est essentiellement une affaire de lecture) comme une étape intermédiaire entre une littérature qui n'était pas politique et une politique qui cessera d'être littéraire. Rastignac héros, instrument du regard et du dévoilement, Rastignac qui circule d'une sphère à l'autre (le faubourg Saint-Marceau et le grand monde), mais aussi l'effort pour mettre en forme une conception scientifique du monde et pour en rendre l'image intellectuellement et théoriquement cohérente, tout ceci ne doit pas être lu séparément : il n'y a pas comme le dit R. Barthes « empoissage » du texte par des considérations idéologiques extra-romanesques, mais, bien au contraire, définition et forgeage d'une voix — et d'une voie nouvelle — qui parle le roman et, parlant le réel, lui donne ainsi toute sa réalité.

Le déroulement du récit

L'introduction

I.	description 1 (élément de) : la pension B		
II.		*allusions 1*	une pauvre jeune fille F le père Goriot H
III.	description 2 : la pension		
IV.	portrait 1 : Mme Vauquer G		
V.	éléments d'	*histoire 1*	Mme Vauquer Victorine
VI.		*allusion 2*	Goriot Massiac E
VII.		*mystère 1* :	Mlle Vérolleau A
VIII.	portrait 2 : Poiret		
IX.		*mystère 2* :	Poiret C
X.	portrait 3 : Victorine		
XI.		*histoire 2* :	Victorine
XII.	portrait 4 : Massiac		
XIII.	portrait 5 : Vautrin		
XIV.		*mystère 3* :	Vautrin D
XV.		*histoire 3* :	Goriot à la pension
XVI.	un sous-événement : la comtesse de l'Ambermesnil (1)		
XVII.		suite d'*histoire 4* :	Goriot à la pension
XVIII.		*mystère 4* :	Goriot
XIX.		suite d'*histoire 5* :	Goriot à la pension
XX.		*histoire 6* :	Massiac
XXI.	premier événement : Massiac au bal Beauséant (2)		

Il y a, en fait, deux introductions imbriquées : celle qui, d'une voix qui cherche et qui se cherche, pose et lance le roman comme problème; celle qui, de manière plus immédiate, engage et lance le drame. On constate que l'introduction utilise et met en rapport quatre types de présentation :

— *des allusions* (qui préparent quelque chose);

— des *descriptions* et des *portraits* qui ne deviennent vraiment intéressants que par

— des *histoires* ou retours en arrière (qui servent à expliquer les descriptions et portraits);

— des *mystères* (histoires ignorées ou gardées secrètes qui donnent nécessairement aux portraits des allures de *manque).*

La succession, l'agencement, la composition de ces quatre éléments, leur répartition quant aux personnages, bien avant que ne paraisse l'étude de leur « psychologie », contribuent à les mettre en place et à les faire exister.

• Les allusions. Après une très brève esquisse de description, par une première double allusion (une pauvre fille, Goriot), puis, après une description, un portrait et une double histoire, par un second couple d'allusions (Goriot, Rastignac), l'ouverture préparant la mise en contraste au niveau des portraits et des histoires de Victorine et de Rastignac,

{ une pauvre jeune fille
{ Goriot

{ Goriot
{ Rastignac

définit une présentation très différente de la présentation romanesque traditionnelle fondée *(la Princesse de Clèves)* sur la séquence

1. Histoire
2. Portrait

ou *(la Nouvelle Héloïse)*

1. Portrait
2. Histoire

la seconde méthode étant déjà plus moderne, parce qu'entraînant un effet de choc et de réel (pourquoi ce personnage dont on ne sait rien est-il ainsi? : ce sera la technique employée pour la présentation de Mme Vauquer). Procédant par allusions qui vont se trouver plus loin explicitées, le romancier proclame ses droits et son pouvoir :

— *droit* de ne dire que ce qu'il veut bien dire au moment où il le dit, au lieu de sécuriser le lecteur et de lui fournir un dossier en ordre; droit de ne pas se soumettre à une exigence de rationalisation et de mise à plat; droit de prendre les choses comme elle sont. La voix écrivante peut être celle d'un pensionnaire qui saisit des bribes de réel et ne va les accorder et comprendre qu'à mesure. D'où une importante question : affirmant par sa pratique ce droit, le romancier, malgré les apparences, se soumet au réel et le transcrit tel qu'il est normalement perçu au lieu de le rationaliser de manière artificielle;

— mais aussi *pouvoir :* le romancier sait, en gros, où il va et il tient les ficelles. C'est ici que Balzac est un romancier positiviste. Si, dans un premier temps, il donne à voir des éclats et des fragments de réel, il n'hésitera pas à les expliquer historiquement et à les faire se rejoindre.

• **Les descriptions et les portraits.** Les descriptions et les portraits relèvent, pour ce qui est du cadre formel, d'une esthétique établie. A l'origine du portrait, il y a le portrait classique, venu en grande partie des Mémoires (Richelieu chez Retz ou chez La Rochefoucauld; la forme fonctionne encore chez Guizot). Si le roman relève des Mémoires, on comprend la translation : simplement le portrait sera moins en pied, plus éclaté.

Mais la description est chose nouvelle dans le roman. On avait bien eu au XVIIIe siècle et avec Chateaubriand des descriptions de paysages-cadres. La nouveauté est ici d'intégrer au roman des descriptions urbaines et prosaïques, jusqu'alors monopole des articles pour journaux ou petites choses vues du genre romans de Jouy ou de Legrand d'Haussy. Balzac charge également la description d'une mission nouvelle : le contenant explique le contenu et s'explique par lui.

• **Les histoires.** Elles sont justifiées : celle de Mme Vauquer vient de ce qu'elle se raconte elle-même à qui veut l'entendre (d'où le semi-discours indirect) et quant à l'histoire de Victorine, on peut bien penser aussi qu'elle vient de multiples plaintes et confidences de la vieille Madame Couture pendant les soirées (elle racontera plus tard à Mme Vauquer la visite chez Taillefer). L'histoire de Goriot doit aussi en partie sans doute aux récriminations de Mme Vauquer qui, déçue, ne doit pas tarir sur le vieux bonhomme. Mais Balzac s'arroge le droit (notamment dans l'épisode Ambermesnil) de dire ce qu'on ne peut apprendre qu'en vertu de son pouvoir discrétionnaire. De même bien entendu pour l'histoire de Rastignac.

• **Les mystères.** Ils procèdent à première vue du roman noir : soit par le romancier, soit par quelque héros, le personnage se voit un jour expliqué ou démasqué. Mais il y a plus complexe et plus intéressant, et dont on trouve un fort exemple chez Rousseau : tout le début de *la Nouvelle Héloïse* ne prend son sens qu'à la lettre XVII de la troisième partie, dans laquelle Julie nous apprend et ses sentiments dès cette époque et les raisons d'une conduite souvent surprenante. Le mystère suppose le retour en arrière et le rééclairage non seulement événementiel mais psychologique.

• **Mise en place des personnages**

A — Vérolleau : mystère (1) = 1
B — La pension : description (1) + description (2) = 2
C — Poiret : portrait (2) + mystère (2) = 2
D — Vautrin : portrait (5) + mystère (3) = 2
E — Massiac : allusion (2) + portrait (4) + histoire (6) = 3
F — Victorine : allusion (1) + histoire (1) + portrait (3) + histoire (2) = 4
G — Mme Vauquer : portrait (1) + histoire (1) + épisode (1) + : histoire (4) + histoire (5) = 5
H — Goriot : allusion (1) + allusion (2) + histoire (3) + histoire (4) + mystère (4) + histoire (5) = 6

Comme il est normal (titre, première allusion), c'est le vermicellier qui avec six unités occupe la place la plus importante, Mme Vauquer ayant droit à cinq, Victorine à quatre, Massiac [Rastignac] à trois, Vautrin, Poiret, la pension à deux et Vérolleau [Michonneau] à une seule. Il faut toutefois tenir compte de ceci :

1. Les trois unités consacrées à Massiac sont longues; surtout, c'est Massiac qui finit l'introduction et c'est par lui que l'histoire proprement dite commence. De tous les jeunes gens dont la figure — anonyme — est rapidement évoquée, il est le seul à avoir droit à un statut particulier (dont la mise en opposition avec la malheureuse Victorine, premier personnage nommé, et dont la présence à la pension est donnée comme significative, bien qu'il soit dit très vite qu'elle ne jouera qu'un rôle secondaire dans l'histoire). Massiac n'est pas encore Rastignac et ne porte donc pas son avenir existant et déjà écrit, mais il est de toute évidence promis à beaucoup plus que les autres habitants de la pension.

2. Les quatres unités consacrées à Victorine s'expliquent par la hantise chez Balzac, auteur des *Scènes de la vie privée* et d'*Eugénie Grandet,* du personnage de la pauvre jeune fille; peut-être aussi par un premier projet dans lequel Victorine devait jouer un rôle plus important. La précaution prise dès les premières lignes dit cependant que Victorine n'ira pas aussi loin que semble le suggérer l'introduction. Victorine est un faux personnage principal.

3. Madame Vauquer, ici bien traitée, ne progressera plus guère et Balzac se contentera désormais de moduler les premières données fournies.

4. Pour Goriot, c'est surtout l'existence dans son histoire d'un mystère qui lui donne un réel intérêt romanesque, plus que le nombre d'unités auxquelles il a droit pour le moment. Le mystère implique des explications à venir concernant son passé (voir les renseignements recueillis par Rastignac) et des développements dramatiques.

5. Pour Vautrin, le nombre peu élevé de ses unités (malgré un développement relativement important) correspond à la discrétion dont il s'entoure et au secret qu'il entend cacher.

6. Il n'en va pas de même pour Poiret, dont les deux seules unités disent la nullité.

7. Vérolleau, qui n'a qu'une unité, pouvait-elle devenir un personnage? Le thème de la vieille fille, en 1835, existe pour Balzac *(les Célibataires,* 1832*),* mais dans le cadre fécond de la province, de l'argent et des volontés de puissance qui s'y développent. Mais le thème ici va avorter, Vérolleau,

ancienne fille publique, n'étant promise qu'à servir d'instrument (et pas à n'importe qui ni n'importe quoi : à la police) avant d'être rejetée par le consensus libéral des pensionnaires hors du lieu du roman.

On remarquera enfin que :

— l'embrayage final (Rastignac au bal Beauséant) fait qu'il n'apparaîtra plus un seul personnage ni un seul thème qui ne soient reliés à l'un des personnages ici présentés : Mme de Restaud, Faubourg Saint-Germain (Mme de Langeais); Maxime de Trailles, Mme de Restaud, de plus, se trouvant être la fille de Goriot, ainsi que cette Mme de Nucingen qui rêvera, elle aussi, d'aller à un bal du Faubourg Saint-Germain; et par Mme de Nucingen on va à de Marsay;

— se trouve ainsi ménagée une double approche de Mme de Restaud : comtesse rencontrée au bal et fille de Goriot, la découverte de l'unicité des deux êtres constituant l'un des scandales moteurs du roman;

— c'est dans un second mouvement, par une addition importante sur épreuves, que cet embrayage final (et initial) a acquis toute son efficacité. Massiac allait d'abord à un bal anonyme, mais Balzac a repris son texte et lui a donné une nouvelle profondeur de champ, un roman complexe à plusieurs centres prenant la succession d'un récit linéaire initialement prévu. Dans le manuscrit, après avoir rapporté les réflexions de Massiac sur sa vie parisienne pendant ses vacances, Balzac enchaînait simplement :

> La veille, Eugène avait été au bal, il n'était rentré qu'après minuit.

Lorsqu'il relit ses épreuves pour la *Revue de Paris,* il ajoute, après « à laquelle les femmes se laissent prendre volontiers », le passage sur les vacances :

> Ces idées l'assaillirent au milieu des champs, pendant les promenades que jadis il faisait gaiement avec ses sœurs, qui le trouvèrent bien changé. (41)

Massiac interroge sa tante, madame de Marcillac, découvre qu'elle a conservé des relations dans le grand monde, et qu'il y a là « les éléments de plusieurs conquêtes sociales au moins aussi importantes que celles qu'il entreprenait à l'École de Droit » (42). Apparaît alors le nom d'une parente, madame la vicomtesse de Beauséant. Mme de Marcillac lui écrit une lettre « dans l'ancien style »; Massiac la fait porter dès son retour et la vicomtesse répond « par une invitation au bal pour le lendemain » (42). Balzac corrige en conséquence l'enchaînement :

> Le deux décembre, Eugène parti le matin pour le bal de Mme de Beauséant rentra vers minuit. (Texte de la *Revue de Paris*)

Et le récit démarre. Balzac a introduit le personnage de la tante, Mme de Marcillac et à sa suite celui de la vicomtesse de Beauséant. Il est très vraisemblable que l'intention de faire de Mme de Beauséant un personnage du récit a, en remontant, conduit à inventer le personnage de Mme de Marcillac. C'est que Mme de Beauséant existe déjà, avec l'histoire de son second abandon. Ce n'est donc pas chez une inconnue que se rend Eugène. Mais il est clair dès lors que le récit ne peut plus être une simple nouvelle : il sera le lieu d'interférences complexes avec des relances inattendues.

Mouvements, relances, axes de l'action

A partir de l'introduction et de la relance initiale que constitue l'invitation de Rastignac au bal Beauséant, s'enclenche une série de relances qui mobilisent ou utilisent à des titres divers les personnages, avec toutefois le dégagement de plus en plus net d'un axe narratif et significatif privilégié qu'on ne pouvait encore lire dans l'introduction, mais qui rétrospectivement donne tout son sens à certains de ses éléments.

- Première relance : les rencontres de Rastignac

Articulations :
- les deux rencontres de Derville dans *Gobseck*
- les rencontres antérieures de Rastignac : la vie parisienne
- les réflexions de Rastignac pendant les vacances
- l'invitation au bal Beauséant
- la rencontre de Vautrin : Goriot chez
  - l'orfèvre
  - l'usurier

— le bal : la comtesse

— la rentrée tardive

— les deux surprises { Goriot tord son vermeil (faux mystère : Goriot criminel?)
Vautrin et ses compagnons nocturnes

— la troisième surprise : la comtesse rue des Grès

— racontés au déjeuner (mais silence sur Goriot la nuit et sur Vautrin)

— explication (incomplète) de Vautrin : les mystères d'une femme à la mode

— Rastignac fait le rapprochement { Goriot la nuit
Goriot rue des Grès

— relance : aller chez Mme de Restaud { pour la revoir
pour comprendre le mystère

— il reste un mystère malgré { l'intelligence de Vautrin
les découvertes de Rastignac

— autre mystère : Poiret et Michonneau ensemble (vague menace)
Malgré les apparences, ni Vautrin ni Rastignac ne dominent la situation.

BILAN

I — { Vautrin ne comprend pas tout (il croit Goriot amant de la comtesse).
Vautrin est menacé (Poiret-Michonneau ont rendez-vous avec le chef de la police).

II — { Rastignac ne dispose que de fragments d'explication.
Rastignac s'interroge. Il se dispose à être agi par ce qui le dépasse.

III — Quelque chose existe et fonctionne en dehors de la connaissance et des prises des personnages les plus conscients.

IV — Mise en rapport objective de Rastignac et de Vautrin, tous deux au-dessus du lot.

V — Goriot, personnage « principal », est ici objet. Où sont les héros? Ailleurs certainement que dans la zone Goriot.

- Deuxième relance : les visites de Rastignac

Chez Mme de Restaud
- rencontre Maxime de Trailles
- rencontre M. de Restaud
- commet la faute de parler de Goriot
- Rastignac exclu de chez Mme de Restaud

Chez Mme de Beauséant
- l'affaire de la femme abandonnée
- perfidie de la duchesse de Langeais
- explication du mystère Goriot
- les conseils de Mme de Beauséant
- Mme de Nucingen veut être reçue
- Faubourg Saint-Germain

BILAN

I – Le roman progresse selon les initiatives de Rastignac et selon ce qu'il apprend. Mais pas encore selon ce qu'il imagine d'entreprendre.

II – Son échec chez les Restaud l'oblige à chercher dans une nouvelle direction.

III – En tout cas, il lui faut de l'argent.

- Troisième relance

Articulation : les premières questions de Vautrin à Rastignac.

– lettres à la famille (mère, sœurs) ⟶ pour obtenir de l'argent

– l'histoire de Goriot

BILAN : C'est toujours Rastignac qui mène l'action.

- Quatrième relance : les propositions de Vautrin

Articulation
- Rastignac reçoit de l'argent
- Que va-t-il en faire?

– une analyse du « désordre social »

– le dilemme
- travailler et végéter
- jouer le jeu et réussir

– la proposition : épouser Victorine dont on aura d'abord supprimé le frère

– le refus de Rastignac
– sa promesse de secret qui l'égale à Vautrin

BILAN :

I – Rastignac continue à « progresser »
Rastignac n'a plus qu'une demi-virginité

II – Rastignac n'est pas soumis à Vautrin
Menacé de devenir objet, il demeure sujet (donc le devient à un degré supérieur)

III – Rapprochement axe Rastignac-axe Vautrin
L'axe Vautrin-Rastignac tend à devenir l'axe principal du roman
L'axe Goriot s'oblitère

• Cinquième relance : la percée de Rastignac

Articulation : les habits neufs (qui vont bien; ceux de Lucien lui iront mal)

– les chances nouvelles
  - seconde visite Beauséant
  - présentation à Delphine
  - idée de retourner chez Mme de Restaud
  - idée de plaire à la Maréchale

– la chance qui se précise
  - l'orientation vers Delphine
  - le quitte ou double au jeu
  - Delphine obtient l'argent qui la libère
  - Rastignac gagne Delphine
  - Rastignac s'engage en acceptant les mille francs

– le commentaire de Vautrin
  - vous me donnez raison
  - rappel de la possibilité Victorine

– Rastignac relancé
  - Delphine
  - amorce d'un rapprochement avec Victorine

– Vautrin reste maître du terrain, mais moralement seulement.

BILAN :

I – Toujours l'axe Rastignac, mais qui tend à devenir

indépendant de l'axe Vautrin qui ne joue objectivement aucun rôle dans ces événements.

II — Reparution de Vautrin : ce qui se passe objectivement vérifie la valeur de son discours.

III — L'axe Vautrin-Rastignac demeure prééminent, mais Rastignac intériorise Vautrin et le rejette.

IV — L'axe Goriot est toujours oblitéré.

- **Sixième relance : la catastrophe de Vautrin**

- Trois machinations
  - Poiret-Michonneau-police, en dehors de Rastignac
  - Vautrin-Franchessini, en dehors de Rastignac
  - Goriot-Delphine en dehors de { Rastignac / Vautrin }
- Vautrin maître illusoire de la situation
- L'arrestation de Vautrin
  - Vautrin ne compte plus dans le roman
  - Vautrin continue en Rastignac
- L'expulsion de Poiret-Michonneau ⟶ alliance subjective
  - pureté des étudiants libéraux
  - pureté rémanente et illusoire de Rastignac

BILAN :

I — Rastignac reste seul.

II — Reparution de Goriot dans le champ romanesque.

- **Septième relance : la conquête de Delphine**

- Rastignac se rapproche de Goriot
- Rastignac accepte de l'argent
- Rastignac fait inviter Delphine
- Rastignac couche avec Delphine

BILAN :

I — Rastignac devenu homme.

II — L'axe Rastignac-Goriot remplace l'axe Rastignac-Vautrin.

• Huitième relance : la mort du père

– les deux catastrophes
- Delphine
  - la vie privée
  - le roman du capitalisme
- Anastasie
  - la vie privée
  - les dangers de l'inconduite

– Goriot foudroyé et dépouillé
- l'argent
- la division entre les deux sœurs
- la maladie

– Rastignac
- progresse
- divisé
  - aller dans le monde
  - soigner Goriot

– Preuves en faveur de la morale
- chute de Mme de Beauséant
- fidélité à Mme de Beauséant
- fidélité à Goriot

– L'agonie de Goriot
- Rastignac passe décidément du côté du père
- Rastignac rejoint Bianchon
- Rastignac fait la leçon aux deux filles
- l'indifférence du grand monde

– La mort de Goriot
- l'indifférence de la pension
- la fidélité de Rastignac

BILAN :

I – Rastignac seul au-dessus
- du grand monde
- du petit monde de la pension
- de Goriot mort sans avoir compris

II – Rastignac sujet contre les objets
- le grand monde
- le petit monde de la pension
- le cadavre de Goriot

III – Axe Rastignac seul (avec une esquisse d'axe Rastignac-Bianchon).

- **Neuvième relance : dénouement en forme d'ouverture**

– Rastignac
– Bianchon } fidèles à Goriot → l'amitié contre le monde

– Rastignac seul { réfléchit { être fidèle à Goriot / venger Goriot? / suivre les leçons de Vautrin? } ; va dîner chez Mme de Nucingen }

BILAN :

I – L'axe Rastignac-Bianchon disparaît.
II – L'axe Rastignac reste le seul apparent.
III – Mais il y a un rapprochement implicite avec l'axe Vautrin.
IV – Disparition de l'axe Goriot.
V – Delphine et le monde comme objets.

- **Dixième relance : dans la Comédie humaine**

– Goriot oublié
– Goriot évoqué par Derville *(le Colonel Chabert)*
– Goriot et les valeurs vivent encore dans les doutes de Rastignac à la valeur de sa réussite
– Fidélité de Rastignac à Bianchon *(l'Interdiction)*
– Dans le champ Vautrin, Delphine instrument de fortune (remplace Victorine qui n'aurait pas suffi)
– La fortune et la carrière politique de Rastignac réalisées par des voies moins folkloriques que celles de Vautrin
– Reparution de Vautrin, qui échoue avec Lucien, comme il avait échoué avec Rastignac, mais qui « réussit » comme fonctionnaire et chef de la police *(Splendeurs et Misères des Courtisanes)*
– Maxime de Trailles récupéré par l'ordre *(le Député d'Arcis)* : revanche de Rastignac

- **Onzième relance : au-delà de la Comédie humaine**

– Goriot vengé par le roman et par le romancier { conscience critique / censure du roman }

- La politique au service du capital
  - les Rastignac
  - la classe politique
  - les technocrates
- Liens entre l'appareil d'État et la concentration capitaliste
- La spéculation et les scandales financiers
- Toute-puissance de la police; son rôle dans l'appareil d'État
- Goriot réduit à un cas psychologique
  - censure du roman
  - la critique idéaliste comme police

LECTURES :
Il n'y avait pas de dénouement au roman, mais une ouverture sur un autre romanesque. Il n'y a pas de clôture à la lecture, mais la possibilité de lectures qui engrènent sans cesse et continûment, dans les conditions concrètes de la lutte et de l'effort modernes, sur de nouvelles lectures et qui conduisent à des degrés supérieurs de conscience, et donc, en retour, de lectures.

> On rougit de la vertu comme du vice, on s'honore de l'un et de l'autre. La circonstance fait tout.
>
> Rastignac, dans *la Maison Nucingen*

Jusqu'alors le roman s'était borné à la peinture d'une passion unique, l'amour, mais l'amour dans une sphère idéale, en dehors des nécessités et des misères de la vie. Les personnages de ces récits tout psychologiques ni ne buvaient, ni ne logeaient, ni n'avaient de compte chez leur tailleur. Ils se mouvaient dans un milieu abstrait comme celui de la tragédie [...]. Avec son profond instinct de la réalité, Balzac comprit que la vie moderne qu'il voulait peindre était dominée par un grand fait, — l'argent [...]. Il ne les loge pas, tous ces beaux jeunes gens sans le sou, dans des mansardes de convention tendues de perse, à fenêtre festonnée de pois de senteurs et donnant sur des jardins; il ne leur fait pas manger « des mets simples apprêtés par la main de la nature » et ne les habille pas de « vêtements sans luxe mais propres et commodes »; il les met en pension bourgeoise chez la maman Vauquer, ou les accroupit sous l'angle aigu d'un toit, les accoude aux tables grasses des gargottes infâmes [...]

O Corinne, toi qui laisses, au cap Misène, pendre ton bras de neige sur ta lyre d'ivoire [...], Corinne, qu'aurais-tu dit de semblables héros?

Théophile Gautier, « Honoré de Balzac », in *L'Artiste*, 1858

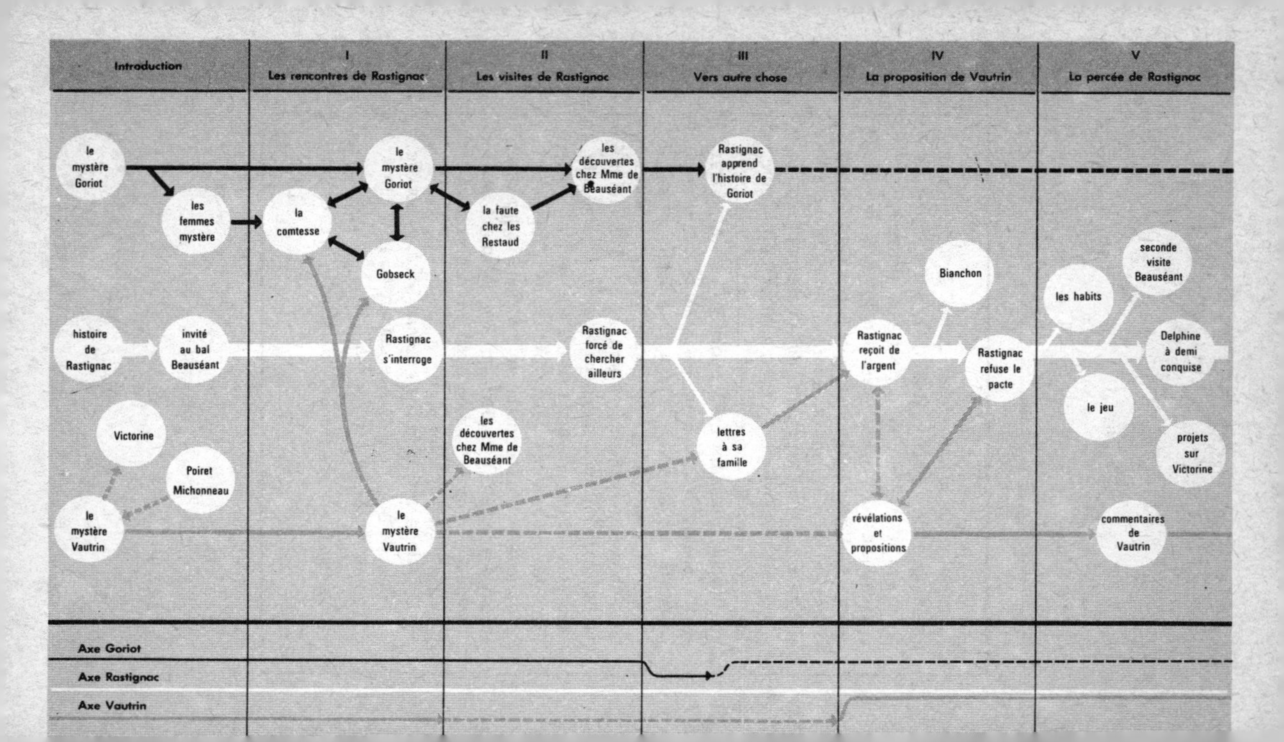
Introduction
I
Les rencontres de Rastignac
II
Les visites de Rastignac
III
Vers autre chose
IV
La proposition de Vautrin
V
La percée de Rastignac
le mystère Goriot
les femmes mystère
la comtesse
le mystère Goriot
Gobseck
la faute chez les Restaud
les découvertes chez Mme de Beauséant
Rastignac apprend l'histoire de Goriot
histoire de Rastignac
invité au bal Beauséant
Rastignac s'interroge
Rastignac forcé de chercher ailleurs
Rastignac reçoit de l'argent
Bianchon
Rastignac refuse le pacte
les habits
seconde visite Beauséant
le jeu
Delphine à demi conquise
projets sur Victorine
Victorine
Poiret Michonneau
le mystère Vautrin
le mystère Vautrin
les découvertes chez Mme de Beauséant
lettres à sa famille
révélations et propositions
commentaires de Vautrin
Axe Goriot
Axe Rastignac
Axe Vautrin

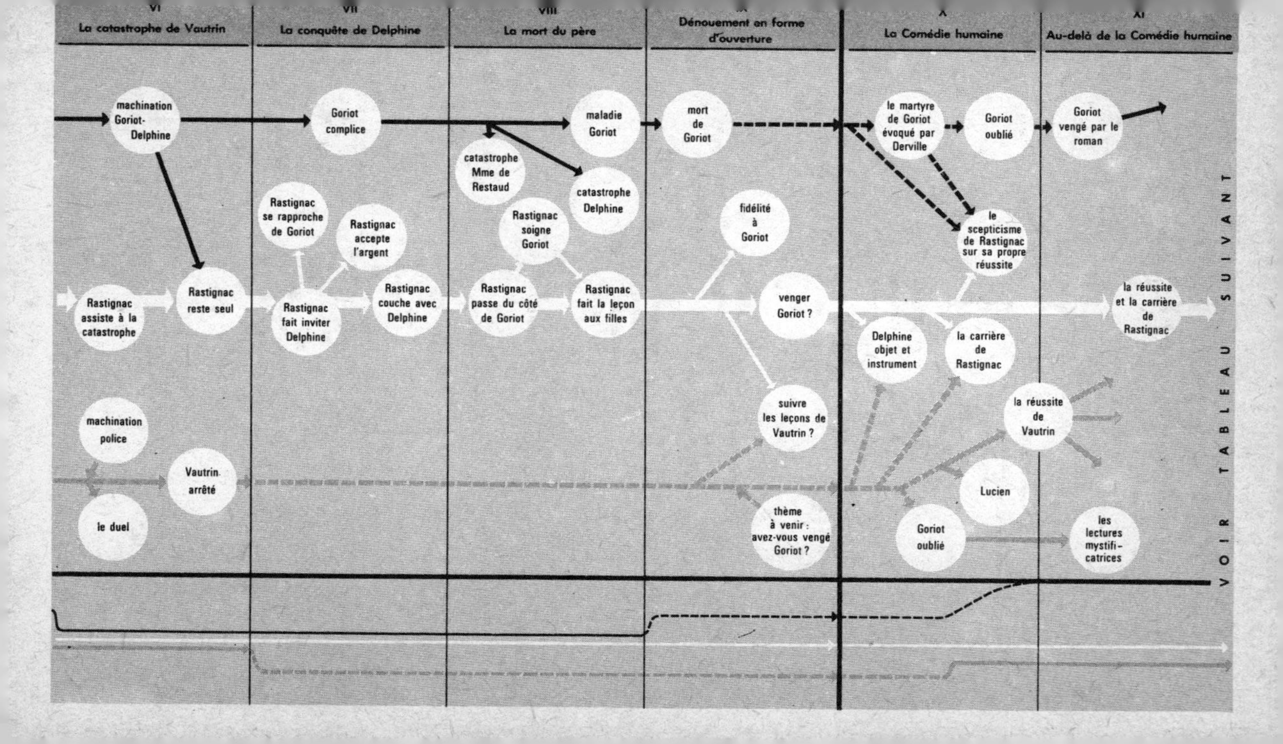
VI
La catastrophe de Vautrin
VII
La conquête de Delphine
VIII
La mort du père
Dénouement en forme d'ouverture
X
La Comédie humaine
XI
Au-delà de la Comédie humaine
machination Goriot-Delphine
Goriot complice
maladie Goriot
mort de Goriot
le martyre de Goriot évoqué par Derville
Goriot oublié
Goriot vengé par le roman
catastrophe Mme de Restaud
catastrophe Delphine
Rastignac se rapproche de Goriot
Rastignac accepte l'argent
Rastignac soigne Goriot
fidélité à Goriot
le scepticisme de Rastignac sur sa propre réussite
Rastignac assiste à la catastrophe
Rastignac reste seul
Rastignac fait inviter Delphine
Rastignac couche avec Delphine
Rastignac passe du côté de Goriot
Rastignac fait la leçon aux filles
venger Goriot ?
la réussite et la carrière de Rastignac
Delphine objet et instrument
la carrière de Rastignac
suivre les leçons de Vautrin ?
la réussite de Vautrin
machination police
Vautrin arrêté
le duel
thème à venir : avez-vous vengé Goriot ?
Lucien
Goriot oublié
les lectures mystifi-catrices
VOIR TABLEAU SUIVANT

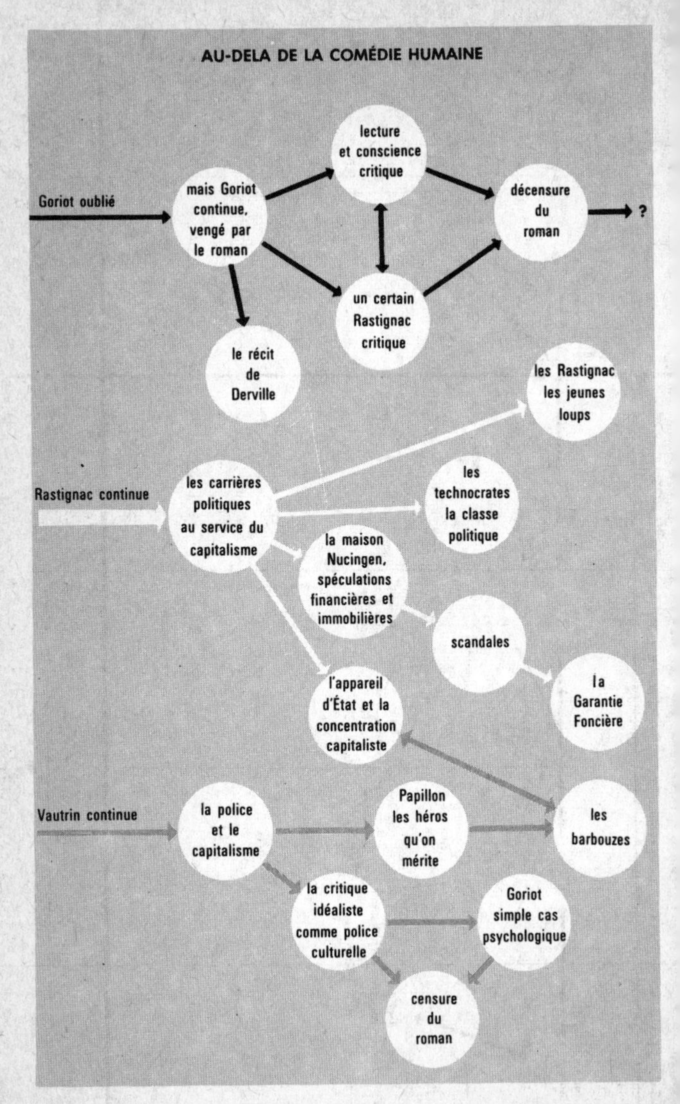
AU-DELA DE LA COMÉDIE HUMAINE
Goriot oublié
mais Goriot continue, vengé par le roman
lecture et conscience critique
décensure du roman
?
un certain Rastignac critique
le récit de Derville
les Rastignac les jeunes loups
Rastignac continue
les carrières politiques au service du capitalisme
les technocrates la classe politique
la maison Nucingen, spéculations financières et immobilières
scandales
la Garantie Foncière
l'appareil d'État et la concentration capitaliste
Vautrin continue
la police et le capitalisme
Papillon les héros qu'on mérite
les barbouzes
la critique idéaliste comme police culturelle
Goriot simple cas psychologique
censure du roman

Relations inter-personnages

Comme le remarque très justement M. Bardèche, les nouvelles et les contes de 1830 à 1834 opposaient un individu à un autre, ou un individu à un groupe, ou un groupe à un groupe. Ainsi :

Augustine Guillaume	*vs*	Chat-qui-pelote société mondaine
Raphaël	*vs*	Foedora monde de l'argent destinée humaine
Eugénie Grandet	*vs*	père Grandet milieu provincial cousin sans scrupules
Duchesse de Langeais	*vs*	Montriveau société mondaine les Treize monde établi

Les conflits étaient donc, en apparence du moins, relativement simples, la dramaturgie en apparent noir et blanc. *Le Dernier Chouan* toutefois (mais l'on pourrait pousser l'analyse en ce sens pour les textes ci-dessus allégués) présentait déjà de notables exceptions. On avait bien, conformément au schéma binaire ou bilatéral :

Hulot ↔ Montauran (l'officier républicain vaincra-t-il le chef royaliste?)

Bleus ↔ Blancs (les Bleus empêcheront-ils la jonction des forces blanches du nord et du sud?)

ou encore

Marie ↔ Montauran (l'amour sera-t-il plus fort que la politique?)

Hulot ↔ Corentin (l'officier contre le policier)

et *à l'intérieur du camp blanc :*

Paysans ↔ d'Orgemont (les déshérités contre le « capitaliste »)

Et là les choses se compliquaient, le conflit « Paysans ↔

d'Orgemont » étant un conflit « Bleus ↔ Blancs », mais pour d'autres raisons que « Révolution politique ↔ contre-révolution politique ». Le conflit « Paysans ↔ d'Orgemont » est un conflit de nature *économique*

<table>
<tr><td>Paysans</td><td>{</td><td>victimes du sous-développement
laissés-pour-compte de la révolution</td><td>}</td><td>vs</td><td>{</td><td>révolution
au profit
de l'argent</td></tr>
</table>

qui bouleverse le simpliste échiquier politico-littéraire conforme à l'idéologie libérale bourgeoise. Et là-dessus on repartait dans des directions inattendues avec de nouveaux conflits :

<table>
<tr><td>Hulot (la révolution pure) vs</td><td>{</td><td>Corentin
d'Orgemont</td><td>}</td><td>la révolution impure</td></tr>
</table>

avec pour conséquences de nouvelles alliances :

<table>
<tr><td>Hulot
Marie
Montauran</td><td>{</td><td>la pureté vs l'impureté</td><td>}</td><td>Corentin
d'Orgemont
Mme du Gua
les hobereaux</td></tr>
</table>

Quel était donc déjà le centre du *Dernier Chouan,* sa ligne de lecture claire? Quel était l'intérêt? Où se trouvait la ligne de partage? Déjà s'imposait la réponse : non pas chez tel personnage ou tel groupe, mais dans les problèmes et les conflits qui traversaient groupes et individus reçus, codés :

sentiments ↔ structures

<table>
<tr><td>exigences
besoins</td><td>}</td><td>vs</td><td>{</td><td>réalités
structures</td></tr>
</table>

Ces nouveaux problèmes et ces nouveaux conflits impliquaient la dégénérescence des réalités et des structures constatées :

structures et réalités républicaines : l'argent, l'égoïsme, la police
structures et réalités royalistes : le fanatisme, l'ignorance, l'égoïsme, le carriérisme

Or il est bien évident que cette modification profonde des structures romanesques impliquait déjà une signification. Une certaine idée du monde se faisait jour, jugeant structures et superstructures socio-politiques et idéologiques dégénérées, sous lesquelles toutefois vivaient, revivaient, ou se mettaient à vivre des valeurs :

paysans : vie locale et exigence de développement

bleus : progrès, centralisation vraie, bravoure, honneur, désintéressement

amants : partage, sentiment vrai, dignité personnelle

et alors même qu'au sein de chacune aussi se dessinaient des dégénérescences possibles et des aveuglements :

paysans : non-conscience des véritables intérêts
bleus : non-conscience la vraie nature de la révolution
amants : pièges de l'amour-propre et de l'individualisme

Le centre, l'épicentre du roman était bien dans la nature des questions posées, dans les nœuds de contradiction. *Le roman historique, c'est cela,* non le folklore et les exploits pittoresques.

En ce sens, *le Père Goriot* est aussi un roman de l'histoire, un roman historique, puisqu'il ne valorise pas un individu au détriment d'un autre, un groupe contre un autre, chaque groupe et chaque individu étant le lieu de contradictions (dégénérescences héritées, exigences, aspirations, dégénérescences nouvelles résultant de la pratique dans l'univers révolutionné) et les relations s'établissant, bien que concentrées autour du personnage de Rastignac, non pas de manière bilatérale mais en étoile, ou plutôt en étoiles, dont certaines sont indépendantes les unes des autres, certaines relations ne s'établissant pas, ne fonctionnant pas ou ne fonctionnant pas encore, et chaque élément de relation pouvant jouer et signifier dans un sens ou dans l'autre selon qu'il est mis en rapport avec tel ou tel autre élément de relation. Il est ainsi évident que

Rastignac → { Bianchon / Goriot }

n'a pas le même sens que

Rastignac → Vautrin

ou

Rastignac → { Mme de Restaud / Mme de Beauséant / Mme de Nucingen }

De même « Mme de Nucingen → Goriot » n'a pas le même sens que « Mme de Nucingen → Rastignac »; ou « Mme de Beauséant → Goriot » et « Mme de Beauséant → Rastignac », ou encore « Mme de Langeais → Mme de Beauséant » (avant son abandon) et « Mme de Langeais (après son abandon) → Mme de Beauséant ».

Fonctionnements privilégiés et secondaires, disfonctionnements

Le chapitre précédent et le tableau qui le conclut ont montré que l'axe Rastignac, avec des rapprochements tantôt de l'axe Vautrin, tantôt de l'axe Goriot (et avec une esquisse de rapprochement de l'axe Bianchon), était bien l'axe principal du roman en son développement tant narratif que significatif et suggestif. Mais si le roman fonctionne d'abord comme parcours, il fonctionne aussi comme espace, et l'on retrouve ici certains des éléments repérés lors de l'étude de genèse : continuités et discontinuités, mises en rapport et non mises en rapport. Les tableaux qui suivent — le rêve serait de les superposer dans un système de transparents — vont essayer de donner l'essentiel. On peut dès à présent faire ces quatre constatations :

1. Goriot n'est bien évidemment pas le personnage central. Beaucoup de relations s'établissent, beaucoup de

choses se passent sans qu'il intervienne ou compte. Même, par exemple, lorsqu'il commence à jouer un rôle dans les relations Rastignac-Maison Nucingen, c'est chose commencée depuis longtemps, et pour des raisons qui n'ont rien à voir avec les siennes. De même pour le jugement qu'il porte sur l'opération Taillefer (Rastignac va-t-il trahir Delphine?).

2. En revanche, Rastignac tient et conduit pratiquement à tous les personnages, et sans lui rien ne tient plus d'essentiel.

3. Rastignac ne tient à ce qui n'est pas Paris et parisien que par sa lointaine famille charentaise, qui pourra bien conduire au *Curé de village* (scènes de la vie de campagne et utopie) par le jeune abbé de Rastignac, mais qui demeure aussi étrangère à l'ensemble du roman que les folies de la vie parisienne à Bianchon. Et les Rastignac, dans le roman de l'abbé Bonnet et de Véronique, seront aussi étrangers à l'univers menaisien que les Langeais et les Restaud à Bianchon. Par ailleurs Rastignac, s'il est provincial, n'est pas montré dans sa province et on ne le voit vivre qu'à Paris. Sa famille n'a pas de présence réelle. On remarque enfin qu'aucun développement ne conduit à la ville de province, à la femme de province, aux notables et forces de province. Le seul lien — très indirect — se ferait par Bianchon → Cénacle → Lambert → Pauline de Villenoix → *les Célibataires (le Curé de Tours).* Mais justement, en 1832, Balzac avait *réparti* sa matière : s'il est fait allusion à Pauline et à un fiancé fou dans *les Célibataires,* le sujet philosophique est alors mis en réserve pour *Louis Lambert,* radicalement séparé de l'évocation concrète de la vie de province. De même les amours secrètes de Lady Brandon avec Franchessini (du moins jusqu'à la suppression opérée dans le « Furne corrigé ») pourraient, par l'intermédiaire du site de la Grenadière, renvoyer au thème régionaliste tourangeau; mais c'est bien mince. Rien donc ne permet d'établir la moindre passerelle sérieuse entre le massif « vie privée-vie parisienne » et le massif « vie de campagne-vie de province ». Il y a là un problème important en 1834-1835, deux ans après que Balzac a inventé les *Scènes de la vie de province.* On note de même que si l'on peut, à l'extrême rigueur, rejoindre par

les thèmes de la vie politique et de la conscience les thèmes utopiques, cette relation s'établit en dehors du champ de la vie parisienne et de celui du *Père Goriot*. Finalement, ce n'est que par l'intermédiaire de Lucien, qui vient, lui, de la vie de province, que Vautrin, dans *la Torpille,* raccrochera le cycle Vauquer au cycle Paris-Province des *Illusions Perdues* et de certaines réalisations (l'inventeur David Séchard, cousin germain idéologique et pratique de l'ingénieur Gérard du *Curé de village)*.

4. A l'intérieur même du roman il existe un certain nombre de relations qui ne s'établissent pas. Ainsi, il n'existe aucun passage de Bianchon aux grandes dames et au groupe des dandies. Il faut passer par Rastignac pour trouver un lien entre l'étudiant en médecine et un monde qu'il ne fréquente pas, qu'il ignore et certainement méprise. Dans la suite *(l'Interdiction),* Bianchon jugera sévèrement Mme d'Espard chez qui l'aura emmené son vieux camarade Rastignac, et il souhaitera une révolution qui débarrasse la France de « ces gens-là ». Cette non-liaison deviendra encore plus explicite et signifiante avec le Cénacle (dont fera partie Bianchon [10]), qui lui non plus n'aura rien à voir avec le beau monde et condamnera Lucien pour l'avoir choisi. Bianchon et l'extrapolation de son personnage que représentera le groupe de la rue des Quatre-Vents diront l'hétérogénéité totale du monde de la recherche et de l'intelligence et de celui de la vie parisienne et mondaine. Ce n'est qu'à titre individuel que Michel Chrestien d'abord et d'Arthez ensuite *(les Secrets de la princesse de Cadignan)* aimeront Diane de Maufrigneuse, et aimeront d'ailleurs en elle non tant la parisienne que la femme qu'elle dissimulait. Il n'existe de même aucun passage de Vautrin aux mêmes grandes dames et aux dandies, sinon ce qu'il dit savoir de la manière dont il leur faut vivre. *Splendeurs et Misères des Courtisanes,* toutefois, développera sur ce point, l'histoire ayant marché, le récit incomplet du *Père Goriot*.

---

10. Il portera un diagnostic sur Louis Lambert, soignera Lucien de Rubempré et Coralie, corrigera avec d'Arthez le manuscrit de *l'Archer de Charles IX*.

• Relations Rastignac → autres personnages

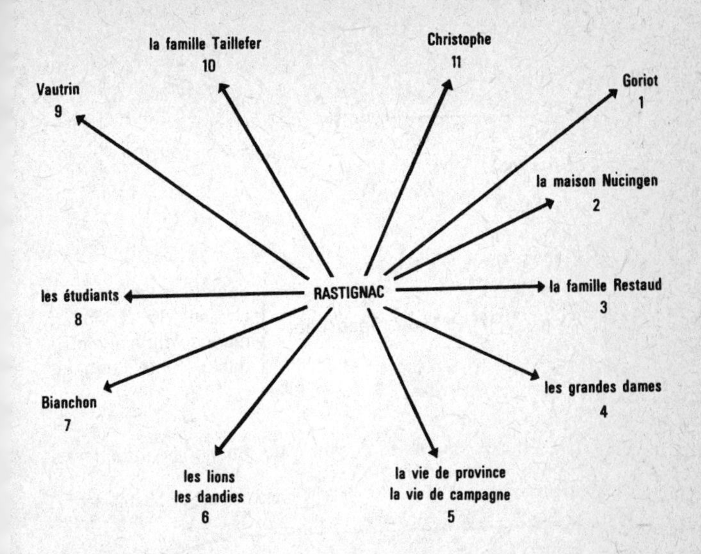

1. Rastignac découvre Goriot; Goriot aide Rastignac; Rastignac aide Goriot et jure de le venger; 2. Rastignac choisit Delphine de Nucingen, la conquiert et décide de faire fortune grâce à son mari; Delphine découvre l'amour avec Rastignac; 3. Rastignac renonce à Mme de Restaud, sa première rencontre parisienne; 4. Rastignac découvre l'univers de Mmes de Restaud, de Beauséant, de Langeais; il essaiera plus tard de devenir l'amant de Mme d'Espard; 5. Rastignac, fils de hobereaux pauvres de l'Angoumois, qui n'existent dans le roman que par et pour lui; 6. Rastignac veut tuer Maxime de Trailles, remplace de Marsay comme amant de Delphine de Nucingen et devient leur rival puis leur supérieur; 7. Rastignac, ami de Bianchon, se confie à lui et assiste avec lui Goriot mourant. 8. Rastignac étudiant, mais peu sérieux et non dramatique; les vraies relations jouent ici entre 7 et 8; 9. Rastignac, fasciné par Vautrin qui l'aime, repousse ses offres et réussit sans lui; il le retrouvera plus tard au foyer de l'Opéra; 10. Rastignac, aimé de Victorine, pense un moment l'épouser pour avoir de l'argent, mais renonce à elle en faveur de la morale et de... Delphine de Nucingen; 11. Rastignac et les humbles au grand cœur.

- Relations qui s'établissent hors de Rastignac

L'affaire Vautrin

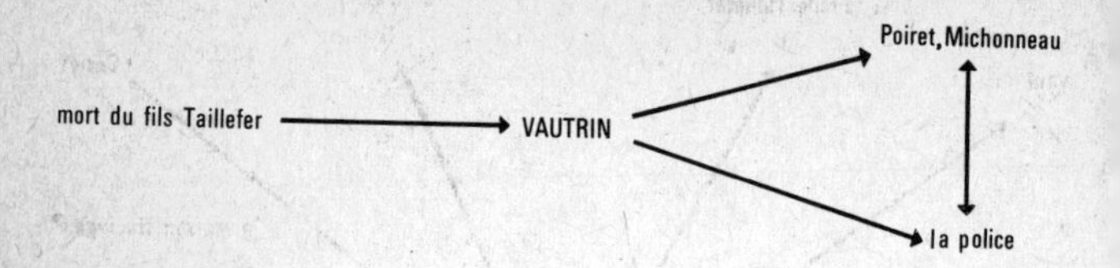

L'affaire Beauséant

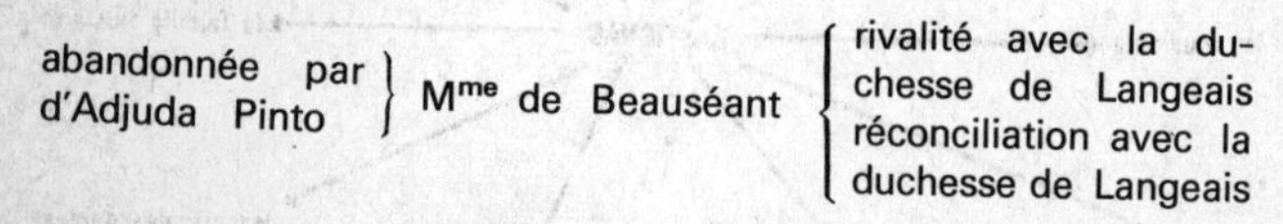

Très peu de choses se passent sans que Rastignac intervienne.

- Relations qui s'établiront dans la Comédie humaine hors de Rastignac

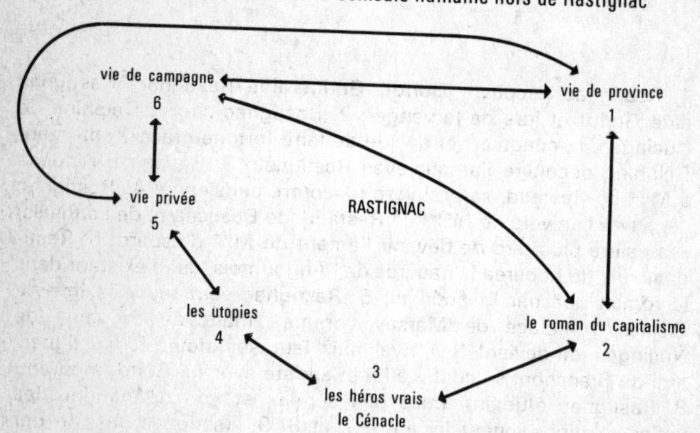

1. Similitudes vie de province-vie de campagne; la vie de province comme envers ou effet du développement capitaliste; 2. En relations causales avec la vie de province ou de campagne, provoque la recherche et la constitution d'« ailleurs » ou utopies;

3. Contre le capitalisme libéral se cherchent et se définissent des héros hors système (Benassis, Véronique, le Cénacle, Lambert); 4. Les utopies, « solutions » à la vie privée, de campagne, de province et à l'expérience du capitalisme libéral 5. La vie privée à la campagne, en province; la solution des utopies; 6. Similitudes des vies de campagne et de province; la vie de campagne rend possibles et nécessaires les utopies.

• **Relations Goriot → autres personnages**

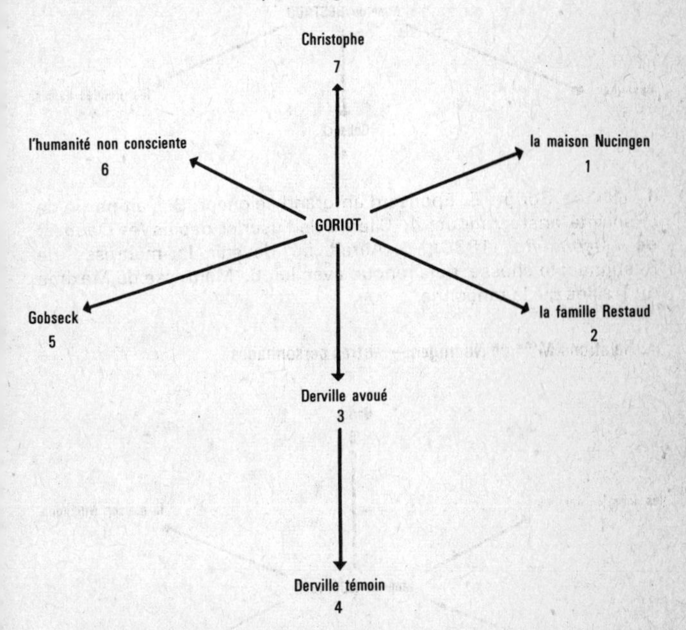

1. Une fille Goriot épouse le banquier Nucingen; conflits financiers et juridiques; 2. Une fille Goriot épouse le noble Restaud; conflits financiers et politiques; 3. Derville avoué de Goriot; 4. Derville donnera l'histoire de Goriot comme l'une des illustrations de son expérience du monde et de l'idée qu'il s'en fait; 5. Goriot solde à Gobseck une lettre de change de Maxime de Trailles endossée par sa fille; 6. Goriot objet de raillerie des pensionnaires; 7. Goriot compris et aidé par cet humble au grand cœur.

• Relations Mme de Restaud → autres personnages

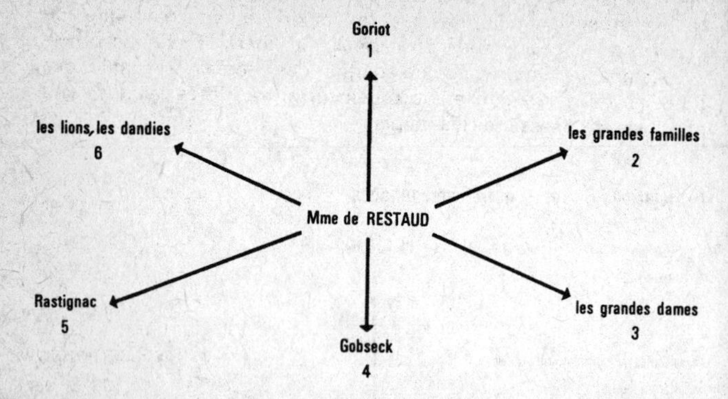

1. Fille de Goriot; 2. Épouse d'un grand seigneur; 3. Fait partie de la société aristocratique; 4. Cliente de l'usurier depuis *les Dangers de l'inconduite* (1830); 5. Aurait pu devenir la maîtresse de Rastignac; le chasse, puis renoue avec lui. 6. Maîtresse de Maxime de Trailles qui la rançonne.

• Relations Mme de Nucingen → autres personnages

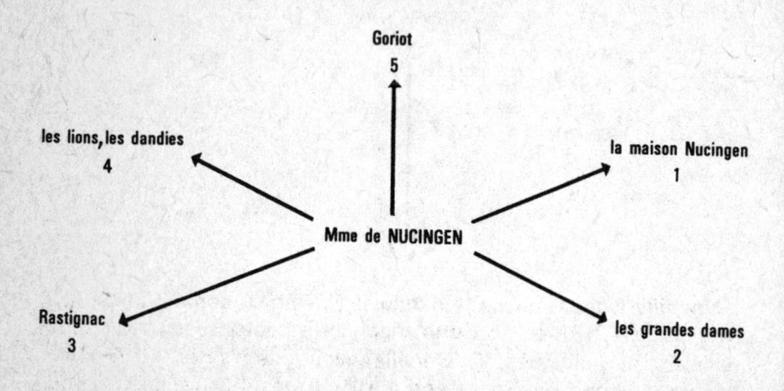

1. Épouse du financier dont elle analyse les spéculations; 2. Rêve d'être reçue au Faubourg Saint-Germain; 3. Maîtresse de Rastignac, qu'elle aidera à faire sa fortune; 4. A été la maîtresse de de Marsay; 5. Fille de Goriot.

• Relations grandes dames → autres personnages

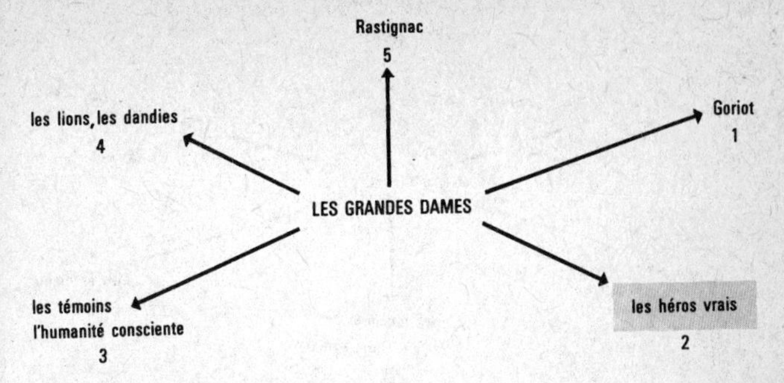

1. Liens familiaux ou mondains avec Goriot; 2. Certaines grandes dames découvriront plus tard une autre humanité que celle des lions et des dandies (Diane de Maufrigneuse et Michel Chrestien) : les cadres signalent les événements ou les personnages de *la Comédie humaine* postérieurs au *Père Goriot.* Cette notation vaut pour les schémas suivants; 3. Certaines grandes dames, ayant fait l'expérience de la féminité et de sa condition, sont des juges et des témoins comme Derville et Bianchon (Mme de Beauséant, plus tard Diane de Maufrigneuse devenue princesse de Cadignan); 4. Les amants de ces dames, et leurs illusions; 5. Multiples relations d'amour, d'ambition et d'affaires.

• Relations lions et dandies → autres personnages

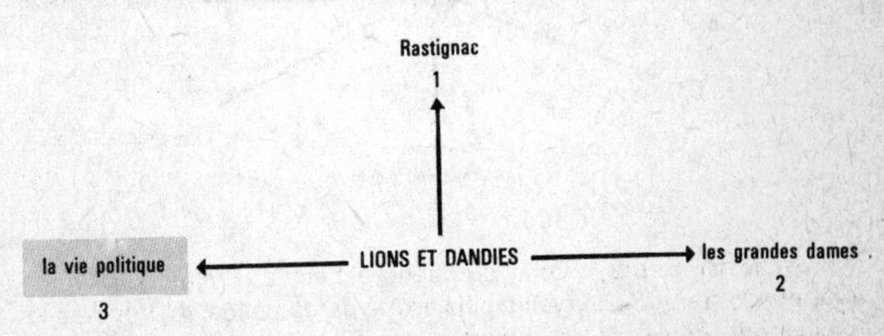

1. Rastignac aspire à devenir l'un d'eux, y parvient et les dépasse. 2. Amants et à l'occasion rançonneurs des grandes dames; 3. Beaucoup finiront dans la politique et ralliés à l'ordre (de Marsay, puis Rastignac ministres, Maxime de Trailles agent électoral).

• Relations Bianchon → autres personnages

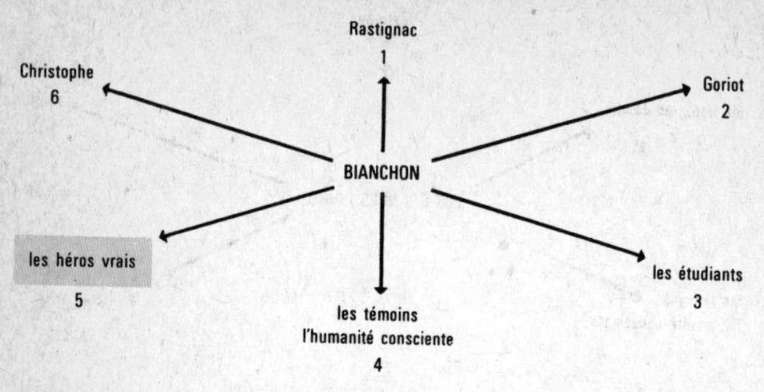

1. Ami fidèle et critique de Rastignac; 2. Avec Rastignac assiste Goriot; 3. Fait partie de la communauté studieuse et libérale; 4. Avec Derville et Mme de Beauséant, juge le monde; 5. Fera partie du Cénacle; 6. Relations avec les humbles au grand cœur.

• Relations Vautrin → autres personnages

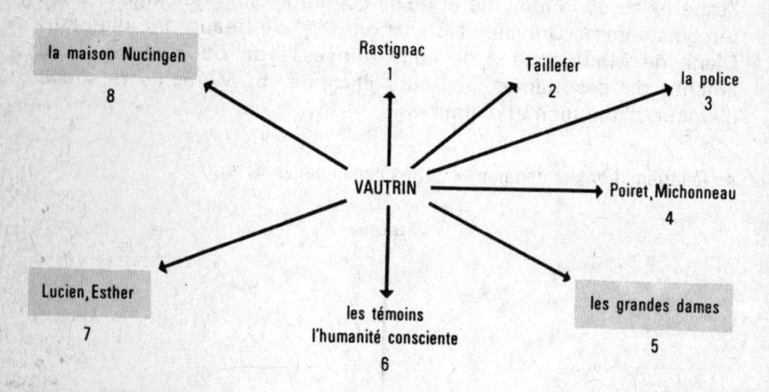

1. Amitié virile; proposition de pacte, échec; 2. Projets sur Victorine et son frère; 3. Surveillé puis arrêté par la police; 4. Vendu à la police par Poiret et Michonneau; 5. Plus tard, Vautrin aura le secret de Mmes de Maufrigneuse et de Sérizy, qu'il sauvera du scandale; 6. Comme Bianchon, Derville et Mme de Langeais, Vautrin juge le monde, mais d'un point de vue cynique; ses constatations rejoignent pourtant parfois celles des autres témoins des

« valeurs »; 7. Nouvelle tentative pour recommencer Rastignac; nouvel échec; 8. Tentatives pour extorquer de l'argent à Nucingen par Esther.

- **Relations qui ne s'établissent pas**

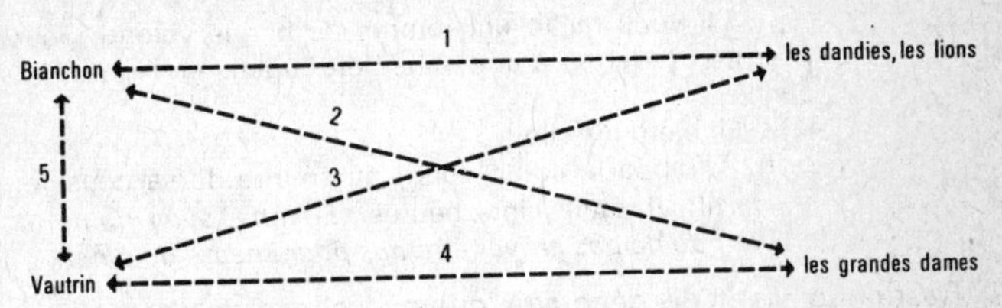

1. Bianchon n'a aucune relation avec Maxime de Trailles, de Marsay, d'Ajuda Pinto; 2. Bianchon n'a aucune relation avec Mmes de Restaud, Nucingen, Beauséant, Langeais; dans *l'Interdiction,* il portera un très dur jugement moral et politique sur Mme d'Espard; 3. Vautrin n'a aucune relation avec Maxime de Trailles, de Marsay, d'Ajuda-Pinto; 4. Vautrin n'a aucune relation avec Mmes de Restaud, Nucingen, Beauséant, Langeais; 5. Bianchon et Vautrin n'ont aucune relation que de voisinage à table.

Les effets de rupture

D'un bout à l'autre du roman on repère des changements brusques de registre et de niveau d'expression qui manifestent les rapports mais aussi la discontinuité, tous deux significatifs, entre deux univers : l'un héroïque, l'autre « comique » comme on aurait dit au XVIIe siècle, mais toujours dans une perspective de relance, non de régression sceptique. Sans cesse, alors que le récit prend naturellement des allures de haut style, le style lui-même bifurque pour rappeler que tout se passe dans le réel le plus quotidien, le plus moderne, et que précisément ce haut style, ce néo-épique ou ce néo-dramatique ne valent que dans et par ce réel moderne et quotidien. L'effet pourrait être de dérision, comme dans *Don Quichotte* et *Madame Bovary,* de réduction et de destruction de l'héroïque et du rêve. Ici il en va tout autrement : il s'agit à la fois d'ancrage de l'héroïque dans le moderne et d'héroïsation quand même du moderne. L'effet n'est pas satirique, mais rigoureusement dialectique : invention d'un nouveau dire.

1. La première rupture et la plus éclatante, se produit à la fin de la première entrevue entre Rastignac et Mme de Beauséant :

> Nous autres femmes nous avons quelquefois nos batailles à livrer.
>
> — S'il vous fallait un homme de bonne volonté pour aller mettre le feu à une mine? dit Eugène en l'interrompant.
>
> — Eh bien! dit-elle.
>
> Il se frappa le cœur, sourit au sourire de sa cousine, et sortit. Il était cinq heures. *Eugène avait faim, il craignit de ne pas arriver à temps pour l'heure du dîner.*

Rastignac vient de découvrir quelque chose de dramatique et de grand. Il est ému. Il fait — sincèrement — des phrases de roman. Mais aussi Rastignac est jeune et plein de vie. Il marche; il a faim. Dans les romans traditionnels, on n'a jamais faim. De même qu'on ne fait jamais l'amour pour la première fois. De même qu'on a des revenus sans problèmes et sans origines. Il faut relire ici, dans *Falthurne,* le premier texte romanesque qu'écrivit Balzac à vingt-et-un ans, cette phrase alors quasi sacrilège : « Mange-t-on dans *René?* ».On mange dans *le Père Goriot,* mais les dernières phrases ne font pas retomber le roman et l'effet obtenu n'est pas négativement ironique. La rupture est ici positive et d'avancée. Le texte, en ses deux directions de travail et d'expression, unit les éléments, non pas contradictoires mais complémentaires, d'une même et nouvelle réalité.

2. Rastignac et Vautrin viennent de s'affronter :

> — Savez-vous, Monsieur le marquis de Rastignacorama, que ce que vous me dites n'est pas exactement poli, dit alors Vautrin en fouettant la porte du salon et venant à l'étudiant qui le regarda froidement. [...]
>
> — *Monsieur* Vautrin, je ne suis pas marquis, et je ne m'appelle pas Rastignacorama.
>
> — Ils vont se battre, dit mademoiselle Michonneau d'un air indifférent. [...]
>
> — Quoi qui n'y a donc? dit [la grosse Sylvie]. Monsieur Vautrin a dit à monsieur Eugène : « Expliquons-nous! » puis il l'a pris par le bras, et les voilà qui marchent dans nos artichauts [*Manuscrit :* dans nos choux].

Réminiscence du *Cid,* bien entendu, avec un transfert quasi, sacrilège, lui aussi, dans une pension du quartier Latin. Mais le double commentaire de Sylvie (langage populaire, renvoi au cadre familier) relève de plus que du « chic » littéraire. Le duel, sujet noble (mais ici entre un forçat évadé et un étudiant pauvre qui joue au nobliau), se trouve, en son formalisme ritualisé, ramené à quelque chose d'un peu dérisoire. La grosse Sylvie, conscience à sa manière de la pension et voix d'un certain « bon sens » étranger à l'univers comme au style héroïco-romanesques, ne voit que « *nos* artichauts ». C'est là, en apparence, un peu un effet à la Pigault-Lebrun, un effet parodique « bourgeois ». Mais l'effet réel est-il de ridiculiser et de vider de son sens l'affrontement du jeune homme et du mystérieux pensionnaire? L'effet réel est-il de faire apparaître le duel qui menace comme une simple pratique vide? Et est-ce Sylvie, avec le gros bon sens sceptique, qui sort victorieuse du texte? Le duel conventionnel n'aura pas lieu. Il cédera la place à un duel d'une autre nature, plus dramatique et plus vrai : celui de deux consciences et deux volontés d'être, armées non des armes conventionnelles mais des armes vraies du monde moderne : l'ambition, l'analyse du réel, l'énergie. De même Rastignac demeurera à l'écart — sera maintenu par Balzac à l'écart — de cet autre duel, machiné par Vautrin, entre le colonel Franchessini et le fils Taillefer : objectivement, puisqu'il sera mis dans l'impossibilité de l'empêcher; subjectivement, puisqu'il refusera la combinaison dans laquelle il prend place. *Jamais dans la Comédie humaine Rastignac ne se battra en duel,* alors que Lucien, héros de l'apparence et de l'inefficacité, se battra, lui, contre Michel Chrestien, autre héros —, mais dans un autre sens, de la non-présence au monde. Les choux ou les artichauts de la grosse Sylvie servent à souligner ce déplacement du lieu des problèmes. Dans le potager de la maison Vauquer, on ne se bat pas selon le rituel consacré. Ce n'est pas possible. Mais dans le potager de la maison Vauquer peut très bien se jouer, comme dans le jardin d'Eugénie Grandet à Saumur, un drame d'un type nouveau. Ici encore l'effet de rupture ne brise ni ne dissocie. Il sert au contraire à cimenter une unité nouvelle sur la base d'une prise de conscience et d'une expression critique. La parodie ne dit pas ici une bonne conscience mesquine, une distance hypocrite et prudente par rapport à des drames dont on entend nier l'importance et la réalité et que l'on veut réduire à des jeux de formes, mais elle dit bien une perspective plus riche et plus nouvelle. Rastignac jeune et ardent, Vautrin brave et expérimenté; un défi : ce pourrait être à nouveau la scène de Rodrigue et de Gormas. Ce pourrait être aussi un duel parisien. Mais on ne se bat pas dans un certain monde, ou l'on s'y bat autrement. C'est pourquoi les choux de la grosse Sylvie remplacent la noble rue de Séville, aussi bien que le traditionnel Bois de Boulogne au petit matin. L'héroïsme dans lequel se drape d'abord Rastignac est faux, et Vautrin le sait, alors que Gormas, chez Corneille, quoiqu'il le plaigne, estime Rodrigue pour mettre l'épée à la main. Vautrin représente un degré supérieur de conscience et d'analyse (déjà en germe d'ailleurs dans Rastignac), et son « Monsieur le marquis de Rastignacorama » va dans le même sens que les remarques de la cuisinière : pourquoi jouer un rôle alors qu'il y a la vie? Les choux ne sont pas ceux sur lesquels va rêver Emma Bovary. « Monsieur le marquis de Rastignacorama » ou « papa est baron », un peu plus loin, ne renvoient pas Rastignac à on ne sait quelle simple friperie aristocratique dont se moqueraient des bourgeois, mais bien aux vrais problèmes et aux vrais combats d'un nouveau réel.

On peut énumérer à présent d'autres effets de rupture qui, de par les dissonances qu'ils provoquent, brisent eux aussi des unités factices pour en faire apparaître de nouvelles :

3. Après les propositions de Vautrin :

> Je ne veux penser à rien, le cœur est un bon guide.
> Eugène fut tiré de sa rêverie par la voix de la grosse Sylvie, qui lui annonça son tailleur [...]. (139)

La phrase de Rastignac est une addition sur épreuves. C'est donc dans un second mouvement seulement que l'intervention de la grosse Sylvie provoque un effet comique qui remet à sa vraie place la réflexion idéaliste qui « précède ».

4. En attendant le résultat du duel Franchessini-Taillefer :

— L'affaire est faite, dit Vautrin à Eugène. Nos deux dandies se sont piochés. Tout s'est passé convenablement. Affaire d'opinion. Notre pigeon a insulté mon faucon. A demain, dans la redoute de Clignancourt. A huit heures et demie, mademoiselle Taillefer héritera de l'amour et de la fortune de son père, pendant qu'elle sera là tranquillement à tremper ses mouillettes de pain beurré dans son café. (194)

Cette fois, il ne s'agit plus seulement de remise en place, gage d'un passage à plus de conscience. Il s'agit, sur un fond prosaïque, de la disposition d'un mécanisme impitoyable.

5. Rastignac se justifie auprès de Goriot : il n'aime que Delphine et ne pense pas à Victorine. Vautrin surveille la scène et chante, en contrepoint à l'inquiétude de Goriot et aux efforts de Rastignac :

— Messieurs, cria Christophe, la soupe vous attend, et tout le monde est à table. (199)

6. Pendant l'ivresse de Rastignac, Vautrin bénit le couple Rastignac-Victorine, prononce une formule parodique des contes de fée (« ils furent considérés dans tout le pays, vécurent heureux, et eurent beaucoup d'enfants »), emmène Mme Vauquer et sort en chantant :

Soleil, soleil, divin soleil,
Toi qui fais mûrir les citrouilles... (205)

7. Après la mort du fils Taillefer. « Pauvre jeune homme ! », s'écrie Vautrin, qui achève de « boire son café tranquillement » sous la surveillance de mademoiselle Michonneau. « Bah ! vous êtes donc prophète, monsieur Vautrin ? dit madame Vauquer » (215). Il s'agit de faire fonctionner plusieurs plans narratifs, plusieurs niveaux de conscience. Balzac y réussit en soulignant l'absence ironique de communication entre les univers Vautrin-Michonneau-Vauquer.

8. Après l'arrestation de Vautrin, Goriot est heureux, Rastignac est pensif.

— Par exemple, dit la grosse Sylvie, tout est malheur aujourd'hui, *mon haricot de mouton s'est attaché. Bah! vous le mangerez brûlé, tant pire.* (232)

9. Rastignac médite sur l'amour de Goriot pour Delphine :

> L'idole était toujours pure et belle pour le père, et son adoration s'accroissait de tout le passé comme de l'avenir. Ils trouvèrent madame Vauquer seule au coin de son poêle, entre Sylvie et Christophe. *La vieille hôtesse était là comme Marius sur les ruines de Carthage.* (240)

10. A la demande de Rastignac, madame Vauquer ordonne à Sylvie de donner des draps pour ensevelir Goriot :

> Dès qu'Eugène eut le dos tourné, la vieille courut à sa cuisinière :
>
> — *Prends les draps retournés, numéro sept.* Par Dieu, c'est toujours assez bon pour un mort, lui dit-elle à l'oreille. (301)

11. Thérèse raconte à Rastignac la scène qui s'est élevée entre Delphine et son mari :

> — Vous n'avez plus besoin de moi, *faut que j'aille à mon dîner,* il est quatre heures et demie, dit Sylvie [...]. (303)

12. — Oh! il est bien mort, dit Bianchon en descendant.
— Allons, messieurs, à table, dit madame Vauquer, la soupe va refroidir. (304)

« La soupe va se refroidir » est une addition sur épreuves.

13. Lorsqu'Eugène et Bianchon eurent mangé, le bruit des fourchettes et des cuillers, les rires de la conversation, les diverses expressions de ces figures gloutonnes et indifférentes, leur insouciance, tout les glaça d'horreur. (305)

Les ruptures balzaciennes définissent un contrepoint constant entre l'univers de l'illusion héroïco-idéaliste et celui de la pratique vraie. L'héroïsme tend toujours à perdre le contact, à engendrer sa propre pose et sa propre rhétorique. Et c'est pourquoi la voix du fabliau se fait ici à nouveau entendre, mais non plus dans un univers encore soumis aux modèles aristocratiques et dans lequel un certain « réalisme » avait pouvoir démystificateur : dans un univers désormais constitutivement bourgeois, devenu lui-même problématique et ayant à inventer son propre style dramatique. Le héros et le style héroïque, le grave et le style grave tendent, sous le poids de pressions culturelles, à l'autonomie. Balzac ne les *rabaisse* pas. Il les met correctement en perspective. Il n'est pas impossible que fonctionnent ici une certaine truculence « drolatique » (les *Contes* du même nom sont tout proches encore) ainsi qu'un certain style « journal » et « fait-Paris » (l'ombre de Gaudissart comme celle de *la Caricature* se profilent parfois sur *le Père Goriot*). Mais il s'agit là de bien plus que de tics d'écriture ou de concessions au genre « gai ». Il s'agit bel et bien d'une structure d'écriture qui est renvoi perpétuel de la conscience inférieure à la conscience supérieure, de la pratique entravée à la pratique plus claire, du reportage à la tragédie, surtout de l'analyse et de la transcription du réel moderne à l'expression de sa propre tragédie. Balzac a hésité sur la voix qui parlerait le roman. Il semble avoir finalement trouvé la voix et la voie unifiante : celle d'un matérialisme qui seul peut rendre compte des tensions, des contradictions, des entreprises et des fourvoiements, mais aussi des promesses et des possibilités d'un réel que l'on n'a pas choisi mais que l'on peut comprendre [11]. Mais qui ne verrait qu'ici, en fait de *structures,* on est déjà dans les significations? Un dernier ensemble en donnera la preuve.

11. Voir *Balzac, une mythologie réaliste,* p. 160 sqq.

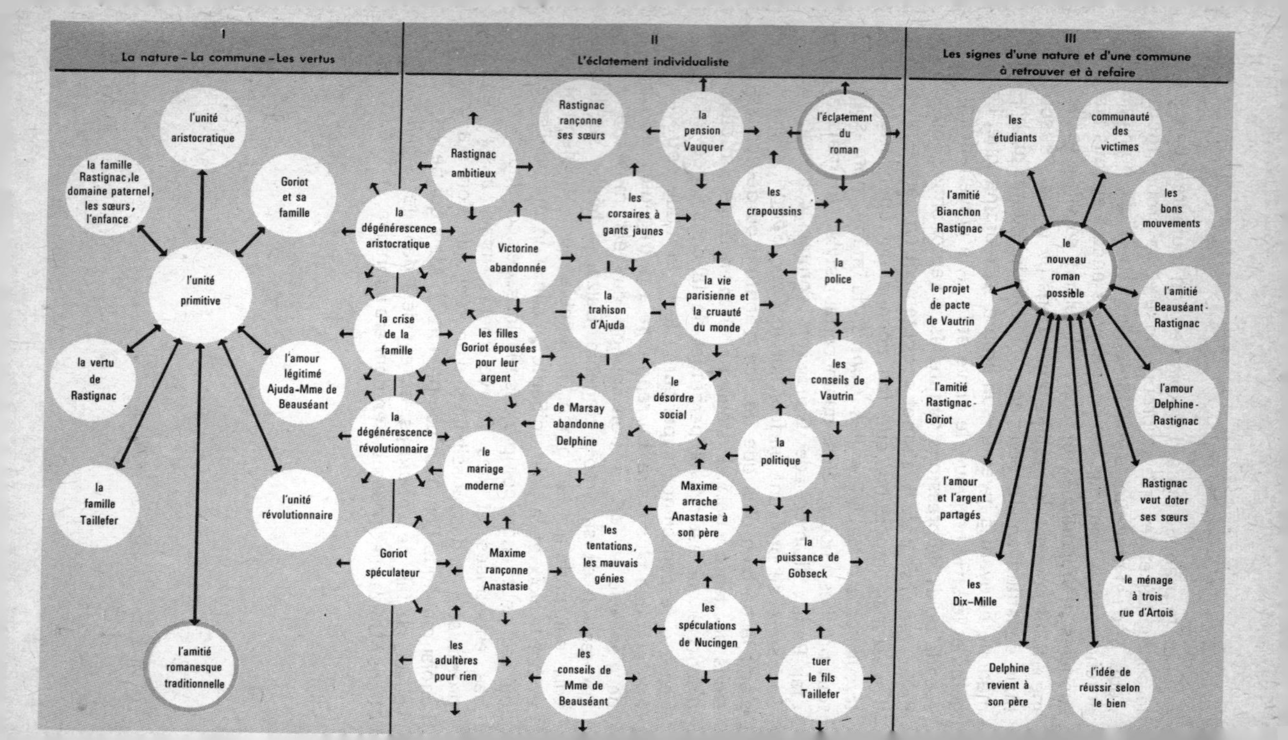
I
La nature – La commune – Les vertus
l'unité aristocratique
la famille Rastignac, le domaine paternel, les sœurs, l'enfance
Goriot et sa famille
l'unité primitive
la vertu de Rastignac
l'amour légitimé Ajuda-Mme de Beauséant
la famille Taillefer
l'unité révolutionnaire
l'amitié romanesque traditionnelle
II
L'éclatement individualiste
la dégénérescence aristocratique
la crise de la famille
la dégénérescence révolutionnaire
Goriot spéculateur
Rastignac ambitieux
Victorine abandonnée
les filles Goriot épousées pour leur argent
le mariage moderne
Maxime rançonne Anastasie
les adultères pour rien
Rastignac rançonne ses sœurs
les corsaires à gants jaunes
la trahison d'Ajuda
de Marsay abandonne Delphine
les tentations, les mauvais génies
les conseils de Mme de Beauséant
la pension Vauquer
les crapoussins
la vie parisienne et la cruauté du monde
le désordre social
Maxime arrache Anastasie à son père
les spéculations de Nucingen
l'éclatement du roman
la police
les conseils de Vautrin
la politique
la puissance de Gobseck
tuer le fils Taillefer
III
Les signes d'une nature et d'une commune à retrouver et à refaire
les étudiants
communauté des victimes
l'amitié Bianchon Rastignac
les bons mouvements
le nouveau roman possible
le projet de pacte de Vautrin
l'amitié Beauséant-Rastignac
l'amitié Rastignac-Goriot
l'amour Delphine-Rastignac
l'amour et l'argent partagés
Rastignac veut doter ses sœurs
les Dix-Mille
le ménage à trois rue d'Artois
Delphine revient à son père
l'idée de réussir selon le bien

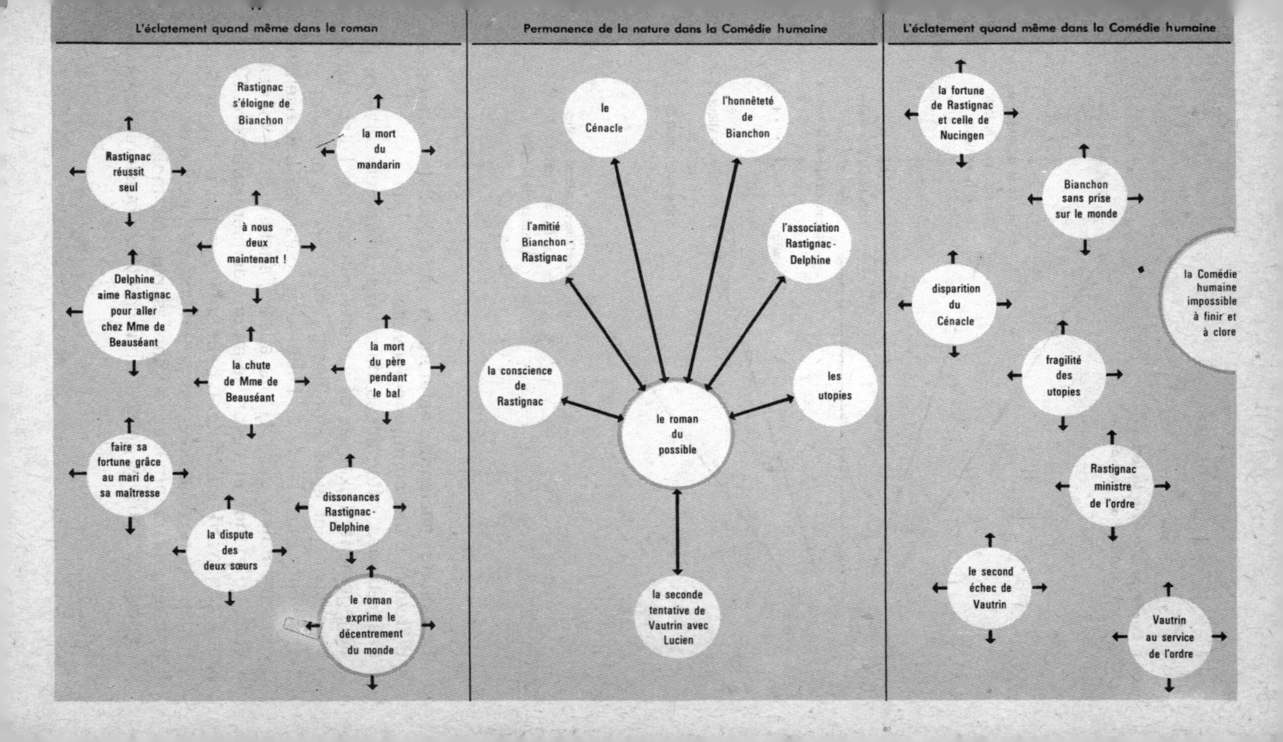
L'éclatement quand même dans le roman
Rastignac s'éloigne de Bianchon
Rastignac réussit seul
la mort du mandarin
à nous deux maintenant !
Delphine aime Rastignac pour aller chez Mme de Beauséant
la chute de Mme de Beauséant
la mort du père pendant le bal
faire sa fortune grâce au mari de sa maîtresse
dissonances Rastignac-Delphine
la dispute des deux sœurs
le roman exprime le décentrement du monde
Permanence de la nature dans la Comédie humaine
le Cénacle
l'honnêteté de Bianchon
l'amitié Bianchon-Rastignac
l'association Rastignac-Delphine
la conscience de Rastignac
le roman du possible
les utopies
la seconde tentative de Vautrin avec Lucien
L'éclatement quand même dans la Comédie humaine
la fortune de Rastignac et celle de Nucingen
Bianchon sans prise sur le monde
disparition du Cénacle
la Comédie humaine impossible à finir et à clore
fragilité des utopies
Rastignac ministre de l'ordre
le second échec de Vautrin
Vautrin au service de l'ordre

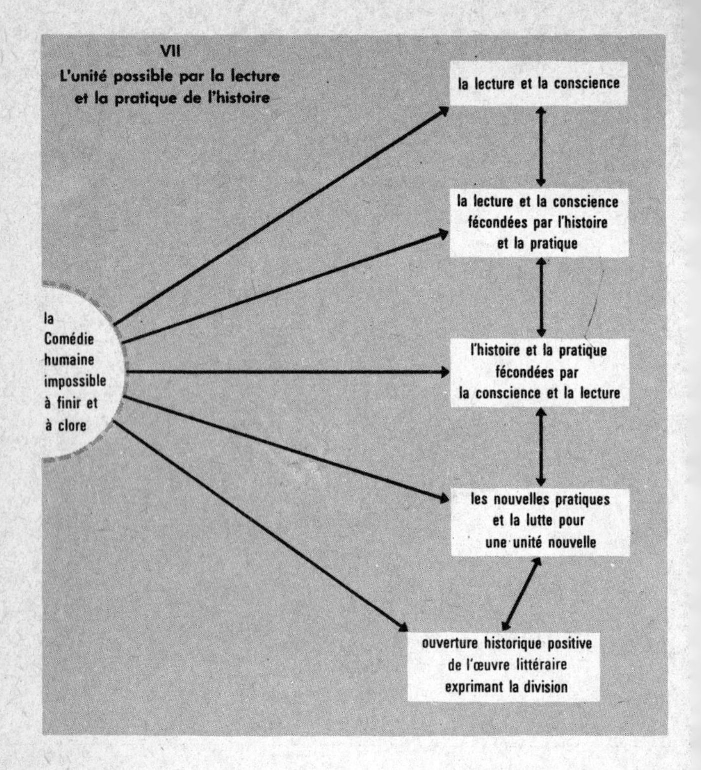

Commune ancienne, éclatement individualiste, signes et difficultés d'une commune nouvelle

Les relances, alternances narratives, mises en relation, le dégagement d'axes et déjà de significations, l'élaboration d'un style, lui aussi significatif, tout ceci ne se comprend vraiment que relié à l'une des pulsions balzaciennes fondamentales, qui dit, elle aussi, l'analyse et l'expérience vraie du monde et s'exprime en une dernière structure. Sous le flux narratif, en effet, on peut en lire un autre : les personnages, leurs relations, les situations viennent d'unités, de natures, de communes originelles plus ou moins abîmées et perdues; tous les personnages cherchent ou signifient pour des unités, des natures et des communautés nouvelles; tous font des expériences de séparation, contribuent même au développement de la loi de la séparation dans le sens même de leur besoin de vivre et des possibilités qui leur sont offertes ou infligées; ils élaborent parfois de manière inattendue des formes de partage, de solidarité, de conscience et d'amitié au sein d'un monde qui repose sur l'égoïsme, l'individualisme et la non-conscience; enfin l'ensemble, progressivement constitué à partir de l'expérience et de l'aventure, débouche, au niveau de *la Comédie humaine* puis des lectures qui en peuvent être faites, aussi bien sur la constatation, à un degré supérieur, de la toute-puissance et de l'omniprésence de la loi de division que sur celle, pratique ou théorique, en tout cas exigée et vécue, de la possibilité, de la nécessité d'une commune nouvelle, fondée sur une conscience et sur une pratique supérieures.

Il est bien certain que Rastignac et sa famille, Goriot et ses filles, en un sens Vautrin et ses compagnons, sûrement aussi Victorine avec l'idée d'un temps où son père l'aimait, définissent, dans une sorte d'avant-texte, une unité liée à un passé proche (tableau précédent, colonne I).

Très vite, toutefois, l'expérience du monde fait éclater cette naïveté première et dès que le récit commence on voit partir en morceaux et en autant d'entreprises personnelles et rivales une pratique hier encore collective. C'est une véritable atomisation des données romanesques initiales qui se produit alors, et qui donne au roman son foisonnement, sa richesse (colone II), expression d'un désordre, mais aussi d'une relance.

Ce désordre et cette relance ne peuvent toutefois intégrer, inclure l'individu et ses aspirations naturelles. On voit aussitôt se dessiner les éléments d'une positivité possible. Que ce soit l'amitié, la compassion, le thème du pacte et de la fraternité virile, celui de la conscience et de l'initiation, un autre souffle parcourt le roman et recompose par endroit une vie et une réalité précédemment éclatées (colonne III).

Mais ce n'est guère là qu'un signe, et très vite la pratique mondaine prouve que la loi de division est bien la loi fondamentale. Ce qui devait se rapprocher s'éloigne, les intérêts l'emportent; à l'intérieur même des personnages, notamment Rastignac, les forces d'affirmation à tout prix et donc les forces de guerre, même au prix de ruses morales avec soi-même, l'emportent. Le roman ne se termine pas sur une reconstitution, sur une restauration, et l'on peut, l'on doit discuter de la signification ambigue du « A nous deux » final : de quelle positivité s'agit-il dans ces « mots sublimes »? (colonne IV).

Le roman ne se clôt pas sur lui-même, et dans *la Comédie humaine* se retrouvent les tensions déjà repérées entre expérience de la division et recherche de l'unité. Le triomphe de Nucingen, la carrière de Rastignac, le ralliement de Vautrin, l'oubli dans lequel tombe Goriot, la non-conscience, la loi de la jungle, tout ceci qui se prolonge jusque dans une réalité trans-balzacienne, montre que le monde progresse au prix d'un refoulement de plus en plus impitoyable de l'idée de commune et d'unité. Mais ce n'est là qu'un aspect de ce réel dit et à dire, lu et à lire, dans son devenir romanesque comme historique. Le Cénacle (qui tient à Bianchon), les utopies *(Médecin de Campagne* et *Curé de village),* les amitiés, quelques affirmations lucides, la bande, la fraternité des victimes et de tous ceux qui ouvrent les yeux, les îlots d'amour : l'effort balzacien continue et se renforce. Par-delà *la Comédie humaine,* la conscience moderne (à l'éveil et à l'information de laquelle l'œuvre balzacienne a contribué), les pratiques nouvelles, Balzac rendu à son vrai sens après tant de lectures mutilantes et les censures, toute cette ouverture théorique et pratique dit que la crise n'est pas la nature, qu'il y a là anomalie et que les hommes sentent qu'ils y peuvent quelque chose (colonne V).

Ainsi la dialectique de la commune et de la division, la dialectique de l'égoïsme et de l'amitié, la dialectique de l'ambition et de la participation, tout ceci, qui est à la fois forme et fond, éléments narratifs et éléments idéologiques, achève de montrer l'unité profonde dans le roman de ce qui est structure du récit et de ce qui est signification du récit. Mais est-il des structures qui ne signifient pas, et des significations qui ne passent pas par des structures?

3

Significations

Un roman de la France révolutionnée

Le Père Goriot est un roman de la « France révolutionnée » : France des retombées, France des possibilités nouvelles et ambiguës, France où le vouloir-vivre ne choisit pas librement ses chemins, France de consciences et de non-consciences. Mais c'est aussi un roman de la « France révolutionnée » en grande dimension (la France sortie de 1789-1815) vue à un moment assez précis de la « France révolutionnée » en petite dimension : celle de 1834-1835, alors que le système de la monarchie bourgeoise est assuré, que s'éloignent les turbulences et les exigences de 1830, que les émeutes de 1832 ont été écrasées, que les révoltes ouvrières de Lyon (octobre 1831, octobre 1834) ne sont pas encore réellement perçues comme elles le devraient. L'ordre révolutionné est lu par Balzac à un moment où il l'est au second degré. Le roman peut bien se passer en 1819 : comme pour *les Paysans,* roman de 1817, compte infiniment plus la date de rédaction (1838 puis 1844, ici 1834-1835) avec tous les phénomènes de surimposition et de relecture de la Restauration, qui ne vaut vraiment que dans l'optique de la vie sous la monarchie bourgeoise.

Le Père Goriot est, sociologiquement parlant, un roman de la Révolution qui a eu lieu : noblesse de province déclassée, noblesse parisienne artificiellement revenue aux splendeurs, poussée démographique et culturelle, fortunes nouvelles, périodes pendant lesquelles il a bien fallu vivre, couches populaires qui ont passé Dieu sait par quoi pour finir Dieu sait où, puissance de l'administration et des bureaux, sens plus ou moins partagé par beaucoup de monde que tout est instable et que tout droit est reconnu, vestiges culturels, esquisses ou parodies de culture nouvelle.

Mais aussi et surtout, la Révolution française est là, en termes de signification, dès les premières lignes écrites, non pas alléguée en ce qu'elle eut d'héroïque, d'illustratif et de mobilisateur pour l'idéal, mais en creux, oblitérée, déclassée, délavée, élément toutefois du récit par l'effet d'un découpage chronologique qui la fait apparaître sous le texte d'une manière curieusement parlante. Mme Vauquer commentera le roman vers la fin du roman (et Balzac avec elle, car ce texte est une addition, sur épreuves, pour la *Revue de Paris,* après les révolutions de la pension : arrestation de Vautrin, départ de Victorine et de Mme Couture, départ de Rastignac, mort prochaine de Goriot) :

> Et dire que toutes ces choses-là sont arrivées chez moi, dans un quartier où il ne passe pas un chat! Foi d'honnête femme, je rêve. Car, vois-tu, nous avons vu Louis XVI avoir son accident, nous avons vu tomber l'Empereur, nous l'avons vu revenir et retomber, tout cela c'était dans l'ordre des choses possibles; tandis qu'il n'y a point de chances contre des pensions bourgeoises : on peut se passer de roi, mais il faut toujours qu'on mange; et quand une honnête femme, née de Conflans, donne à dîner avec toutes bonnes choses, mais à moins que la fin du monde n'arrive... Mais, c'est ça, c'est la fin du monde. (242)

Mme Vauquer et son histoire commencent avant la Révolution et continuent après elle. En 1834, elles continuent encore. Cette relecture, par Balzac et par un personnage jouant, dans le fil même du récit, comme le rôle du chœur, explicite ce que disaient déjà de manière implicite les pages d'ouverture. Il n'est pas besoin de tirades et de discours plaqués : c'est encore une fois l'organisation du récit qui signifie la manière dont il engrène sur une présentation du temps, le discours explicite n'intervenant qu'à une étape ultérieure, lorsque les choses ont pris et le justifient.

Nous sommes donc en 1834 (date de prise de contact

de l'auteur avec le lecteur et à partir de laquelle on remonte) et Mme Vauquer tient sa pension depuis

— trente ans (I, texte du manuscrit), soit depuis 1804 : aurore de l'Empire

— quarante ans (II, texte de la *Revue de Paris*), soit depuis 1794 : la Terreur

S'agit-il là de chiffres approximatifs (une trentaine, une quarantaine d'années)? Balzac précisera que Mme Vauquer a ouvert sa pension en 1789. On va revenir sur ce flottement. Constatons pour le moment que la version II est plus intéressante : si 1794 est la haute époque révolutionnaire, c'est aussi l'époque où Goriot fait sa fortune dans la spéculation sur les grains, alors que l'idéalisme révolutionnaire mobilise les énergies nationales, et ce contrepoint, à lire, est plus efficace et signifiant que tous les rapprochements explicités.

Quoi qu'il en soit, dans I comme dans II, les révolutions de la pension Vauquer sont déjà choses anciennes, mais les dates ici encore renvoient à des coupures qui comptent :

— I : l'action débute en 1824, soit il y a dix ans.

— II : l'action débute en 1819, soit il y a quinze ans.

1819 a dû remplacer 1824 à partir du moment où Balzac a décidé que Massiac serait Rastignac, onze ans entre le séjour de Rastignac à la pension et à sa présentation dans *la Peau de Chagrin* (1830) étant plus vraisemblables que six. Mais pourquoi, d'abord, 1824? Une explication est possible. Cette année-là avait été pour Balzac lui-même une année terrible : trahison de ses amis du *Feuilleton Littéraire,* échec d'*Annette et le Criminel,* échec de la seconde édition de *la Dernière Fée* (dont il devait dire en 1836 qu'il avait cru que c'était « le premier des livres »), postface désenchantée de *Wann-Chlore,* dont la publication un moment envisagée est à nouveau remise, crise de découragement, abattement physique, départ désespéré pour la Touraine, peut-être idées de suicide [1]. C'est aussi l'année où le destin d'« une [autre] pauvre jeune fille » (Laurence Balzac, épouse Montzaigle, rejetée par les siens) commence à prendre tout son sens au yeux de son frère romancier. Une année repère donc.

---

1. Voir *Balzac et le mal du siècle,* tome I, p. 687-688.

Une année d'éducation et de découverte du monde. Les nécessités de la cohérence narrative l'emportaient sans doute sur la confidence, mais celle-ci ne peut pas ne pas être connotée par le remaniement. Autre révolution, vraie, vécue, celle-là. Mais 1819 n'est pas indifférent non plus : c'est l'année où Balzac s'est installé rue Lesdiguières, dans sa mansarde, pour y faire fortune par la littérature : autre année cruciale. Balzac n'eut sans doute pas à faire grand sacrifice pour renoncer à 1824 et peut-être les nécessités ci-dessus alléguées de la cohérence narrative n'eurent-elles pas trop à faire violence à ce qui relevait quand même, mais à un autre niveau, de la confidence : 1819, pour Balzac comme pour Rastignac est une merveilleuse et bien terrible année zéro.

Bilan, quoi qu'il en soit : la pension ouvre en pleine haute époque révolutionnaire, l'an II de la République, l'an des soldats du même millésime, et alors que se constituent de nouvelles fortunes. Mais d'où vient Mme Vauquer et quel est son passé?

Il sera précisé que Mme Vauquer avait quarante-huit ans en 1813, l'année de l'arrivée de Goriot (27). Ceci n'est toutefois que l'état III (première édition Werdet) du texte. Balzac ayant successivement donné comme date de la retraite et de l'arrivée de Goriot :

— I : 1817, soit au moment où l'on croit encore à la Restauration (évacuation du territoire; la gauche constitutionnelle gouverne).

— II : 1814, soit l'année de la chute de l'Empire et du retour de la paix.

a) Goriot pense qu'il va être tranquille, heureux, au moment où la France, elle aussi, croit qu'elle va être tranquille et heureuse. L'abîme des révolutions est fermé. Louis XVIII l'a dit. Les forces saines et raisonnables gouvernent. La terreur blanche de 1814 et 1815 est oubliée. La réaction ultra de 1822 (ministère Villèle) est encore loin et n'est pas même soupçonnable. En 1816, Louis XVIII, gêné dans sa politique de « fusion », a dissous la chambre introuvable et durement frappé les fanatiques ultras.

b) Goriot pense qu'il va être tranquille, heureux au

un moment où sous des apparences de modération et de raison, se met en place un système (affairisme, déchaînement des passions ultras et de l'égoïsme mondain) qui va se manifester quelques années plus tard. En 1818, des élections seront un succès pour la gauche; il y aura des troubles à Paris (allusion p. 156) et des lézardes apparaîtront.

Dans les deux cas, la dégradation de la situation sociale et politique accompagnera (ou sera signalée par) la dégradation de la situation de Goriot (causes : l'affairisme et l'exaspération des passions mondaines). La version II, avec la date de 1819, pour ce qui est du début de l'histoire, précise les choses pour le lecteur d'aujourd'hui qui sait. C'est en 1819 qu'Honoré salue avec enthousiasme l'élection — qui fit scandale — du régicide abbé Grégoire. Avec, en arrière-plan, les troubles de 1818 et leurs provocations policières, les allusions aux manipulations électorales visant à lutter contre la poussée de la gauche (« lire sur un bulletin Villèle au lieu de Manuel », 122), l'évocation des étudiants libéraux, notamment Bianchon, méfiant à l'égard de la police (156) et lecteur du *Pilote* (218), Balzac obtient une mise en perspective nouvelle : la belle Restauration commence à craquer, les forces de la jeunesse rompant avec un régime conservateur, réactionnaire et provocateur. Et puis, autre connotation personnelle, 1819, n'est-ce pas l'année où, renonçant aux sages et patientes méthodes « réalistes » bourgeoises (être notaire, épouser une héritière), Balzac se lance à la conquête de Paris? Tout ceci peut (et doit) être lu. En tout cas, l'histoire de la pension Vauquer et de ses révolutions est nettement encadrée :

Mme Vauquer voit tomber Louis XVI	Mme Vauquer avant 1794 (?)	1794 ouverture de la pension la spéculation	Mme Vauquer voit tomber Napoléon	1819 début de l'histoire. La Restauration évolue et devient problématique. Relance des luttes de classes	1834-1835 lecture

Mais tout ceci, que peut recomposer la lecture, est dit en même temps par l'histoire — elle aussi à lire sous un texte qui se garde de tout dire — d'un personnage en apparence simple utilité ou comparse romanesque, en fait au centre d'un autre roman, celui de toute une époque, qui va commander et faire signifier l'autre roman, le roman pour lecteur dans son fauteuil. L'histoire de Mme Vauquer, tout un passé que l'on entrevoit et que l'on aurait pu connaître (il n'y aurait eu aucune raison, dans la perspective et la pratique balzaciennes du roman, pour que Rastignac ne se renseigne pas sur le passé de la patronne comme il le fait sur celui du père Goriot), n'est pas séparable de cette mise en place du décor historique.

Reste en effet le problème de Mme Vauquer avant 1794. Mme Vauquer a quarante-huit ans en 1813 (27). Elle est donc née en 1765, et elle avait vingt-quatre ans en 1789, vingt-huit en 1793 lorsque Louis XVI a eu son « accident ». Lorsqu'elle ouvre sa pension elle a vingt-neuf ans, ce qui est déjà dans cette société l'âge de la retraite pour une femme (on sait que ce sera l'une des révolutions balzaciennes que de dire que la femme de trente ans est encore une femme et que pour elle commence une nouvelle vie plus intéressante que la première). Or, l'allusion des pages 241-242 prouve que l'histoire (objective) de Mme Vauquer et ses réflexions sur le monde (son histoire subjective) commencent bien avant 1794. Le texte le dit d'ailleurs : Mme Vauquer a eu « des malheurs », conséquences d'un mariage malheureux, qui l'ont conduite rue Neuve-Sainte-Geneviève. Il faut peser ces paroles :

> [...] nous avons vu Louis XVI avoir son accident, nous avons vu tomber l'Empereur, nous l'avons vu revenir et retomber, tout cela c'était dans l'ordre des choses possibles; tandis qu'il n'y a point de chances contre des pensions bourgeoises : on peut se passer de rois, *mais il faut toujours qu'on mange;*

L'histoire peut s'écouler. Les pensions sont une nécessité. Ayant perdu une bataille, Mme Vauquer estime qu'elle n'a pas perdu la guerre, et elle décide de jouer une meilleure carte. Comme le père Guillaume (dans *la Maison du Chat-qu-pelote*) pensait que, sous tous les régimes, on avait besoin des marchands de drap. Il y a là déjà une constatation, un jugement, une leçon qui sont d'importance : scepticisme historique, importance des facteurs économiques et matériels persistants, non-vue que l'économique commande le politique, vue un peu courte des réalités économiques. Mais il faut préciser. Qui était cette femme de trente ans, qui, au fort de la Terreur, est allée se réfugier rue Neuve-Sainte-Geneviève?

Oui : reste bien le problème de Mme Vauquer avant 1794. Elle a eu « des malheurs ». Son mari s'est mal conduit envers elle et ne lui a laissé « que les yeux pour pleurer, cette maison pour vivre, et le droit de ne compatir à aucune infortune, parce que, disait-elle, elle avait souffert tout ce qu'il est possible de souffrir » (14). C'est-à-dire qu'il lui a mangé sa dot. Était-elle fille de bonne famille, comme ce jeune étudiant du troisième aujourd'hui? Née « de Conflans », elle le laisse entendre. Mais on comprend aussi, après coup, que ces quelques mots de la phrase d'ouverture ne sont pas une précision objective, qu'ils rapportent au style indirect, et sans même les guillemets habituels pour signal, des *paroles* de Mme Vauquer : « quoique née de Conflans », Mme Vauquer s'obstine à dire les « tieuilles » pour les « tilleuls » [2]. Sa mauvaise éducation originelle se trahit, et l'on en vient à se demander si ce nom « de Conflans » ne serait pas quelque nom de guerre, un peu comme celui de la fameuse « comtesse » de l'Ambermesnil. Ancienne fille publique, l'épouse du colonel comte Chabert n'avait-elle pas, elle aussi, des défauts de prononciation qui trahissaient ses origines? On devine de grands naufrages privés parallèles à de grands événements historiques. Pour ce qui est de la date, on peut imaginer que c'est aux alentours de 1789 que se situe la catastrophe conjugale de Mme Vauquer. Elle a dû y attacher plus d'importance qu'à la Révolution, laquelle d'ailleurs ne changeait rien dans la vie privée ni dans la condition de la femme. Qu'a fait, qu'est devenue Mme Vauquer entre sa

---

2. Nicole Mozet remarque à très juste titre que, disant « tieulles », Mme Vauquer non seulement dépoétise les tilleuls du jardin, mais les rend irréels, trompeurs, comme la tapisserie du festin de Télémaque dans cette salle à manger, où l'on mange si mal; bien plus que le rapport d'un tic pittoresque de langage de Mme Hanska, il y a là un trait de signification. Balzac la taquinait à ce sujet?

catastrophe conjugale (un roman qui se devine mais qui ne sera jamais écrit, un autre vide de *la Comédie humaine*) et l'installation de la pension? Quelle était la nature exacte de cette pension (de cette maison)? Quelques éléments permettent peut-être de se faire une idée.

Nous voici, en effet, étrangement alertés. Pourquoi Mme Vauquer a-t-elle « l'œil vitreux, l'air innocent d'une entremetteuse prête à se gendarmer pour se faire payer plus cher » (13)? Pourquoi a-t-elle « ce sourire prescrit aux danseuses » (ibid.)? Pourquoi est-il dit qu'elle « est prête à tout pour adoucir son sort, à livrer Georges ou Pichegru, si Georges ou Pichegru étaient encore à livrer »? Pourquoi évoquer en elle l'indicatrice possible? Pourquoi cette mise en relation potentielle avec la police? Balzac avait déjà évoqué en 1829, dans *le Dernier Chouan,* la figure d'une jeune fille qui, ayant eu des malheurs, se mettait (elle aussi, « pour adoucir son sort ») au service de Fouché et s'en allait en mission dans l'ouest pour livrer un chef chouan. Mais il ne s'agit pas de notations isolées et ce qui est à moitié dit oriente la réflexion. Pourquoi, cette autre précaution? Mme Vauquer tient une pension bourgeoise, qui, nous est-il précisé, reçoit *également* hommes et femmes, jeunes gens et vieillards « sans que jamais la médisance ait attaqué les mœurs intérieures [*intérieures* sera supprimé seulement dans VII] de ce respectable établissement »? Une maison meublée est donc ou peut donc être suspecte dès lors qu'elle admet des hommes et des femmes? Le thème figure dès 1822 dans *le Nègre,* avec cette auberge de Sèvres soupçonnée d'abriter des amours illégitimes et d'être une maison de rendez-vous. Mais voici plus. Parmi les pensionnaires figure une ancienne fille publique, Mlle Vérolleau (I, puis à partir de II Michonneau). Cette fille sera une indicatrice de la police qui a sûrement barre sur elle. Pourquoi (217) Mlle Michonneau dit-elle (II) « j'entends *la* Vauquer »? Et pourquoi (230) Mme Vauquer dit-elle « allez chez *la* Buneaud »? N'est-ce pas là le langage des filles et des « patronnes »? Et pourquoi, dans le registre symbolique, cette statue écaillée de l'amour? Ces allusions aux maladies vénériennes et à l'hôpital où on les soigne à deux pas de là? Pourquoi Mme Vauquer songe-t-elle à se faire épouser par Goriot, qu'elle a accusé avec le coup d'œil que l'on devine d'être un « galantin » (26), et à devenir une respectable bourgeoise? Pourquoi, lorsqu'elle se brouille avec Goriot, le soupçonne-t-elle si facilement d'être « un vieux libertin [...] auquel il fallait des petites filles » [II : qui avait des goûts étranges] (35)? Pourquoi dit-elle qu'il s'est crevé à coup [d'aphrodisiaques, I], de drogues (II)? Mme Vauquer, fille de bonne famille qui a eu des malheurs, semble bien au courant de certaines choses. Et cette intimité qui s'établit si vite avec l'aventurière Ambermesnil? Une simple femme de trente ans au passé meurtri aurait-elle de ces coups d'œil et de ces habiletés? La question vaut d'être posée. Mme Vauquer dit encore de Goriot que c'est un vieux matou, trouve naturel qu'un homme riche ait quatre ou cinq maîtresses et juge le bonhomme fort adroit de les faire passer pour ses filles. Mme Vauquer s'y connaît en vigueur sexuelle et en stratégie amoureuse. Pourquoi dit-elle à Eugène qu'il a « mis la main au bon endroit » (215)? La raison paraît au moins clairement suggérée : Mme Vauquer est soit une ancienne fille, soit une ancienne tenancière de maison de prostitution, soit une ancienne « marieuse » qui aspire à la bourgeoisie, mais qui a gardé des réflexes et des habitudes.

Simple pittoresque personnel ou parisien? Certainement pas. Les personnages n'existent et ne signifient que dans et par un système de relations. La biographie de Mme Vauquer, quoique seulement dite en partie et par flashes qui permettent au lecteur de la recomposer, relève de beaucoup plus que de la simple chose vue. La petite littérature réaliste était pleine de pensions bourgeoises et de « patronnes », mais elle n'allait pas au-delà de l'immédiat. Balzac va plus loin. Pourquoi en effet ce rapprochement Pension-Mme Vauquer/bagne/argousin (13)? Balzac prépare certes l'apparition dans son texte de la police, du forçat évadé. Mais il s'agit aussi de quelque chose de plus profond. Balzac écrit dans le manuscrit que, dans cette salle de la pension « suinte le malheur et la spéculation », et P.-G. Castex commente :

> Ces mots sont obscurs : aucun « spéculateur », au sens propre, ne s'est blotti dans la Maison-Vauquer. Balzac

songe, croyons-nous, à la « spéculation » mentale de ceux qui, comme Rastignac, se consolent de leur misère présente en nourrissant des projets d'avenir. (13)

Mais tel ne semble pas être le sens, et le premier texte en propose la preuve : le malheur est celui de Mme Vauquer, femme tombée, et la spéculation c'est la sienne, qui gagne sa vie à exploiter cette minable institution. Tout se tient : des malheurs privés, une profession louche, un passé obscur, des habitudes prises et des réflexes « professionnels ». Mme Vauquer a beaucoup vécu. Qu'on ajoute la police. On est dans les bas-fonds. Or tout ceci s'est développé sur le fond historique de la révolution. Mais *quelle* révolution? Il faut à présent dénombrer les affleurements.

Dénotations, allusions, affleurements, retours	Significations et connotations
1. L'amour écaillé, le distique de Voltaire. (8)	— Un certain style XVIIIe siècle et « douceur de vivre ». — Voltaire comme écrivain mondain. — Que reste-t-il de M. de Voltaire en 1819? Qu'en a retenu l'idéologie petite-bourgeoise?
2. L'arrestation de Cadoudal et Pichegru. (13)	— La crise de la Révolution (le traître Pichegru, le chouan Cadoudal, qui font quand même figures de héros). — Dégénérescence policière de la Révolution. — Corentin.
3. « un commissaire ordonnateur de la République française ». (14)	— L'univers éventuellement louche des fournisseurs et de leurs relations avec l'appareil d'État. La Révolution et l'intendance. — Mais aussi les grands corps nouveaux de l'État.

4. « un jeune malheur ». (20) La religion de Victorine.	— Les victimes de la fidélité. Les purs hors-circuit. Ceux qui n'ont pas profité de la Révolution (Victorine) et Nucingen ou Goriot. — Signification de la religion contre l'immoralisme des profiteurs « laïcs » de la Révolution.
5. Les inscriptions de Goriot sur le grand livre. (27)	— Les nouvelles formes de l'argent. L'État révolutionné consolide les fortunes spéculatives.
6. « les Bureaux ne terminent rien ». (30) La pension d'un vieux serviteur de la République.	— L'ingratitude de l'État. — La dégénérescence bureaucratique. — Les carrières individuelles et les soucis de famille, restes de l'épopée. — Les profiteurs (Taillefer) ne sont pas nécessairement hommes de famille.
7. Les « phrases à la Talleyrand ». (67)	— Dégénérescence « diplomatique » et cynique de la vertu révolutionnaire.
8. Les Marcillac, les Restaud, le *Warwick*. (72-73)	— Les grandes familles ci-devant; les guerres de Louis XV. — Le retour de la noblesse. — Le descendant du commandant du *Warwick* a épousé une fille Goriot.
9. Le vaisseau *le Vengeur* « avant 1789 » [I : « avant la Révolution »].	— Continuité de la monarchie à la Révolution, en passant par la guerre de l'indépendance américaine; sous la Révolution *le Vengeur* avait été rebaptisé *le Vengeur-du-Peuple*. — Que reste-t-il du combat naval héroïque de 1794?

10. « Le gouvernement révolutionnaire [I : la révolution] n'a pas voulu admettre nos créances dans la liquidation qu'il a faite de la Compagnie des Indes ». (73)	— La marine royale et les guerres coloniales. — Les intérêts de l'aristocratie dans les sociétés capitalistes. — Le remaniement du capitalisme par la Révolution dans l'intérêt exclusif de la bourgeoisie. — Le scandale de la Compagnie des Indes et les révolutionnaires compromis.
11. Une fille de vermicellier et une fille de pâtissier [I : de *fournisseur*] présentées à Louis XVIII.	— La vraie Révolution. — L'intégration à la société restaurée. — Les bons mots de Louis XVIII *(ejusdem farinae),* signes d'impuissance de la monarchie face à l'argent. « Aucun souverain ne peut atteindre l'argent ».
12. « ce Moriot a été président de sa section pendant la Révolution; il a été dans le secret de la fameuse disette, et a commencé sa fortune par vendre dans ce temps-là des farines dix fois plus qu'elles ne lui coûtaient. Il en a eu tant qu'il en a voulu. L'intendant de ma grand-mère lui en a vendu pour des sommes immenses. Ce Goriot partageait sans doute, comme tous ces gens-là, avec le Comité de Salut Public. Je me souviens que l'intendant disait à ma grand-mère qu'elle pouvait rester en toute sûreté à Grandvilliers, parce que ses blés étaient une excellente carte civique ». (90-91)	— Les raisons d'être dans le gouvernement révolutionnaire (voir n° 16). — Les spéculations sur les subsistances. — Comment l'aristocratie a « vécu » et survécu. — La réalité révolutionnaire en province.

13. « Vous comprenez bien que, sous l'Empire, les deux gendres ne se sont pas trop formalisés d'avoir ce vieux quatre-vingt-treize chez eux; ça pouvait encore aller avec Buonaparte ». (91)

- La « fusion » opérée par l'Empire entre le personnel révolutionnaire et le personnel d'ancien régime.
- Goriot caution de Restaud auprès du nouveau pouvoir.
- Dégénérescence bourgeoise de la société révolutionnaire en société révolutionnée.

---

14. « Mais quand les Bourbons sont revenus, le bonhomme a gêné monsieur de Restaud, et plus encore le banquier ». (91)

- La continuité société révolutionnaire-société révolutionnée.
- Nucingen obligé de se couvrir plus que Restaud.
- La Révolution récupérée et occultée.
- La réaction blanche.

---

15. « si vous avez un sentiment vrai, cachez-le comme un trésor ». (93)

- Disparition de la « vertu ».
- La vie privée l'emporte sur la vie publique et sur l'Histoire, l'individu sur le citoyen.

---

16. « [Il] avait eu le gros bon sens d'accepter la présidence de sa section, afin de faire protéger son commerce par les personnages les plus influents de cette dangereuse époque ». (101)

- Les raisons d'être dans le gouvernement révolutionnaire (voir n° 12).

---

17. « la disette [...] à Paris ». (101)

- L'accaparement et la spéculation.
- Occultation des misères réelles sous la Révolution.

---

18. « le citoyen Goriot ». (102)

- On ne dit plus « citoyen ».
- Qu'y avait-il derrière l'idéologie et la phraséologie citoyenne? (*cf.* le citoyen Grandet).
- L'ironie des aristocrates a une portée objective antibourgeoise.

19. « Deux sentiments exclusifs avaient rempli le cœur du vermicellier, en avaient absorbé l'humide, comme le commerce des grains employait toute l'intelligence de sa cervelle ». (103)	— L'homme privé l'emporte sur le citoyen.
20. « pour voir s'il y a un Être-Suprême ». (119)	— Que reste-t-il d'une des illusions révolutionnaires (moraliser et unifier la vie)?
21. « Ayez des protections, vous serez procureur du roi à trente ans, avec mille écus d'appointements, et vous épouserez la fille du maire. Si vous faites quelques-unes de ces petites bassesses politiques, comme de lire sur un bulletin Villèle au lieu de Manuel (ça rime, ça met la conscience en repos), vous serez à quarante ans, procureur général, et pourrez devenir député. » (121-122)	— La dégénérescence carriériste des fonctions publiques. L'État en proie aux ambitions. — Rapports de la politique et de l'administration. — Pas de contre-valeurs ni de contre-pratiques démocratiques. — Naissance de l'apolitisme.
22. « Si je vous parle ainsi du monde, il m'en a donné le droit, je le connais. Croyez-vous que je blâme? du tout. Il a toujours été ainsi. Les moralistes ne le changeront jamais. L'homme est imparfait ». (125)	— Mort de l'idéalisme et de l'optimisme révolutionnaire et philosophique. — Vautrin se dira pourtant disciple de Rousseau (lequel? et comment lu?). — Nouvelles théorisations bourgeoises.
23. « Napoléon a rencontré un ministre de la guerre qui s'appelait Aubry, et qui a failli l'envoyer aux colonies ». (125)	— Dégénérescence carriériste de la Révolution. — Le hasard remplace la raison. — Le nez de Cléopâtre.
24. « Je serai monsieur Quatre-Millions, citoyen des États-	— La fin des illusions sur les États-Unis (*cf.* Stendhal).

Unis». (126)	— La remise en perspective de la guerre d'Indépendance (voir *Jean-Louis,* 1822). — La visée carriériste et bourgeoise des révoltes non révolutionnaires.
25. « Le père Taillefer est un vieux coquin qui passe pour avoir assassiné l'un de ses amis pendant la Révolution ». (129)	— L'origine des fortunes. — Ce qui se passait *aussi* pendant la Révolution.
26. « Il est banquier, principal associé de la maison Frédéric Taillefer et compagnie. Il a un fils unique, auquel il veut laisser son bien, au détriment de Victorine. Moi, je n'aime pas ces injustices-là ». (129)	— Dégénérescence aristocratisante de l'idéal citoyen (fonder un majorat?). — Relève de l'idéal de justice révolutionnaire par les asociaux et les révoltés. — Mais ceci dans une perspective purement individualiste (le dessein de Vautrin).
27. Le colonel comte Franchessini. (130-131)	— Les ralliements et le carriérisme dans l'armée. — Le soldat devenu spadassin (voir *la Rabouilleuse*).
28. « Il n'y a pas de principes, il n'y a que des événements ». (130)	— Mort de la philosophie « philosophique » de l'Histoire. Liquidation du XVIIIe siècle et des Lumières.
29. Talleyrand et La Fayette.	— Double dégénérescence cynique et irréaliste de l'idéologie révolutionnaire (Talleyrand ambassadeur en juillet-août 1830; La Fayette truqueur de Juillet).
30. « Pourquoi deux mois de prison au dandy qui, dans une nuit, ôte à un enfant la moitié de sa fortune, et pourquoi	— Les lois nouvelles : le Code civil et le Code pénal. — Les nouveaux rapports de force et leur nouvelle codifica-

le bagne au pauvre diable qui vole un billet de mille francs avec les circonstances aggravantes? Voilà vos lois». (132)	tion juridique.
31. « Vos lois». (132)	— *La* Loi devenue *vos* lois (voir *la Peau de Chagrin :* « vos révolutions manquées»). Fin du mythe révolutionnaire. — L'individu conscient et conséquent nécessairement hors-la-loi.
32. « Les peuples ont la liberté pour idole; mais où est sur la terre un peuple libre? ». (133)	— La retombée du peuple (voir l'acceptation de 1830). — Il n'y a plus de force de relève. — La liberté devenue fétiche.
33. «*Le Français aime le péril, parce qu'il y trouve la gloire,* a dit monsieur de Chateaubriand, répondit Rastignac en s'inclinant». (140)	— Les lieux communs semeurs de confusion. — L'unité factice des « Français ». — La droite gouverne.
34. La maréchale de Carigliano. (146)	— Fusion de la noblesse d'Empire et de la vieille noblesse. — Dégénérescence des classes politiques révolutionnaires.
35. « Dis donc, reprit l'étudiant en médecine, en sortant du cours de Cuvier au Jardin-des-Plantes, je viens d'apercevoir la Michonneau et le Poiret causant sur un banc avec un monsieur que j'ai vu dans les troubles de l'année dernière aux environs de la Chambre des Députés, et qui m'a fait l'effet d'être un homme de la police, déguisé en honnête bourgeois vivant de ses rentes». (156)	— Les étudiants libéraux et l'agitation persistante. — Un certain mépris pour les classes inférieures.

36. « Le siècle est mou ». (180)	– « Ce siècle est grand et fort » (Hugo); « Nous, enfants du siècle et de la liberté » (Balzac, *Sténie,* 1821); « Ce siècle a reçu un baptême de gloire et de raison » (Balzac, *Wann-Chlore,* 1822). – Dégénérescence bourgeoise d'un siècle d'abord fier. – De l'énergie au Juste-Milieu.
37. « monsieur Vautrin qui, tu le vois, est plein de religion ». (209)	– La religion parodique; renaissance de Tartuffe. – Dégénérescence de l'idée rousseauiste et robespierriste d'Être Suprême et de conscience morale. – Victorine piégée.
38. « Eh bien! lui cria Bianchon, as-tu lu *Le Pilote?* ». (218)	– *Le Pilote* journal libéral. – Les étudiants libéraux. – Pas de réelle relève à gauche sinon dans les sentiments.
39. « Mais, lui dit Eugène, aujourd'hui le monde est donc renversé? ». (233)	– La vraie révolution : les problèmes revenus au seul niveau de la vie privée. – Illusion de la révolution privée qui refait le monde.
40. « vois-tu, nous avons vu Louis XVI avoir son accident, nous avons vu tomber l'Empereur, nous l'avons vu revenir et retomber, tout cela c'était dans l'ordre des choses possibles; tandis qu'il n'y a point de chances contre des pensions bourgeoises : on peut se passer de roi, mais il faut toujours qu'on mange ». (242)	– Déclassement des révolutions. – La vie est-elle changée? – Philosophie de l'Histoire? – Vérité quand même de ce matérialisme.
41. « Je me connais encore un	– Goriot connaît le code de la

peu aux affaires. Il a, dit-il, engagé ses fonds dans les entreprises, eh bien! ses intérêts sont représentés par des valeurs, par des reconnaissances, par des traités! qu'il les montre, et liquide avec toi. Nous choisirons les meilleures spéculations, nous en courrons les chances, et nous aurons les titres recognitifs en notre nom de *Delphine Goriot, épouse séparée quant aux biens du baron de Nucingen* ». (251-252)	société nouvelle. — Le lieu, désormais, du vrai combat.
42. « Eh quoi! j'aurai travaillé pendant quarante ans de ma vie, j'aurai porté des sacs sur mon dos, j'aurai sué des averses, je me serai privé pendant toute ma vie pour vous, mes anges, qui me rendiez tout travail, tout fardeau léger et aujourd'hui ma fortune, ma vie s'en iraient en fumée! Ceci me ferait mourir enragé ». (252)	— La vraie révolution : les fortunes. — Fragilité et précarité de ces révolutions.
43. « Mais il y a une place de Grève pour les gendres de cette espèce-là, s'écria le père Goriot; mais je le guillotinerais moi-même s'il n'y avait pas de bourreau ». (253)	— Souvenir de quatre-vingt-treize. — De la guillotine politique à la guillotine de droit commun.
44. « J'assassinerai cet homme ». (257) « Je tuerai cet homme ». (262)	— Voir n° 42. — Privatisation de la « justice ». — Disparition de toute dimension collective de la justice.
45. « L'argent donne tout, même	— Disparition de l'idée rous-

des filles ». (289)	seauiste de la famille. — La famille menacée et pervertie par l'argent et non plus seulement par le libertinage aristocratique (Don Juan, Lovelace).
46. « La patrie périra si les pères sont foulés aux pieds ». (291)	— « La patrie est en danger », « Allons enfants de la patrie » : tics de langage désormais. — La patrie ramenée à la vie privée. — Atomisation individualiste de l'idée de patrie.
47. « A mort le Restaud ! ». (295)	— « Les aristocrates à la lanterne ! » — L'alibi bourgeois de la haine pour les aristocrates et pour les « grands seigneurs ». — L'alibi bourgeois de la lutte contre l'aristocratie de la Restauration. — Occultation de la solidarité aristocratie-bourgeoisie capitaliste.
48. « A mort l'Alsacien ! ». (295)	— L'alibi xénophobe ou para-raciste. — L'ennemi bourgeois de la vie n'est pas nommé en tant que tel. — Pas de relance révolutionnaire vraie, mais simple violence individuelle et aveugle.
49. Les deux voitures armoriées vides du Père-Lachaise.	— Fusion mondaine de l'argent et des titres. — Images creuses des nouvelles couches dirigeantes. — Silence et impuissance de Bianchon qui glisse vers la périphérie du roman et de l'Histoire.

50. « A nous deux maintenant! ». (309)	— « De l'audace, toujours de l'audace! » — Dégénérescence privée et perversion morale de l'énergie. — La nouvelle énergie de fait. — L'alibi de la lutte pour la Justice (venger Goriot).

Ces repérages sont parlants. S'ils ne définissent pas une structure du récit, ils définissent bien cependant un sens, quelque chose qui se dit non par une intrigue, mais par une manière globale d'être et de s'écrire, quelque chose qui ne passe pas par l'histoire mais qui passe par un discours à la fois romanesque et philosophique. C'est là une trame thématique qui renvoie nécessairement à une genèse, à un processus : état de corruption, inséparable d'une Histoire qui s'est corrompue. On aura remarqué tous les creux, toutes les inversions, toutes les parodies et toutes les dénaturations. La caricature et la farce rejoignent, dans le vulgaire et le brutal, dans le mystifié et le mystifiant, les énergies, les « à nous deux! », qui reprennent toutefois comme ils peuvent, et non sans avenir (on verra à quelles conditions), tout le vouloir-vivre d'une humanité libérée, mais désormais simplement lâchée, pour lequel avait figuré la Révolution Française. Ici éclate la contradiction : révolution dégradée, révolution en fragments ou mollesses, révolution en mouvements, désirs et poussées; révolution avachie, révolution de l'ambition sauvage et du vouloir vivre individualiste. Les deux se tiennent et doivent être lus dans leur articulation.

La Révolution dégradée s'est écaillée comme l'amour. Nul vieux soldat ne viendra parler de Jemmapes, de Fleurus, de Valmy : absence équivalente à celle, dans *la Comédie humaine,* des héros des barricades de juillet. Le matériel romanesque parle. Le seul fil qui court réellement dans le roman est celui d'une révolution qui ne laisse derrière elle que déchets ou perversions. Où est ici l'éclat de l'entrée des Français à Milan en 1796? Où est le prestige du « Rouge », héritier de celui des pousse-cailloux devenus maréchaux d'Empire? L'Empire n'est présent que par les mondains Carigliano, là-bas, dans le beau monde, qui se moquent bien de la Révolution. Dès lors, la figure de Mme Vauquer, rescapée de tant de choses, témoin triste et cynique, l'emporte sur d'autres figures rayonnantes qui sont tout simplement impossibles et dont l'élection par le roman serait mystifiante. Un peu de pure lumière tombe encore sur le visage de Victorine : son père a été l'un de ces fonctionnaires dévoués au bien public et capables que la France révolutionnaire avait investis de responsabilités et que les bureaux aujourd'hui ignorent. Mais Victorine est transparente, un peu irréelle, image d'une vie qui n'a pas pris et qui ne prendra pas. Madame Vauquer, elle, est dense et présente. Elle parle beaucoup. Pour ne rien dire. Prostitution, spéculation, police, louche et trouble existence, une révolution, des révolutions qui ne font qu'user, et sur lesquelles on médite. Une révolution, des révolutions, des catastrophes, des accidents, comme un immense brouillage de l'histoire publique et privée, aucune ligne claire, sinon cette bestiale nécessité de manger, et cette petite république de la rue Neuve-Sainte-Geneviève dominée par la figure de la grosse Sylvie. Importance et promotion de la cuisinière, chœur, souvent, à la mesure des événements. Nulle épopée. Nulle ardeur. Nulle inquiétude. Bianchon et les étudiants sont libéraux, mais sans grande force, et ils sont isolés, définissant une sorte d'aristocratisme intellectuel et moral, mais dont on ne voit pas l'avenir, dans un univers livré à la vulgarité. La révolution est comme du lait tourné ou le haricot de mouton de la grosse Sylvie qui a attaché. L'ardeur, pourtant, est là aussi. Mais laquelle?

Vie parisienne et usure vitale

« Histoire parisienne » dès sa publication en revue, « scène de la vie parisienne » dans *la Comédie humaine* de 1843 avant de devenir in extremis « scène de la vie privée », il est dit de l'histoire du *Père Goriot* dès les premières pages : « sera-t-elle comprise au-delà de Paris? Le doute est permis ». Qu'est-ce que cela signifie? Paris et la ville comme réalités à part, ce n'est pas là un thème neuf. Il suffit de relire les *Satires* de Boileau, les *Lettres persanes,* le *Tableau de Paris* de Sébastien Mercier ou les nombreux textes des *Hermites.* Mais il ne s'agit pas ici de pittoresque, de reportage ou de nouveautés. Il s'agit de relations et de leur nature. Il s'agit de l'endroit où se saisissent avec le plus d'intensité les (nouveaux) rapports qui s'établissent entre les hommes et les lois (nouvelles) de la vie. Dès lors, est-on si loin de ces *Contes,* bientôt de ces *Études philosophiques* qui entendront se donner comme illustrations et élucidations des mystères fondamentaux? Y a-t-il dissonance et rupture, en 1834-1835, dans la pratique littéraire balzacienne?

On notera d'abord que le thème fondamental de l'usure vitale (thème depuis longtemps mis en perspective avec le « Est-ce ma faute si le libéralisme devient La Fayette? » de *la Peau de chagrin,* même s'il est alors volontiers présenté dans un éclairage métaphysique) est à l'œuvre dans *le Père Goriot,* simplement avec du langage en moins. Goriot s'est usé et s'use pour rien à partir du moment où il a changé de système et où il est entré dans l'enfer de l'analyse et du désir. Anastasie et Delphine, dont le malheur, et les malheurs qu'elles ont causés, datent du jour où elles aussi se sont mises à penser, à vouloir et à désirer s'usent et usent autour d'elles sans parvenir à rien. Rastignac seul échappe au mécanisme infernal : c'est que, s'il pense et désire, c'est dans un registre bien différent de tous ces autres héros piégés. Penser, dans cette société, ne peut être autre chose que désirer, la pensée ne pouvant fonctionner que selon le désir, non plus selon la nature et la spéculation désintéressée, non dramatique, dans un univers stable. Les *faits* sont donc les mêmes que dans les *Contes* et les *Études philosophiques.* Mais quelque chose a disparu : ce que Bardèche appelle « la pensée sur le monde », c'est-à-dire une théorisation philosophique abstraite. On aura bien ce qu'on pourrait appeler le « discours sur le monde » de Vautrin ou les réflexions de Rastignac, mais concrets, et n'allant jamais aux sommets abstraits de l'antiquaire et de Louis Lambert. Il y a bien aussi un prophète au cœur du roman de 1834-1835, mais c'est un analyste réel pratique, non un visionnaire, la synthèse Gobseck-antiquaire-Vautrin (le pouvoir de l'or, mais aussi la folie des passions, auxquelles soi-même on échappe mal) ne devant s'opérer que dans la réédition, fin 1835, des *Dangers de l'inconduite* sous le titre *le Papa Gobseck.* Et quant au jeune héros, il n'a jamais rêvé d'écrire un *Traité* (Lambert) ni une *Théorie de la volonté* (Raphaël). Pourquoi ce changement de style et de front? « Histoire parisienne », *le Père Goriot,* bien avant que les nécessités du roman-feuilleton puissent en rendre compte, comme pour ces *Scènes de la vie parisienne* qui se multiplient à la fin de la carrière, élimine semble-t-il de par son sous-titre même le sujet ouvertement philosophique. Il n'est pas nécessaire d'évoquer la nécessité de faire pièce au triomphant Eugène Sue ni celle de plaire à des lecteurs de journaux avant tout avides d'aventures. Après tout, les lecteurs de la *Revue de Paris* s'étaient vu offrir *Séraphîta* et il avait fallu leur faire des excuses, parce qu'à la place de la suite on leur donnait cette histoire de pension bourgeoise. Le problème n'est donc pas de nature tactique, et il se trouve que les éléments de réponse fournis constituent quand même une avancée par rapport aux constatations para-nihilistes de l'époque philosophique.

Il s'agit en fait d'un problème d'ajustement et d'enracinement. Les *Contes philosophiques* ne faisaient référence à la réalité moderne, et notamment à Paris, que de manière très indirecte. Paris n'était pas directement sujet mais cadre n'ayant finalement — c'est le cas de *la Peau de Chagrin* — que valeur illustrative ou de renvoi pour un sujet, lui, philosophique, qui pouvait très bien être traité dans un autre système de références (par exemple la légende ou l'exotisme dans *l'Élixir de longue vie* ou *Sarrasine*). Avec la *Femme Abandonnée* (1832), avec *Eugénie Grandet* (1833), Balzac était revenu, par-dessus les *Contes philosophiques,* à la description du réel. Mais du réel *provincial,* et dans la *Confession du médecin de campagne* (version censurée inédite aussi bien que version publiée), le Paris du quartier Latin, des pensions bourgeoises et des découvertes du jeune homme, n'était évoqué que de manière rapide et abstraite, par un détour et par un retour en arrière, l'essentiel du récit demeurant l'entreprise de Benassis dans son village de montagne. Faisant appel à l'occasion au réel immédiat, les *Contes* et *Études philosophiques* insistaient sur l'explication dramatique du vécu moderne. Jouant à fond la carte du quotidien, du vrai, de la phénoménologie, les *Études de mœurs* et les nouvelles *Scènes de la vie privée* insistaient sur l'enracinement du tragique dans les structures. *Mais c'est à Paris et dans la vie parisienne que se rejoignent les deux éléments : c'est à Paris que tout brûle et que tout est vrai.* Bardèche dit très bien que Raphaël réfléchissait sur le monde et que Rastignac songe à marier ses sœurs. Mais il ne s'agit pas ici de retombée. Il s'agit du passage à autre chose. L'effort que soutient Balzac depuis ses premiers essais pour coudre ensemble vérité et fantastique, intimisme et tragique, moderne et légendaire, pour tout dire réalisme et mythe, trouve ici un accomplissement. *Le Père Goriot* s'inscrit d'ailleurs de droit fil à la suite de deux grands textes qui le précèdent de quelques mois : l'introduction de *Ferragus* et celle de *la Fille aux yeux d'or,* dans lesquels Balzac esquissait une présentation épique et dantesque de Paris. Mais la nouveauté et la mutation, par rapport même à ces deux textes, se trouve dans la présence, au cœur de l'enfer dévorant, de ce *nouveau* philosophe qu'est Rastignac. On a vu comment et pourquoi le thème « philosophique », après la consolidation de la monarchie bourgeoise, devait normalement céder la place à autre chose et tenir compte du caractère désormais nécessairement moins « littéraire », moins irresponsable de la vie. Mais il n'y a pas ici retraite ou reculade de Balzac, et la preuve en est bien, au centre du récit, cette figure de jeune homme qui, prenant exacte mesure des nouvelles conditions de la vie, apporte des réponses nouvelles à la question posée en 1830.

On le savait depuis Gobseck et l'antiquaire : le seul être qui puisse échapper au mécanisme infernal est celui qui pense en prenant ses distances. Celui qui pense non en termes de désirs, mais en termes de compréhension, d'interprétation et d'expression du monde. Celui aussi qui sait, en conséquence, organiser sa vie. Ce peut-être le philosophe de toujours, ou l'artiste, tous deux un peu à l'écart. Mais ce peut être aussi l'ambitieux d'un genre particulier, en un sens *l'ambitieux poète,* celui qui

1. arrive, et domine le système;
2. se donne le plaisir et l'efficacité de le comprendre et de le donner à comprendre.

Le vrai poète ici, ce ne sera pas Rubempré, être assez médiocre, à ras de réel et incapable de réellement le comprendre, encore moins de le donner à comprendre sinon par la leçon de son exemple (mais ici tout dépend non de lui, mais du lecteur). Le vrai poète ici ce sera Rastignac, qui ne sera jamais dupe de sa propre réussite, la dominera de son ironie, d'un reste de cœur, et la jugera. Esthétisme? Non : voix de la conscience et du dire de la conscience, le mot n'ayant pas le sens *moral* de la tradition spiritualiste ou « civique » reprise et inculquée par l'école, mais bien celui *scientifique* que lui donnera Marx. A la fausse pensée, destructrice parce que piégée par le désir et incapable de le dépasser (désir de l'or, désir du plaisir — on dirait aujourd'hui de la consommation), s'oppose la pensée plus vraie qui réfléchit sur les conditions de fonctionnement du monde et sur celles de son propre fonctionnement. Les rôles pourront être répartis, Rastignac et Vautrin étant, chacun en ce qui le concerne et à des moments différents du développement de l'être, deux aspects du même personnage, ou plus exactement du même processus, de la même structure et de la même signification. Mais dans tous les cas, comme le dit encore très bien Bardèche, il faut que le héros soit un aristocrate : aristocrate pour faire pièce à la bourgeoisie régnante (Molière s'y prenait déjà ainsi); aristocrate pour dire la pensée qui échappe et domine, la pensée qui transcende le nécessaire et se fasse liberté, qui figure même pour d'encore impensables et impraticables maîtrises. A côté, Derville et Bianchon, témoins, renforcent le dispositif. Aristocrates donc en ce sens qu'ils ne sont pas, qu'ils ne sont plus d'une certaine roture de la non-conscience et de l'action aveugle. Plutôt que d'aristocratie, d'ailleurs il faudrait parler ici d'élite, ou mieux encore d'*avant-garde.* Avant-garde encore individuelle et individualiste. Mais la *forme* est là, en tout cas, d'une conscience liée à une pratique, si impure et si incomplète soit-elle. On remarquera que si impureté il y a, il s'agit d'une impureté de contenu (la réussite de Rastignac dans et par le monde capitaliste) non d'une impureté de méthode : Rastignac échappe en partie au processus infernal de la fausse liberté libérale et de la réification. Il sort du cercle. L'antiquaire même s'était laissé piéger, qu'on avait retrouvé au théâtre en compagnie d'Aquilina, et le sage Gobseck finira sur ses marchandises qui pourrissent, absurdement thésaurisées (Marx a parfaitement lu ce passage). Dans l'ultime version de *la Peau de chagrin (Furne corrigé),* en ce théâtre fou où se retrouvent Raphaël, l'antiquaire et Aquilina, scène et lieu des folies parisiennes, scène et lieu de l'apparence et de la course à l'apparence, Rastignac sera présenté dans une loge en compagnie de... Mme de Nucigen [3]. On est en 1830, quelques mois après la révolution, et alors que tout est fou encore, Rastignac est là, sagement, accompagnant la maîtresse qui lui a fait sa fortune et n'ayant plus à lorgner follement en direction des autres loges. Quelle leçon, et comme on est bien ici en présence d'autre chose que d'un artificiel raccordement ! Dans ce Paris où tout brûle, Rastignac peut être au théâtre sans être à la folie. Alors que Raphaël et tant d'autres vont se perdre, Rastignac va vivre. On est sorti de l'enfer.

Mais alors, compte tenu des caractères objectifs de la réussite de Rastignac, et ce dès *le Père Goriot* (utilisation des femmes, connection sur la spéculation capitaliste, renoncement à soi et aux « valeurs »), on objectera peut-être que se trouvent ici approuvées les solutions de Rastignac? En aucune manière. C'est qu'il ne s'agit pas de lire ce qu'il y a de transparent dans un texte littéraire, quitte à se rejeter ensuite à ses mystères. Il faut voir qu'il est le lieu d'expression de contradictions. Il faut le lire, au moins autant que comme « contenu », comme *signe.* Balzac, dans sa vie, n'a pas été Rastignac et n'a pas pu l'être, ce qui suffit à retirer à Rastignac une certaine et périlleuse dimension idéologique : la vie de Balzac a dépassé Rastignac du côté de l'intense quand même, et le personnage de Rastignac prouve que, malgré sa vie, Balzac connaissait le prix de la conscience et de l'organisation. Les deux éléments jouent de manière dialectique. Rastignac dans l'enfer du désir est un moyen de dire la folie d'un désir piégé par l'univers marchand. Tout jugement moraliste sur un texte littéraire le prive par là même de sa littérarité et le manque en tant qu'objet scientifique, le réduit. *Il n'est pas question de donner*

---

3. Versions antérieures : « en compagnie d'une jeune veuve ».

Rastignac en exemple. Il est question de le lire. On peut, on doit le lire en tant que jeune loup, bon stratège et sachant s'y prendre. Mais on doit aussi le lire comme l'une des voies possibles du déblocage idéologique, pratique aussi, d'une situation contradictoire. Il faut reprendre ici l'analyse de Bardèche. Pourquoi (début de *la Fille aux yeux d'or*) les bourgeois comme les ouvriers ou les petits commerçants sont-ils ainsi crétinisés? L'explication est bien dans la course à l'or et au plaisir. En système capitaliste, tout le monde, prolétaires comme exploiteurs, est dégradé, soumis à une loi de déshumanisation. « Vie creuse », « attente d'un plaisir qui n'arrive jamais », parce qu'or et plaisir sont inauthentiques et ne livrent jamais rien d'authentique. Le bourgeois lui-même n'est pas maître de la vie bourgeoise. Seulement « dans chaque division de la vie sociale, écrit encore Bardèche, règne une usure différente *mais toujours semblable au fond* ». Est-ce à dire qu'ouvrier bourgeois et petits-bourgeois se rejoignent et se confondent au sein d'une même « nature » humaine? Que signifie cette course à l'or et au plaisir? Moralisme? Universelle erreur et faute? « La loi d'airain revient, comme un refrain, après chaque nomenclature » (Bardèche). Mais *quelle* loi d'airain? Bardèche n'a pas lu Marx. Dès lors ajoute-t-il, « comédie de la misère humaine ». Misère de quelle nature? Et comédie de quelle misère? Pourquoi cette vie sauvage et, au-dessus ou au milieu, ces sur-natures, comme de Marsay (ou Rastignac ou Vautrin), qui jouent et se jouent des lois et imposent leur loi au monde? L'explication de Bardèche est simple : la vision balzacienne est « simpliste » et elle vient de... Byron; il y a là-dedans « une conception byronienne de l'Histoire »; Nous l'avons en lisant, madame, échappé belle. D'autres diront que Rastignac comme de Marsay ne sont que de méprisables cyniques ou opportunistes et que là s'arrête l'intérêt qu'on peut leur porter. Bardèche dira qu'ils ne sont que des reproductions littéraires. Entre les deux lectures, qui se complètent et se font valoir, et qui font du personnage un pur contenu aisément épuisable par ses « origines », par ses conduites ou par ses aboutissements clairs, la pratique littéraire a tout simplement disparu. *Le Père Goriot* est un roman de l'enfer parisien, enfer surdimensionné de l'enfer moderne. S'y manifestent des forces et des recherches qui tendent à sortir d'affaire, à dépasser la contradiction. Mais les idéalistes, qu'ils soient esthétisants, positivistes ou sociologistes, s'arrêtent aux contours immédiats du personnage. Ils ne voient pas que Rastignac ne compte, n'agit et n'existe comme personnage littéraire qu'en tant qu'il manifeste un effort qualitativement nouveau pour tenter de vivre quand même et d'être plus fort que les fatalités. Marier ses sœurs? Ce n'est pas seulement opportunisme. C'est sens du réel et responsabilité qui se cherchent. Les sœurs d'ailleurs sont charmantes, alors que Raphaël — choix significatif du romancier — était seul au monde. La vie parisienne est le lieu de l'usure vitale. Mais elle est aussi le lieu où des hommes font leur vie à partir d'éléments qu'ils n'ont pas choisi. Il n'y a plus de peau de chagrin pour Rastignac. Il y en a une encore pour Mme de Restaud, pour Mme de Langeais, pour Goriot. Le temps de certains mythes est, à prendre les choses sous un certain angle, fini. Rastignac, dans *la Comédie humaine,* aidera ou protégera plus d'un qui s'est follement lancé comme Raphaël. C'est qu'il est d'autres réponses possibles à l'illusion libérale que le goût, la pratique et la philosophie du néant. Ceci se précise avec assez de force dans la manière d'être romanesque de Rastignac : celle d'un héros de roman qui échappe à ce qui, le plus souvent, constitue les héros de roman, mais aussi les tue.

Roman de la France révolutionnée, *le Père Goriot,* en même temps qu'il est un roman de la platitude, est un roman du désir sous sa double forme : folle et sage, destructive et intégrée. Sur un fond de non-conscience (les pensionnaires, la lumpen-humanité) et sur un fond de ravageuses passions (le monde parisien), le désir trouve certaines voies qui permettent au héros aussi bien de transcender la platitude et de se constituer en pionnier, en conquérant, que de dominer les périls qui guettent le désir irresponsable et inorganisé. Le résultat *littéraire* avec toute ses implications théoriques et pratiques, est la mise en place d'un nouveau héros, porté par une dialectique profonde et signifiant pour un « en avant » qu'à nouveau il va falloir lire.

Rastignac et l'amour, ou quel héros de roman?

Rastignac fait-il rêver, comme Tristan, Céladon ou Amadis, et l'imagine-t-on tenant sa part dans un nouveau *Dialogue des héros de romans?* Dans une autre direction, Rastignac n'est ni René, ni Julien Sorel, ni Amaury, ni Fabrice, ni Lucien Leuwen, ni Frédéric Moreau, ni Dominique ni Augustin Meaulnes ni Jacques Thibault. Comment et pourquoi? Sa manière d'être, son efficacité propre fournissent la clé décisive du *Père Goriot :* roman non de l'existence et de la conscience mais du faire et de la praxis.

Une première preuve en est fournie par le fait que, dès le manuscrit, outre le « A nous deux *maintenant* » final, Rastignac, jamais donné comme symbole, jamais héros de l'état d'âme, du récit de soi et de la complaisance à soi, est promis à un avenir pratique et romanesque qui n'est pas encore écrit, mais qui se fera et qui est presque fait. Balzac parle de « l'aplomb qui le distingua plus tard si éminemment » (139), ce qui ne suffit certes pas à expliquer qu'en 1835 Rastignac ait déjà un « avenir » écrit, mais purement nominal, tel que défini dans *la Peau de Chagrin,* où il se contente de se manifester, sans guère aller ni suggérer qu'il puisse aller nulle part. La seconde preuve réside dans l'idée qu'il a, en devenant l'amant de Delphine, de gouverner son mari et de faire de fructueuses opérations, puis dans ses plans pour « tenter l'abordage de la maison de Nucingen » (101). Tout ceci, ajouté au récit de Delphine concernant les spéculations de son mari (« Le nom de la maison Nucingen et compagnie a servi à éblouir les pauvres constructeurs », I; et à partir de VI simplement « le nom de la maison Nucingen »), prouve que Balzac songeait à écrire un autre livre, une suite dont le titre même affleure, et dans lequel serait traité au large le sujet de la carrière d'un Rastignac promis à tout autre chose qu'à la modulation lyrique. Le « bulletin de travail » qui donne peut-être son vrai sens, du côté de Balzac lancé à la conquête de Paris, au « maintenant » des dernières lignes, signe véritablement cet aspect du roman.

Ce Rastignac toutefois, promis au faire, on le voit quand même, avec son innocence, partir de l'être. Il est significatif que, dans *la Peau de Chagrin,* ce soit lui qui, sans hésitation, aille risquer l'argent qui restait à Raphaël. C'est que Raphaël avait promis à son père de ne jamais entrer dans une maison de jeu, et l'on sait qu'il ne transgressera sa promesse qu'au moment de choisir entre sa dernière pièce d'or et le suicide. Or, dans *le Père Goriot,* lorsque Rastignac va au jeu, puis lorsqu'il promet à Delphine de n'y plus remettre les pieds, c'est le Raphaël qui est encore en lui à cette époque de sa vie qu'on voit paraître : il n'est de héros du faire qui n'ait d'abord été un héros de la conscience. Tout l'intérêt de Rastignac, c'est que, héros de premier plan, il n'en restera pas au simple niveau de la conscience, à la différence de tant d'autres qui, à l'époque romantique et post-romantique et dans un contexte de contestation de la bourgeoisie, exaspéreront au contraire et moduleront en eux les pouvoirs et les prestiges de la conscience, le faire demeurant l'apanage exclusif des personnages secondaires et des bourgeois contre lesquels, qualitativement, ils valent et signifient. Avec Rastignac, le faire s'intériorise et constitue le héros. D'où la question posée par le titre de ce chapitre. Une fois encore, il ne s'agit pas ici de « psychologie » ni d'irréductible et déroutante spécificité, mais de structure et de choix signifiants et orientés, à l'intérieur d'un ensemble lui-même chargé de signifier et signifiant par sa démarche propre un certain nombre de choses. Le texte parle le hors-texte, mais le transforme et l'organise.

Le héros vierge

Dès le début, Rastignac, jeune homme « de bonne famille » est donné comme *pur.* Il découvre le monde. Il se cherche. Premier choix du romancier : le jeune homme « se pose pour la femme des premières galeries de l'Opéra-Comique » (40), c'est-à-dire ni une grande dame (dans les loges), ni — ceci est très important — une grisette une fille du peuple, une fille facile (dans la galerie, au poulailler), mais une bourgeoise, une « femme comme il faut » des étages intermédiaires, qu'il n'ose toutefois pas aborder et qu'il contemple du parterre. De même qu'il regarde les voitures aux Champs-Élysées et les femmes qui sont dedans, pour l'instant inaccessibles. Mais il n'est jamais question pour lui de bals de la Chaumière ni de Lisette à la Béranger. Sa mansarde est chaste. Avait-il connu des amours de village? Rien ne le dit. Comme Julien Sorel, les filles l'ont peut-être regardé, mais tout indique qu'il est naïf et vierge. Séducteur et coureur de jupons aurait-il, d'ailleurs, cette capacité d'étonnement? Bien que noble, Rastignac n'est ni chérubin ni Faublas. Il n'est pas un roué. Lorsqu'il juge « les femmes de Paris » (41) c'est pour les comparer non aux villageoises, mais à ses propres sœurs : Rastignac n'est pas encore sorti du gynécée. Preuve supplémentaire : lorsqu'il songe à conquérir des femmes, c'est qu'il a découvert « combien [elles] ont d'influence sur la vie sociale » et il avise soudain « à se lancer dans le monde, *afin d'y conquérir des protections »* (41) : point de désir ici, mais de la stratégie. Rastignac est un homme d'intelligence, de culture et d'entreprise, non de libido. Il est vrai que Balzac ajoute aussitôt : « devaient-elles manquer à un jeune homme ardent et spirituel dont l'esprit et l'ardeur étaient rehaussées par une tournure élégante et par une sorte de beauté nerveuse à laquelle les femmes se laissent prendre volontiers »? (41). *Tournure élégante, beauté nerveuse :* Rastignac, s'il est beau, ne l'est certes pas à la manière souffrante ou mourante des héros du Nord littéraire. Rastignac est un mâle, qui ne s'éprouve ni ne se cherche réellement comme tel. Psychologie encore? Non : choix de Balzac. Si ses sœurs, aux vacances, trouvent Eugène changé ce n'est pas qu'il ait connu la femme, c'est seulement qu'il a commencé à élargir le cercle de ces idées. Il n'est pour lui de conquêtes éventuelles que d'intérêt *social.* Là est, dès le début, l'essentiel de son personnage.

Lorsqu'il fait la connaissance de Mme de Beauséant, ce qu'il voit en elle, c'est « l'une des sommités du monde aristocratique », et que sa maison passe « pour être la plus agréable du faubourg Saint-Germain » (43). C'est chez elle qu'il remarque la comtesse Anastasie de Restaud, « l'une des plus jolies tailles de Paris », mais aussi « une de ces femmes que doit tout d'abord adorer un jeune homme » (43). Beauté, oui. Mais de quelle nature? « Figurez-vous de grands yeux noirs, une main magnifique, un pied bien découplé, du feu dans les mouvements, une femme que le marquis de Rônquerolles nommait un cheval de pur sang » (43-44). Ceci est clair :

Anastasie est une sensuelle, non une évanescente. Nous sommes, dans la version définitive, en 1819; mais le Lamartine de l'année suivante est ici déjà dépassé; dans la première (1824), le sens était plus clair qui suggérait qu'on s'éloignait des *Méditations* et du genre angélique; mais dans les deux cas le style énergique l'emporte et cette relève est bien significative : on ne revient pas à la frivolité « douceur de vivre » et au libertinage; on passe à un nouveau *plus* après ce premier *plus* qu'avait constitué la redécouverte et la réexpression des valeurs du sentiments. Balzac qui relit en 1834 le passé ,commente : *« Cheval de pur sang, femme de race,* ces locutions commençaient à remplacer les anges du ciel, les figures ossianiques, toute l'ancienne mythologie amoureuse repoussée par le dandysme » (44).

Anachronisme, demande P-G. Castex, qui remarque que ces « métaphores hippiques » se répandront surtout sous la monarchie de Juillet avec la mode des courses et le Jockey Club? Mais la question n'est pas là. Même si Balzac surimpose, il a surtout voulu *situer* son héros : l'amour sera volontaire, énergique, exigeant, sans aucune des connotations religieuses du romantisme élégiaque, irresponsable, inefficace et distingué. Ambitieux, Rastignac ne peut désirer que selon l'ambition. Et il lui faut, il lui est donné l'« objet » correspondant. Balzac le dit : « Pour Rastignac, madame Anastasie de Restaud fut la femme désirable » (44), en précisant dans II : « il fut invité aux fêtes de cette personne *qu'il prit* pour une grande dame », alors que dans I il avait simplement écrit : « il fut invité aux fêtes de cette grande dame ». Ceci est net : Rastignac ne désire cette femme que par l'intermédiaire de l'idée qu'il se fait d'elle. Cynisme? Non pas. Élévation au-dessus des amours vulgaires ou crapuleuses, celles de Béranger ou celles que symbolise l'amour écaillé de la pension. Rastignac, lui, ne va pas chez la Turque comme Frédéric Moreau, et ceci compte : il n'est pas sali, désenchanté, avant de connaître l'amour. Il n'y aura pas chez lui distorsion entre deux images : la femme facile et payée, la femme idéale. Le monde, à ce niveau aussi, possède encore son unité, portée par le désir unique : beauté, réussite, affirmation de soi. Rastignac a « soif du monde » et il a « faim d'une femme » (45); il voit s'ouvrir à lui « deux maisons » parisiennes; il se sent « assez joli garçon pour y trouver aide et protection dans le cœur d'une femme » (45; I) : « anticiper si drûment sur l'avenir », ce n'est pas rêver à des plaisirs physiques, mais à des plaisirs sociaux et mondains. Il faut ici rappeler Raphaël dans *la Peau de Chagrin :*

> Je l'avoue à ma honte, je ne conçois pas l'amour dans la misère. Peut-être est-ce en moi une dépravation due à cette maladie humaine que nous nommons la civilisation; mais une femme, fût-elle attrayante autant que la belle Hélène, la Galatée d'Homère, n'a plus aucun pouvoir sur mes sens pour peu qu'elle soit crottée. Ah! vive l'amour dans la soie, sur le cachemire, entouré des merveilles du luxe qui le parent merveilleusement bien, parce que lui-même est un luxe peut-être.

Il faut lire aussi ce que Balzac ajoutera sur épreuves dans II : « La première femme réellement femme à laquelle s'attache un homme, c'est-à-dire celle qui se présente à lui dans la splendeur des accompagnements que veut la vie parisienne. celle-là n'a jamais de rivale [...]. Là surtout [à Paris] l'amour est essentiellement vantard, effronté, gaspilleur, charlatan et fastueux » (244).

Autre preuve. Le lendemain, au déjeuner, Rastignac parle de la comtesse non en heureux amant éventuel mais en ambitieux :

> Hier j'étais au bal chez madame la vicomtesse de Beauséant, une cousine à moi qui possède une maison magnifique, des appartements habillés de soie, enfin qui nous a donné une fête superbe où je me suis amusé comme un roi [...] je danse avec une des plus belles femmes de Paris, une comtesse ravissante, la plus délicieuse créature que j'aie jamais vue. (55-56)

Et si Rastignac désire retourner chez Mme de Restaud ce n'est pas d'abord, on le comprend bien, pour essayer de la conquérir, mais uniquement pour *savoir,* pour *comprendre :* que faisait-elle rue des Grès? Et qu'a-t-elle à voir avec le Père Goriot? Sa réaction, d'ailleurs, à la remarque de Vautrin (« Vous y trouverez peut-être le bonhomme Goriot qui viendra toucher le montant de ses galanteries » (59); I : « le prix de son dévouement métallique ») est bien une réaction de jeune homme qui ne connaît rien aux femmes. Ajoutons qu'à côté de lui, et comme pour souligner sa naïveté, on est à l'aise dans ces problèmes, comme en témoignent les remarques pleines de sous-entendus de la grosse Sylvie et de madame Vauquer sur les relations entre Poiret et Mlle Michonneau (60).

Lors de la première visite (chez madame de Restaud), Rastignac se conduit comme un collégien naïf. Il ne comprend pas tout de suite que Maxime de Trailles est l'amant de la comtesse et que le mari accepte la situation. Surtout, lorsqu'il contemple la jeune femme « coquettement vêtue d'un peignoir de cachemire blanc, à nœuds roses, coiffée négligemment, comme le sont les femmes de Paris au matin » (69), il a exactement les mêmes réactions que plus tard Félix de Vandenesse avec la belle inconnue au bal de Tours :

> L'œil des jeunes gens sait tout voir [...]. Eugène sentit donc la fraîcheur épanouie des mains de cette femme sans avoir besoin d'y toucher. Il voyait, à travers le cachemire les teintes rosées du corsage que le peignoir, légèrement entr'ouvert, laissait parfois à nu, et sur lequel son regard s'étalait. (70)

Ce ne sont certes pas là manières de séducteur ni d'homme habitué aux femmes. Ce sont réactions de puceau, tout juste capable de lorgner assez sottement le corsage de la comtesse, puis de se répandre en banalités destinées à se donner à une contenance (la famille, *le Vengeur,* nous, etc). Madame de Restaud l'abandonne d'ailleurs comme un enfant, pour essayer d'entraîner son amant, hardi faiseur d'enfants illégitimes, lui, dans son boudoir. Rastignac progresse toutefois, puisqu'il finit par comprendre que la comtesse est « amoureuse » de Maxime (74; I : « aimée », ce qui était bien maladroit, car 1) comment Rastignac le saurait-il et 2) parce que c'est faux; à moins que l'on ne doive lire « aimée » = Maxime couchait avec elle), mais le voici aussitôt rejeté dans l'univers qui est le sien :

> J'espère, *Nasie,* lui dit-il [Maxime] à l'oreille, que vous

> consignerez ce petit jeune homme dont les yeux s'allumaient comme des charbons quand votre peignoir s'entr'ouvrait [...] vous me forceriez à le tuer.
>
> Êtes-vous fou, Maxime? dit-elle. Ces petits étudiants ne sont-ils pas, au contraire, d'excellents paratonnerres? Je le ferai, certes, prendre en grippe à Restaud. (74-75)

Or, le manuscrit porte ici une rature bien significative : Balzac avait d'abord voulu écrire : « ces petits lycéens... », puis il a barré, sans même achever le dernier mot, et il a mis « étudiants ». Bien entendu parce que Rastignac n'est plus lycéen. Mais qui connaît l'œuvre de Balzac lit aussi cette rature : Félix de Vandenesse, lycéen parisien replié à Tours et fasciné par les épaules de la belle inconnue. Mais peut-être y a-t-il aussi aux origines communes du double affleurement littéraire un événement dont rien dans la correspondance n'atteste certes la matérialité, mais que l'on sent quelque part dans l'adolescence ou dans la jeunesse d'Honoré de Balzac. Quelle femme, comme ce fut le cas pour un autre, s'est moquée de lui et lui a fait jouer peut-être ce rôle ridicule ou odieux de « chandelier » auquel Musset devait donner ses lettres de noblesse littéraire? N'est-il pas troublant de trouver très tôt, dès 1823, dans *la Dernière Fée,* ce personnage de la « femme sans cœur » qui se joue d'un jeune amour naïf? On trouvera peut-être quelque jour réponse à cette irritante question, et la Jacqueline de Balzac, la vraie femme sans cœur, la première, se trouvera alors là où elle doit se trouver comme la planète de Le Verrier. L'écriture spontanée livre ici sans doute le début d'un secret. Pour l'instant, et pour revenir à notre propos, cette rature achève en tout cas de situer Rastignac dans l'univers de la virginité. Simplement Balzac ne développera pas ici les thèmes lyriques et poétiques réservés à Félix de Vandenesse : c'est que Rastignac doit servir à autre chose. Il n'en est pas moins de la même race morale originelle que le héros du *Lys dans la Vallée.* Madame de Beauséant ne s'y trompe pas. Elle sait que Rastignac ne connaît rien aux femmes :

> J'avais remarqué madame de Restaud à votre bal, je suis allé ce matin chez elle.

> — Vous avez dû bien la gêner, dit en souriant madame de Beauséant. (84)

Et c'est parce qu'elle le sait tout neuf qu'elle va l'aider, lui enseigner le monde, se confier à lui aussi, être tentée de s'en remettre à son pur et naïf dévouement. Comme Vautrin, elle aime agir sur des natures vierges, non par sadisme mais parce qu'elles sont un monde qui recommence et que rien n'a marqué, en même temps que la pureté qui demeure en elle et que va blesser le monde s'accorde avec celle qu'elle découvre intacte en son jeune cousin. Rastignac n'a jamais aimé. Pour lui l'amour risque d'être un piège (Vautrin dira la même chose). D'où ces deux conseils (que reprendra en partie madame de Mortsauf) :

> N'acceptez les hommes *et les femmes* que comme des chevaux de poste que vous laisserez crever à chaque relais, vous arriverez ainsi au faîte de vos désirs. Voyez-vous, vous ne serez rien ici si vous n'avez pas une femme qui s'intéresse à vous. Il vous la faut riche, jeune, élégante. (93)

La leçon est claire : la femme ne doit être dans le monde qu'un *moyen,* et l'amour ne peut vivre qu'à l'écart du monde.

L'usage de soi et l'amour

Ici Rastignac avance encore : il veut tuer Maxime de Trailles (95). Pour éliminer le rival mâle? Ce n'est pas absolument sûr. Pour s'affirmer socialement oui. D'où les lettres à sa famille. D'où surtout ce commentaire du romancier, qui ne fait, comme bientôt Vautrin, qu'expliciter tout l'impensé, tout le non-dit qui est encore dans l'esprit du jeune homme : « Il avait ainsi quinze mois de loisirs pour naviguer sur l'océan parisien, pour y *faire la traite de l'amour* » (I), qui devient dans II : « et y *faire la traite des dames* », puis dans III : « pour y faire la traite des femmes », avec pour dernier avatar stylistique dans V : *« pour s'y livrer à la traite des femmes »* (100). Vautrin n'a pas encore parlé de celle des nègres. Mais une leçon pointe : l'amour-désir, l'amour pour l'amour, l'amour sensuel ou sentimental, dans tous les cas l'amour désintéressé, l'amour qui n'est pas un investissement, est un piège et un gaspillage. Le manuscrit, après l'obtention par Rastignac des renseignements indispensables concernant le passé de Goriot, et alors que l'histoire Rastignac-Delphine n'est pas encore lancée, contenait d'ailleurs cette indication qui a sauté dans le texte de la *Revue de Paris :*

> Ces renseignements concernaient les suppositions que Rastignac avait entendu faire par la duchesse de Langeais. Eugène, satisfait de bien connaître l'histoire de ces trois personnes, résolut de devenir l'ami de M. Goriot pour pouvoir sûrement arriver à Mme de Nucingen à qui une fortune colossale permettait de jouer le rôle d'une femme à la mode. (396)

C'était peut-être pour le romancier aller trop vite. Mais son idée était claire, que développera en termes plus purement romanesques et dans le fil des événements la suite du récit : Rastignac ne s'embarque en aucune façon dans une folle et poétique histoire. Il vise un but précis et garde la tête froide. Il est intéressant de constater que cette visée et ce calcul s'arrangent très bien avec sa pureté. Rastignac sait *voir* et se retenir, se contrôler. Il n'aura jamais d'enfant d'aucune de ses maîtresses.

Rastignac est-il seul à penser, à être, à fonctionner ainsi? La réponse de sa mère va dans le même sens : « la récolte de 1819 passe nos espérances » (107). Il s'agit toujours de réussite. Mais aussitôt Rastignac se juge : « De quel droit maudirais-tu Anastasie? Tu viens d'imiter pour l'égoïsme de ton avenir ce qu'elle a fait pour son amant! » (108). Toujours l'idée : l'amour rend fou. S'en garder! ne pas se perdre! Rastignac a lu *les Dangers de l'inconduite.* Quant à Laure (« L'on parle d'une dame et l'on se tait du reste », 110) qui connaît ses classiques en jeune fille de bonne famille convenablement éduquée et les cite à propos (« L'on parle d'eaux, de Tibre, et l'on se tait du reste », *Cinna, 1290*), la pudeur, l'élégance de bon ton de l'allusion vont aussi dans le même sens : il s'agit toujours de réussite, et d'un amour qui ne « prendra » pas le grand frère à la famille.

Lorsque Vautrin parle, d'abord il se trompe. Il a cru le

petit faible : « j'avais votre âge, vingt et un ans. Je croyais encore à quelque chose, à l'amour d'une femme, un tas de bêtises dans lesquelles vous allez vous embarbouiller » (119). Il a cru qu'il allait se laisser piéger par l'amour. Mais sur ce point, déjà, Rastignac lui échappe, et nous savons comment il fonctionne. Rastignac échappe à Vautrin parce qu'il est vierge, non encore compromis, c'est-à-dire ici : disponible, mais pas fou. Et voici que reparaît le thème :

> En entendant ce mot-là, vous êtes comme une jeune fille à qui l'on dit : « A ce soir », et qui se toilette en se pourléchant comme un chat qui boit du lait. A la bonne heure. (Addition dans II, 119)

Vautrin parle à Rastignac comme à une pucelle. Mais aussitôt aussi il lui parle comme à l'homme, comme au mâle qu'il pressent en lui :

> Demandez aux femmes quels hommes elles recherchent, les ambitieux. Les ambitieux ont les reins plus forts, le sang plus riche en fer, le cœur plus chaud que les autres hommes. Et la femme se trouve si heureuse et si belle aux heures où elle est forte, qu'elle préfère à tous les hommes celui dont la force est énorme, fût-elle en danger d'être brisée par lui. (120-121)

Ce qui est clair : les femmes aiment à être bien « aimées »; les femmes vous aimeront parce que vous êtes du midi, non pas de ces pâles créatures romantiques. Aucun doute. Rastignac fera l'amour, mais à bon escient. Qu'il ne se perde pas en amours parisiennes ! Il faut qu'il épouse une héritière et qu'il la gouverne. C'est la leçon d'amour dans un jardin.

> Vous êtes allée chez madame de Restaud, la fille du père Goriot, et vous y avez flairé la Parisienne. (123)

Mais

> Ce jour-là vous êtes revenu avec un mot écrit sur le front : *Parvenir,* et que j'ai bien su lire ! parvenir à tout prix. (Texte de la *Revue de Paris*)

Rastignac, en effet, n'est pas revenu en se disant qu'il posséderait un jour cette femme. Il veut autre chose et plus. Voici ce qu'il faut faire :

> Vous vous ferez aimer de votre petite femme. Une fois marié, vous manifesterez des inquiétudes, des remords, vous ferez le triste pendant quinze jours. Une nuit, après quelques singeries, vous déclarerez entre deux baisers, deux cent mille francs de dettes à votre femme en lui disant : « Mon amour ! » (127)

On devine la suite : « une *jeune* femme ne refuse pas sa bourse à celui qui lui prend le cœur » (127). *Le cœur* est joli, et s'explique par *jeune* femme. Reconnaissance. Mais c'est surtout la leçon de Sade et aujourd'hui de Malraux : donner du plaisir à l'autre, mais ne pas se laisser prendre, rester le maître. Ce passage du discours de Vautrin est terrible. Si l'on se laisse aller, si l'on s'abandonne, on est perdu. Le partage, c'est le piège. Rastignac retiendra la leçon : Delphine, qui refuse de coucher avec son porc de mari et fait chambre à part, n'a jamais été satisfaite par de Marsay; Rastignac le saura, il l'apprendra du père Goriot lui-même, agira en conséquence. Avec des nuances, on verra, car on est homme et « sensible ». En tout cas Rastignac ne se rebelle pas. Il se voit déjà manœuvrant la gamine et il se contente de demander, avide : « Que faut-il que je fasse ? » Vautrin ne fait pas de cadeau et appelle, si l'on ose dire, les choses par leurs noms :

> Presque rien [...] Le cœur d'une pauvre fille malheureuse et misérable est l'éponge la plus avide à se remplir d'amour, une éponge sèche qui se dilate aussitôt qu'il y tombe une goutte de sentiment. (127)

Éponge avide, remplir d'amour, éponge sèche qui se dilate, une goutte de sentiment qui tombe : on n'est vraiment plus chez Lamartine, et l'on imagine cette petite Victorine, avec ses « pâles couleurs », abordant aux terres inconnues. Il s'agit bien de satisfaire les femmes (chose rare en ces temps de mariage avec des vieux, donc d'amours illégitimes), et cela elles le paient d'un prix infini. C'est le sens de « Prends Adolphe ! Alfred ! Prends, Eugène ! » (128; à noter qu'Adolphe,

Alfred, Eugène, sont des prénoms élégants, des noms de dandies, de séducteurs ou de gigolos). Prends quoi? Mon argent bien sûr. Mais moi encore. Attention : ne pas se laisser prendre à cet « encore »! Rastignac comprend-il? Peut-il comprendre? Le détail et les intermédiaires, sans doute non. Mais le but visé, sûrement oui. L'opération est simple.

Pas si simple pourtant. Vautrin propose la petite Taillefer, une chlorotique, qui, il faut le rappeler, selon la médecine du temps (Balzac connaît bien cette question, il en avait fait en 1822 le sujet de *Wann-Chlore*) n'attend pour retrouver ses couleurs que de connaître ce que les médecins appelaient alors « les plaisirs de Vénus ». Rastignac veut une femme. Il refusera Victorine pour des raisons apparemment morales (ne pas profiter d'un assassinat trop visible), mais aussi pour ne pas dépendre de Vautrin et réussir selon lui. Mais il a aussi le désir de *la femme,* de celle qui est désirable parce que femme *et* parce qu'elle est une égale. Anastasie ne l'était pas réellement : Maxime de Trailles lui a — l'irresponsable — fait un enfant (Maxime, malgré quelques réussites passagères, se perdra et finira misérablement dans *la Comédie Humaine* et il rêvera, dans *le Député d'Arcis,* d'avoir un fils). Mais Delphine est vierge, parce que, bien que mariée à Nucingen et bien que maîtresse de de Marsay, elle n'a pas encore connu « les douceurs de l'amour » (153). Par là elle et Rastignac vont se reconnaître et se rejoindre, deux spontanéités, deux disponibilités, en un sens deux innocences et deux vertus se trouvant pour s'imposer au monde. Pour l'instant Rastignac réagit sainement : « Elle vous aime déjà, votre petite baronne de Rastignac! — Elle n'a pas un sou, reprit Eugène étonné [I : Mais comment?] » (129). Sens : s'il s'agit seulement de l'amour, je m'en charge bien. Mais les sous? Ne pas se gaspiller. On se surveille. Rastignac est bien dans sa ligne. Il croit toutefois pouvoir agir et parvenir en pleine lumière. Il refuse la nuit. Mais qu'est-ce que la nuit? Voici une phrase des *Misérables* qui ne sera jamais écrite par Hugo, trop soucieux de préserver le mythe et l'image de la famille :

> Pourquoi deux mois de prison au dandy qui, dans une nuit, ôte à un enfant la moitié de sa fortune, et pourquoi

> le bagne au pauvre diable qui vole un billet de mille francs avec circonstances aggravantes? (132)

Le manuscrit allait ainsi : « Le godelureau [souvenir de Molière!] homme en gants et à paroles jaunes a commis des assassinats où l'on ne verse pas de sang, mais où l'on en donne ». Et Balzac commente sur épreuves dans II : « Voilà vos lois. Il n'y a pas un article qui n'arrive à l'absurde », puis : « l'assassin a ouvert la porte avec un monseigneur : deux choses nocturnes! » (132). Se faisant une certaine idée du monde et s'y tenant, Rastignac réagit.

> Silence, monsieur, je ne veux pas en entendre davantage, vous me feriez douter de moi-même. En ce moment le sentiment est toute ma science. (132)

Comment? Moi monsieur? Mais Chérubin ne brûlait que du feu de l'amour et du désir; il n'avait pas carrière à faire; elle était trouvée : futur officier et futur « plus grand petit vaurien », comme disait Suzanne, futur Almaviva. Rastignac, lui, brûle d'un autre feu. Mais fils du monde révolutionnaire, qu'il le veuille ou non, il est plus pur que Chérubin. Il croit en quelque chose :

> Moi et la vie nous sommes comme un jeune homme et sa fiancée. (133)

Pourquoi cette mise en relation de soi avec l'image de la jeune fille. Pourquoi ce couple d'azur? Ce n'est pas qu'*effort* moral. C'est nature. Il est de plus en plus évident que Rastignac est vierge.

La suite va tout cristalliser. Rastignac, pur, devient l'ami du père Goriot. Il découvre que, comme lui, Goriot, voyeur, va regarder les voitures aux Champs-Élysées, qu'il prend son plaisir à voir ses filles en voiture, comme lui-même, Rastignac, escomptait ses jouissances en regardant passer les femmes. Trahison? Manque à la loi de prudence? Eugène va-t-il se laisser emporter? Mais tandis que Goriot devient entremetteur (« Quand vous aurez vu madame de Nucingen, vous me direz celle des deux que vous préférez », 136), Eugène sort à la fois de l'univers de la morale (une femme lui est offerte par un père qui espère ainsi la retrouver, qui la lui donne comme en un vrai mariage) et de celui d'un cynisme trop court ou de l'aveuglement. Il n'est pas encore personnellement fixé sur Delphine. Il va se promener aux Tuileries avec ses habits neufs. Les femmes le regardent. Il oublie ses sœurs, ses « vertueuses répugnances ». Il flotte un peu, et là il est très Lucien de Rubempré. Là, aussi il rejoint Vautrin, qui avait vu clair. L'amour, ce n'est pas ces bêtises dans lesquelles on s'embarbouille. Sur ce point, un pas est accompli. Mais Rastignac reste sensible malgré tout, non pour des raisons « morales », mais pour des raisons de signification, compte tenu du destinataire qu'est — ne l'oublions jamais — le lecteur. Il lui faut sortir des illusions des sentiments, mais aussi fonder une pratique plus large que celle des hommes à passions ou des inefficaces. Il n'y a pas de perspective de viol dans le don envisagé par Goriot de sa fille au jeune homme; Rastignac pourrait s'en satisfaire. Mais il y a encore quand même de la jeune fille en lui, quelqu'un qui veut *trouver.* D'où son trouble et la comparaison à laquelle recourt Balzac :

> La parole de Vautrin [...] s'était logée dans son cœur *comme dans le souvenir d'une vierge* revient le profil ignoble d'une vieille marchande à la toilette, qui lui a dit : « Or et amour » (I; dans II, Balzac ajoute « à flots »; 137-407)

Promesse de plaisir, promesse de richesse, si l'on accepte de se laisser faire. Et ici, la proposition est faite à un garçon! Mais là n'est pas la seule originalité de la situation.

Une nouvelle image du monde

Car c'est bien un thème ancien que celui de la vieille, et il suffit de rappeler Molière dans *l'École des femmes :*

> J'étais sur le balcon à travailler au frais,
> Lorsque je vis passer sous les arbres d'auprès
> Un jeune homme bien fait qui, rencontrant ma vue,
> D'une humble révérence aussitôt me salue :
> ....
> Le lendemain, étant sur notre porte,

> Une vieille m'aborde en parlant de la sorte :
> ....
> — Mon enfant, me dit-elle, il ne veut obtenir
> Que le bien de vous voir et vous entretenir;

Seulement chez Molière, Agnès n'est pas corrompue par la vieille. C'est qu'Agnès est pure et surtout qu'elle a été choisie pour définir un univers de pureté. Ce qui s'éveille en elle, après la rencontre avec Horace et après l'intervention de la vieille, c'est la nature et le droit, non d'inquiétantes puissances. L'*École des Femmes* est un texte pré-rousseauiste : au départ Horace est bien un séducteur potentiel qui découvre Paris; il est de taille, comme le lui dit Arnolphe, à faire des cocus; il n'hésite pas à payer une entremetteuse pour tenter de séduire la jeune inconnue du balcon. Mais Horace découvre Agnès et il change. Molière a décidé de choisir ainsi Horace, comme Rousseau choisira l'amant de Julie, pur et méritant, pour signifier un monde innocent ouvert sur la nature, sur un avenir, sur un droit. Il suffira de réduire les vieux monstres. Demain nous appartient. Dès lors la vieille est une brave vieille, une « vieille charitable » comme dit Agnès, messagère d'amour, beaucoup plus que corruptrice. Mais ici, comme dans *Lorenzaccio,* c'est bien différent; la « jeune fille » est corruptible. Le manuscrit disait : « comme dans le souvenir d'une vierge *revient* (II : se grave) le profil ignoble d'une vieille marchande à la toilette ». Tu connaîtras le plaisir et tu auras de l'argent. Et la jeune fille frémit. Écoutons Lorenzaccio : « Deux grands yeux languissants, cela ne trompe pas [...]. Une jeune chatte qui veut bien des confitures, mais qui ne veut pas se salir la patte. » Balzac est moins dur et moins noir. Rastignac se tirera d'affaire; au lieu de descendre dans un gouffre et de sentir le masque coller à sa peau, on le verra monter une pente. Mais c'est qu'il n'aura jamais naïvement cru ni dans la politique ni dans l'amour, ces deux formes du gaspillage moderne. Rastignac est tenté, mais il est supérieur à sa tentation qu'il sera capable de dominer et d'organiser, Rastignac regarde et ce qui frémit en lui, ce qui se *grave* et revient, ce n'est pas fatalité : c'est promesse et surtout possibilité. Chez Molière, l'idylle finale faisait évanouir les premières images de corruption. Chez Musset, il n'y aura plus qu'impuissance, corruption, blocage. Ici il n'y a plus d'idylle, mais il n'y a pas encore d'abîme. Il y a ouverture et réalisme, fraîcheur et efficacité. Rastignac va se promener aux Tuileries et se fait voir. L'ensemble est lancé vers un nouveau positif de fait qui est bien autre chose qu'une victoire et qu'un retour de la nature, qui est aussi bien loin d'une descente aux enfers. Nature, puisque c'est l'être même de Rastignac qu'on voit se développer. Mais non pas idylle, puisqu'il y a crise et efforcement, péril et risque pris. L'ensemble est parlant : il s'agit non d'une victoire de la nature, mais d'une appropriation de la nature par l'entreprise. L'appropriation se fait par des moyens incomplets, insatisfaisants, anti-naturels et qui en partie dégradent et déforment. Mais le progrès capitaliste se fait par le développement des rapports de production et des rapports sociaux qui, pour être incomplets et destructeurs, n en sont pas moins créateurs. L'impuissance et le mal, dans la perspective pré-industrielle, n'étaient vaincus que par le triomphe de Physis retrouvée ou justifiée. Le combat n'est plus le même. Il devient non pas moral mais technique. L'étape par laquelle passe Rastignac est à l'exacte image de celle par laquelle passe la société révolutionnée. Ce n'est pas Physis qui l'emporte, mais l'ambition; ce n'est pas le repos, mais le mouvement. Or qui dit mouvement dit mobilisation, utilisation de forces. Rastignac corrompu? Non. Rastignac avance. Et c'est pourquoi, sans doute, Balzac qui, avait écrit après « Or et amour ! » :

> Ni la calomnie ni la corruption ne s'effacent, ces deux filles de la parole humaine prouvent la puissance des idées aussi fécondes en bien qu'en mal. Ce sont comme des vers qui déposent leurs œufs sur de belles étoffes. Le génie et la vertu ne sont les deux plus belles déités humaines que parce qu'elles sont deux formes incorruptibles du dévouement. La vertu est plus belle que le génie n'est beau, car la vertu marche à travers le monde sans se salir, et le génie a pour lui la Solitude. (407)

a mis en marge devant ce passage, à l'intention du prote : « Ne composez pas cela ! » Non seulement cette longue considération morale interrompait le récit de la promenade d'Eugène aux Tuileries, mais elle était, par son contenu moraliste et métaphysique, en contradiction avec un essentiel désormais en mouvement. Un mouvement positif ne se juge pas. Il s'enregistre. Et c'est le texte même qui, à la fois, en subit la loi, le suggère, le dit et le fait.

Il faut comparer la promenade d'Eugène avec celle de de Marsay dans *la Fille aux yeux d'or.* Rastignac se promène pour se faire voir. Mais il n'est pas en chasse. De Marsay, aux Tuileries, « drague ». De Marsay n'est qu'à la recherche d'une proie limitée : il n'ira pas plus loin que son cynisme et ses bons mots. Rastignac est dans (définit et sert à définir) une tout autre atmosphère. Le manuscrit livre d'ailleurs une clé : « Il ne pensait plus à ses sœurs dépouillées ni à ses vertueuses répugnances. Il lui semblait naturel de vivre dans une atmosphère d'espérance » (136). Il n'y a pas d'« atmosphère d'espérance » autour de de Marsay, qui tourne en rond dans son mythe, qui n'a pas vraiment d'histoire et qui n'est à l'origine de rien. De Marsay n'est que jouissance et consommation. Rastignac est projet et perspective. Mais il a encore à apprendre : être pur ne suffit pas; il faut savoir s'économiser et s'utiliser.

Hésitations et choix

Mme de Beauséant, après l'avoir invité à dîner, l'emmène ensuite au théâtre. Dans les deux cas Rastignac s'étonne. Il est l'objet. « Eh bien! s'il vous faut absolument un bras, vous avez M. de Rastignac », dit Beauséant. « La vicomtesse regarda Eugène en souriant : — Ce sera bien compromettant *pour vous,* dit-elle » (140). Donc pas *pour moi.* Rastignac joue ici de nouveau, dans un registre différent, sinon le rôle de chandelier, du moins celui de sigisbée. Il n'est pas dangereux. D'ailleurs, au théâtre, il se conduit à nouveau comme un jeune fou, comme un enfant. Madame de Beauséant, qu'il amuse, lui dit : « Si vous continuez à la manger des yeux [Madame de Nucingen], vous allez faire scandale, monsieur de Rastignac. Vous ne réussirez à rien, si vous vous jetez ainsi à sa tête » (texte du manuscrit). Rastignac ne sait pas s'y prendre. Il se livre à sa protectrice. Il lui avoue tout : « Me voilà pris » (141), ce qui est d'ailleurs un mensonge, car Rastignac n'est nullement amoureux. Mais ici justement, se montre bien la dialectique en lui de la nature et de l'entreprise. Parce qu'il est pur et neuf, mais parce qu'il veut aller de l'avant, Rastignac va gagner.

Dans la loge de Delphine il débite des phrases de coiffeur. Mais il faut bien voir qu'ici encore Rastignac est objet, qu'on le protège. D'Ajuda, en le présentant (« le chevalier Eugène de Rastignac, le cousin de la vicomtesse de Beauséant », 143), montre qu'il est un chef. D'Ajuda se moque légèrement de la noblesse de Rastignac. Il manœuvre la femme du banquier et sans doute la regarde pour voir la tête qu'elle fait à l'évocation de la haute société dans laquelle elle n'est pas encore entrée. Raillerie encore : « Vous faites une si vive impression sur lui, que j'ai voulu compléter son bonheur en le rapprochant de son idole [...] Ces mots furent dits avec un certain accent de raillerie qui les faisait passer » (I). Dans II Balzac a précisé : « ces mots furent dits avec un certain accent de raillerie qui en faisait passer la pensée un peu brutale, mais qui, bien sauvée, ne déplaît jamais à une femme » (143). En termes clairs : « Je rends service à Rastignac (sous-entendu : je dois bien rendre un service et faire plaisir à madame de Beauséant au moment où je vais l'abandonner); arrangez-vous avec lui ». Et d'Ajuda se retire. Rastignac ne perd pas de temps :

1. Il parle du père Goriot (« *monsieur* Goriot », 144) et situe la conversation au niveau de la morale, mais aussi il en profite pour faire l'éloge de la beauté de Delphine, supérieure à cette garce d'Anastasie qui, elle, appartient à la noblesse. Tout cela porte.

2. Mais il se sert de Goriot pour passer à une demande précise : « Monsieur Goriot [...] vous adore, il doit donner de la jalousie à un amant, ce père-là » (1). Dans II, Balzac a corrigé : « mon voisin, monsieur Goriot. Comment en effet ne l'aimeriez-vous pas? Il vous adore si passionnément que j'en suis déjà jaloux » (144), ce qui est très judicieux : la baronne, à la différence de sa sœur, n'a pas réellement d'amant; il lui en faut un; me voilà. Et Rastignac refuse d'être simplement l'*ami* de la baronne. « Ces sottises stéréotypées à l'usage des débutants, commente Balzac, paraissent toujours charmantes aux femmes, et ne sont pauvres que lues à froid. Le geste, l'accent, le regard d'un jeune

homme leur donnent d'incalculables valeurs. ». Qu'est-à-dire? Mme de Nucingen est certainement très émue à l'idée que ce jeune homme peut l'introduire chez les Beauséant. Mais aussi ses paroles et sa demande assez directe font impression sur elle, alors que Rastignac n'en avait fait aucune sur Mme de Restaud. L'explication est simple. Certains éléments en ont déjà été fournis et d'autres viendront : Mme de Restaud a Maxime qui lui a appris l'amour; Mme de Nucingen a été déçue par de Marsay. Mme de Nucingen trouve Rastignac charmant, parce qu'il a quitté la loge de Mme de Beauséant pour la sienne (ceci au vu de tout Paris) et parce que, comme Mme de Rênal découvrant Julien, cette femme frustrée (socialement, sexuellement) entend la voix du désir. Rastignac devient alors parfaitement clair : « vous allez vivre de ma naïveté, j'arrive du fond d'une province, *neuf à tout* » (145); l'édition de 1843, précisera : *« entièrement* neuf ». Or il est bien connu qu'il est deux sortes d'hommes que s'arrachent les femmes : celui que toutes les autres ont voulu et ont eu; celui qui n'en a connu aucune. Continuons : « je suis comme un fou, je suis comme un Chérubin, l'amant de toutes les femmes, en attendant que je puisse me dévouer pour quelqu'une d'entre elles » (145-410). Et encore :

> En vous voyant, quand je suis entré, je me suis senti porté vers vous comme par un courant électrique, et ma cousine m'a ordonné de ne pas vous tant regarder. Elle ne sait pas ce qu'il y a d'attrayant à voir vos jolies lèvres rouges, votre teint blanc, vos yeux si doux. Moi aussi, je vous dis des folies, mais laissez-les-moi dire. (145-410)

Sur épreuves, Balzac refaisant ce discours, ajoute après « un courant » (qui cesse d'être électrique) : *« J'avais déjà tant pensé à vous!* Mais je ne vous avais pas rêvée aussi belle que vous l'êtes en réalité » (145). Cette fois Rastignac ne parle plus exactement comme un coiffeur. Il parle comme Fortunio. Mais surtout il parle, il parle. On note au contraire que Maxime, de Marsay, d'Ajuda sont brefs en paroles, incisifs, ironiques, sans générosité, et d'abord verbale. Rastignac parle bien, comme un jeune homme qui a beaucoup rêvé, sans doute beaucoup lu, mais qui n'a jamais rien fait. L'admirable, bien sûr, est qu'ainsi il avance ses affaires. Mais surtout il comprend aussitôt ce qui se passe. Le texte du manuscrit est éloquent : « Mes affaires sont en bon train, *elle a compris que si je le demandais, elle serait invitée au prochain bal de ma cousine,* — le mors est mis à ma bête, sautons dessus et gouvernons-la ». La version suivante (II) donne : « Mes affaires sont en bon train, car elle ne s'est pas bien effarouchée en m'entendant lui dire : M'aimerez-vous bien? Le mors est mis à ma bête, sautons dessus et gouvernons-la » (146). Balzac a-t-il voulu sentimentaliser ou sexualiser son héros? A-t-il pensé qu'une réflexion aussi cynique était prématurée? Il a pourtant conservé la phrase terrible : « le mors est mis à ma bête, sautons dessus et gouvernons-la », ce qui, mais avec combien plus de force, ramène aux fameuses métaphores hippiques du début, cette fois pleinement assurées et vraies, non plus plaquées mais authentiques, authentifiées. En fait, la correction introduit habilement un élément de confusion psychologique, très vraisemblable dans l'âme et dans la réaction de Rastignac :

1. mes affaires : ambiguïté	— être son amant — parvenir (comment? ce n'est pas encore clair)
2. m'aimerez-vous bien	— Rastignac a besoin d'être aimé — il sent que Delphine a besoin d'aimer et de se dévouer — suggestion d'un « nous deux », oasis dans un monde égoïste
3. le mors est mis	— passage du désir à l'ambition (mais comment?) — renvoie aux conseils de Mme de Beauséant : « Voyez-vous, vous ne serez rien ici si vous n'avez pas une femme qui s'intéresse à vous. Il vous la faut jeune, riche, élégante ».

Ainsi Rastignac flotte, mais il va dans une direction précise. On notera que « le mors est mis » et « sautons dessus » n'ont ici absolument aucune connotation érotique.

La preuve s'en trouve fournie aussitôt après. Rastignac en marchant fait « les plus doux projets » (147). Mais il ne s'agit nullement de rêves sensuels : Mme de Beauséant, Mme de Restaud (qu'il compte bien revoir, la jalousie de l'avoir vu dans la loge Beauséant et dans la loge Nucingen devant faire son effet), Mme de Nucingen, la maréchale de Carigliano : « Ainsi déjà quatre relations majeures [...] allaient lui être acquises au cœur de la haute société parisienne » (147). Il ne s'agit pas d'autre chose : « Sans trop s'expliquer les moyens, il devinait par avance que, dans le jeu compliqué des intérêts de ce monde, il devait s'accrocher à un rouage » (147). Mais en corrigeant ses épreuves, Balzac se souvient de ce qu'avait dit Vautrin : « Hier en haut de la roue, ce matin en bas chez un escompteur : voilà les parisiennes » (1), qu'il avait complété déjà sur des épreuves antérieures : « Hier en haut de la roue chez une duchesse, dit Vautrin; ce matin en bas de l'échelle chez un escompteur : voilà les parisiennes » (57), et il ajoute après « s'accrocher à un rouage » : « pour se trouver en haut de la machine, et il se sentait la force d'en enrayer la roue » (147). Car il ne suffit pas de faire tourner la roue pour monter. *Il faut ne pas redescendre.* « Il se sentait la force d'en enrayer la roue », d'éliminer la fatalité : il n'y a pas plus de nature sociale fatale que de rassurante Physis. Pour ce faire, une seule solution, toujours la même : ne pas se laisser prendre au piège de la passion, du plaisir, de la vanité (c'est ce qui perdra Victurnien, Lucien, tant d'autres). Ce qu'il faut, c'est aimer, non comme but, mais comme moyen; c'est surtout *gouverner.* Le mot revient deux fois :

> Le mors est mis à ma bête, sautons dessus et *gouvernons-la.* (146)
>
> Si madame de Nucingen s'intéresse à moi, je lui apprendrai à *gouverner* son mari. Ce mari fait des affaires d'or, il pourra m'aider à ramasser tout d'un coup une fortune. (147)

Or qu'est-ce que *gouverner?* C'est d'abord trouver la loi du gouvernement. Cette loi, c'est ici celle de l'argent. Il ne s'agit nullement de forcer le mari à admettre une liaison, de le réduire et de le gouverner dans le domaine de l'érotisme (thème possible). Il s'agit de travailler avec lui et de se servir de lui. Il ne s'agit pas d'être et de sentir être, il ne s'agit pas d'éprouver, mais de *faire.* On va retrouver cette idée : Rastignac vient d'une *commune;* mais il ne va pas à une nouvelle commune; il va vers une *société,* ce qui est bien différent. Être et se sentir être, c'est fini, et ce n'est pas pour demain. Le croire et agir en conséquence serait folie. Mais agir, faire jouer des ressorts, mettre en œuvre des rapports, jouer de lois et les faire jouer, telle est la règle nouvelle de la vie. La société civile constitue une étape nouvelle et importante de l'histoire de l'humanité et des hommes qui la composent. L'être passe désormais par le faire, l'existence par les essences (ou la pratique par l'idéologie) qui désormais la dominent et la commandent. Il faut penser le monde et non plus seulement le vivre. Rastignac intériorise les lois du progrès selon l'étape de l'exploitation de l'homme par l'homme. Voilà un roman d'amour bien singulier. Car maintenant, dans un deuxième temps, Rastignac ayant explicité ses raisons, les ayant découvertes, en vient, mais sans risques, à désirer Delphine et à penser à elle comme tout homme pense à une femme :

> En atteignant au seuil de sa pension, Rastignac s'était épris de Mme de Nucingen, elle lui avait paru svelte, fine comme une hirondelle. L'enivrante douceur de ses yeux, le tissu délicat et soyeux de sa peau sous laquelle il avait cru voir couler le sang, le son enchanteur de sa voix, ses blonds cheveux, il se rappelait tout; et peut-être la marche, en mettant son sang en mouvement, aidait-elle à cette fascination. (148)

Il faut peser cette fin de phrase avec ce « sang en mouvement ». C'est un bel exemple de cristallisation, mais d'un type assez particulier. Il n'y a pas, au tout début, ce choc physique, cet ébranlement du désir, à partir de quoi, selon Stendhal, que Balzac avait lu dans *De l'amour,* on construit, déconstruit, reconstruit l'objet, d'autres considérations venant interférer avec le trouble originel. La cristallisation stendhalienne est un trouble et un phénomène de l'être qui se découvre, se cherche, s'interroge, essaie de se faire dans le pur domaine du sentiment. Ici, le mécanisme est différent :

1. les raisons stratégiques de conquérir une femme;
2. les chances tactiques de la conquérir;
3. le charme qui lui en revient : elle est « intéressante » et mobilisatrice;
4. le désir pour elle.

Il est capital de constater que c'est la *marche* qui met en mouvement le « sang » de Rastignac. Cette bouffée de désir au moment où l'étudiant va rentrer dans sa chambre et aller se coucher seul, elle n'est qu'un moment, une étape. La rêverie sensuelle et sexuelle ne s'attarde pas sur ce lit solitaire qui attend le jeune homme, ni sur le lit luxueux dans lequel là-bas, Chaussée-d'Antin, Delphine va aussi se coucher seule. Pour trois raisons :

1. parce que Rastignac est vierge.
2. parce que Rastignac est constitué en termes d'ambition et par-delà le désir.
3. parce que Rastignac est à la recherche, en même temps que d'une efficacité pratique, d'une cohérence idéologique.

Et l'étape suivante, la voici : « Je préfère madame Delphine, parce qu'elle vous aime mieux » (149), dit-il au père Goriot. La cristallisation se complète par la justification morale.

Du désir et du partage

Le désir est ainsi enrobé, enfermé dans un réseau non pas contraignant, aliénant, mais dynamique, de motivations sociales (parvenir) et de motivations morales (rester fidèle à soi-même et peut-être surtout progresser dans ce sens). Contrairement à Raphaël rêvant aux femmes dans sa mansarde, comme saint Antoine, avec sa Foedora, Rastignac n'est pas mordu au cœur par un désir qui risque de faire de lui une chose. M. Bardèche a raison : Raphaël pensait le monde; Rastignac veut marier ses sœurs. Il est au-delà des

Contes et de l'expérience philosophiques. Et c'est ici que sert, joue et signifie le fait qu'il soit vierge. Raphaël aussi l'était sans doute, mais Raphaël était encore la mise en forme littéraire d'une référence et d'une vision existentielle; par là il était figure de témoignage et de protestation; il était soumis au talisman. Rastignac, avec ses idées, est la mise en forme littéraire d'une expérience et d'une vision idéologique, d'un système d'essences. Sa virginité, son désir de vivre ne sont pas piégés ni pièges et ne sont pas perçus comme tels. Rastignac ne peut pas croire à cette révolution de 1830 qui devait ramener la commune et Physis sous les traits de l'industrie et de la démocratie avec le drapeau tricolore et la liberté. Industrie, démocratie, liberté : non pas abstraites, généreuses, faites pour être éprouvées, cueillies, vécues, mais industrie, démocratie, liberté selon les lois précises d'un moment du développement historique, selon ses intérêts, ses possibilités et toutes ses limites.

Il s'agit là toutefois d'un langage intérieur non explicité, impossible même, pour le héros, à expliciter, à parler. Le souci, le sens du positif, qui relancent ces termes contradictoires de commune et d'industrie, c'est dans un méta-langage moral qu'il faut les lire. Rastignac sait (non pas au sens psychologique mais au sens structurel) que son langage vrai ne serait pas compris. Aussi dans sa conversation nocturne avec Goriot se situe-t-il dans le domaine moral; il est conquis, de bonne foi d'ailleurs, sans calcul; et c'est un effet intéressant de son dédoublement. Il ne parle au bonhomme que de sentiments : « ce soir, je suis tombé amoureux de Mme Delphine. [...] Je ne lui ai pas déplu, nous avons parlé d'amour pendant une heure, et je dois aller la voir après-demain samedi » (152). Revoici le thème du nid, de la famille (l'ancienne, la nouvelle), à la fois caution et besoin d'une vie à la fois nouvelle et vraie : la nouvelle commune aura sur l'ancienne la suprématie de libérer les forces d'industrie.

Mais voici qu'explose un texte extraordinaire. On lit d'abord : « le père Goriot se voyait un peu plus près de sa fille Delphine, il s'en voyait mieux reçu, si Eugène devenait cher à la baronne. D'ailleurs il lui avait confié l'une de ses douleurs » (153), puis le manuscrit continue : « Madame de

Nucingen *n'avait pas connu les douceurs de l'amour.* Il lui avait mille fois souhaité le bonheur». Il n'y a qu'arrangement stylistique sur épreuves : « Madame de Nucingen, à laquelle mille fois par jour il souhaitait le bonheur, n'avait pas connu les douceurs de l'amour» (152-153). Le texte est sans ambiguïté : « Les douceurs de l'amour», dans le vocabulaire traditionnel ce sont les jouissances sexuelles. Delphine est donc une femme frustrée. On ne saura exactement jamais pourquoi de Marsay l'a abandonnée pour la princesse Galathione, mais ce qui est sûr c'est qu'il ne lui a pas donné ce que Maxime de Trailles a apporté à Anastasie de Restaud, toute rose dans le matin comme la comtesse de Montcornet dans *les Paysans.* Y a-t-il là la moindre équivoque? Ne s'agit-il dans l'idée du père que de partage moral et de bonheur vague? Balzac entend bien qu'on ne s'y trompe pas, et continuant à relire ses épreuves, là où le manuscrit disait : « Certes, Eugène était, pour se servir de son expression, un des jeunes gens les plus gentils qu'il eût jamais vus» (153), il ajoute : « et il semblait pressentir qu'*il lui donnerait tous les plaisirs dont elle avait été privée*» (153). C'est absolument net. Et cela va plus loin qu'une révélation, déjà capitale, concernant le secret de Delphine. Goriot veut donner de l'amour à sa fille. Du côté Delphine, il est volé par de Marsay, qui, lui, est un amant susceptible de donner de la jalousie à un père; elle continue à être proche de lui, à être sa petite fille, puisque aucun autre homme ne l'a réellement faite femme. Ainsi s'explique, et non par une gratuite disposition ou qualité d'âme, que Delphine continue à aimer son père alors qu'Anastasie s'en est éloignée; ainsi s'explique que Delphine ait pu confier à son père — imaginer la scène à écrire! — le secret de son lit conjugal *comme de son lit adultère.* On partage tout avec un père qui en est encore un. Aussi Goriot, qui a échoué en donnant seulement à sa fille de l'argent, pense que le plus grand plaisir qu'il puisse lui faire c'est de lui donner un amant. Mais pas n'importe quel amant. *Un amant de sa main. Et un amant qui soit un fils. Un amant qui soit tout neuf :*

— *Un amant de sa main :* Goriot se conduit comme Vautrin. Il jouit par procuration. Si Rastignac satisfait Delphine, c'est à lui qu'elle le devra. Ainsi il ne sera pas volé.

— *Un amant qui soit un fils :* Goriot aura ainsi tout donné à Delphine et son amant ne sera pas son rival. Il y aura entre cet amant et lui des liens antérieurs et personnels et non traumatisants. Le lien Delphine-Rastignac n'impliquera pas une rupture Delphine-Goriot.

— *Un amant tout neuf :* Rastignac est gentil. Il n'a jamais aimé. Delphine ne sera pas pour lui une pièce dans sa collection.

Et Rastignac admet parfaitement l'opération : elle ne le coupe pas de la cellule-mère (la famille, les valeurs); elle ne gêne en rien ses projets d'ambition. Le désir n'intervient toujours pas. Ou n'intervient plus. Il n'y a pas déchirement, vibration, choc. Il y a bien élaboration d'une pratique idéologique.

Ici intervient un élément nouveau. Rastignac en effet a besoin d'argent. Dès lors il ne peut s'empêcher de penser à Victorine et à ses huit cent mille francs de dot. Lisons bien : Rastignac « ne put s'empêcher de regarder Victorine comme le plus vertueux jeune homme regarde une riche héritière. Par hasard, leurs yeux se rencontrèrent. » (153). Rastignac s'est-il retourné dans son lit en pensant à la jeune fille? Certainement pas dans le sens qu'on pourrait croire; pendant le déjeuner on ne sent absolument rien passer de Rastignac en direction de Victorine. En sens inverse par contre, Rastignac s'aperçoit parfaitement — et le romancier l'aide ici, qui connaît bien ce sujet depuis sa propre sœur Laurence — qu'il est pour Victorine « l'objet de ces confus désirs dont toutes les jeunes filles sont atteintes et qu'elles rattachent au premier être un peu séduisant qui s'offre à leur regard » (I; texte V : « l'objet de ces confus désirs qui atteignent toutes les jeunes filles et qu'elles rattachent au premier être séduisant », 153). Tout un roman possible s'ouvre ici qui ne sera pas écrit, tout simplement parce qu'il l'a déjà été : *Wann-Chlore* en 1822, *Gloire et Malheur (la Maison-du-Chat-qui-pelote)* en 1830. Mais ce thème s'inscrit parfaitement dans l'ensemble Rastignac — Delphine : la jeune fille peut tomber dans le premier piège que lui tend la vie. Il suffit qu'elle veuille échapper à quelque enfer ou simplement à quelque médiocrité : la maison d'Arneuse à Chambly, la maison Guillaume rue Saint-Denis, ici la pension Vauquer. De cette situation

Rastignac sait très bien qu'il pourra profiter. S'il ne le fait pas, c'est que tout simplement il n'est pas un héros de roman irresponsable et poétiquement signifiant comme Horace Landon ou Sommervieux, mais le héros d'une nouvelle pratique. Delphine lui paraît être une meilleure carte à jouer; il sait qu'en la jouant il restera proche du père Goriot et donc en un sens de lui-même. Il n'en demeure pas moins que jusqu'à ce jour Rastignac n'avait jamais pensé à Victorine (encore moins l'avait désirée) et que jamais on ne sentira de lui à elle la moindre *tentation,* le moindre « courant électrique », expression pleinement justifiée dans la loge de Delphine, mais ici parfaitement impossible : il n'est ni amadou ni électricité morale sans amadou et électricité socio-historiques. Victorine d'ailleurs ne s'éveillera jamais à l'amour. Mais il est une autre explication : un jeune homme attiré par une jeune fille, cela ne s'est jamais vu. Dans le contexte bourgeois, un jeune homme est attiré par la femme, par l'initiatrice (qui peut très bien, dans un autre contexte, être simplement la « fille »). Un homme qui a vécu peut en revanche être attiré par une jeune fille, en qui il retrouve des choses perdues ou dégradées (c'était le cas d'Horace Landon attiré par Eugénie d'Arneuse dans *Wann-Chlore).* D'où l'on peut tirer cette conclusion que, si un jeune homme est attiré par la femme — mariée ou qui a eu des amants —, c'est qu'il est vraiment un jeune homme vierge. Et c'est bien ce qui se passe dans le cas de Rastignac. Victorine ne lui dit rien, parce qu'elle ne peut rien lui apporter, sinon une dot, c'est-à-dire une installation. Mais Rastignac entend bien ne pas s'installer. D'où Delphine qui, elle aussi, a de l'argent, mais pas de la même race, de l'argent spéculatif, ambitieux, fait pour se multiplier par les affaires. L'argent de Victorine serait de l'argent mort, difficile à séparer de quelque calme bonheur, voire de quelque frigidité. Et puis cet argent, Rastignac, inexpérimenté, que saurait-il en faire? Il pourrait le dépenser, le gaspiller; il pourrait flouer Victorine en spéculant sur ses sentiments et sur sa reconnaissance (« Prends! Eugène »). Mais cela n'irait pas loin, et Rastignac veut progresser. Or son association avec Delphine lui apporte toutes les possibilités : lui faire connaître l'amour, manœuvrer le mari et se brancher sur le dynamisme commercial de « la maison Nucingen », aller plus loin sans doute encore, et ceci tout en demeurant associé avec Delphine, sans jamais la flouer, en restant ainsi de ce côté fidèle à une certaine conscience, fidèle au père Goriot, fidèle à soi-même. Alors, si l'on reprend le processus de cristallisation, où seraient les mobiles pouvant conduire à désirer Victorine? Il n'y a ni choc initial ni découverte y conduisant.

Mais voici qu'on avance encore. Analyste et moraliste, Balzac commente ce qui se passe en Rastignac alors qu'il se rend chez Delphine :

> Ainsi la curiosité le menait chez madame de Nucingen, tandis que, si cette femme l'eût dédaigné, peut-être y aurait-il été conduit par la passion. (158)

Cela vaut mieux pour lui : il se conduira plus sagement. Mais on comprend très bien : accepté d'avance par Delphine, recherché par elle, Rastignac fera l'économie des troubles passionnels et s'emploiera plus intelligemment; sa conduite demeurera dominée par son intelligence. C'est ici une théorie balzacienne de la cristallisation qui se constitue. Il faut ajouter que pour faire fonctionner ce système Balzac a choisi de faire Rastignac non pas affolé mais froid. Puis vient cette autre notation capitale :

> Pour un jeune homme il existe dans sa première intrigue autant de charme peut-être qu'il s'en rencontre dans un premier amour. La certitude de réussir engendre mille félicités que les hommes n'avouent pas, et qui font tout le charme de certains femmes. Le désir ne naît pas moins de la difficulté que de la facilité des triomphes. (158)

Il faut donner toute son importance à la distinction intrigue/amour. Ce qui se passe entre Rastignac et Delphine n'est pas un *amour* (à la différence de ce qui se passe entre Félix de Vandenesse et Mme de Mortsauf), avec ses impossibilités, ses interdits, ses douleurs, ses joies. C'est une *intrigue,* c'est-à-dire une opération qui se déroule à un autre niveau, le dénouement normal du don de soi et de la possession ne faisant pas problème et n'étant qu'un élément d'un ensemble plus vaste. Certains gaspillages sont exclus puisqu'on est d'accord sur l'essentiel, et Balzac fait ici progresser la psychologie, la typologie littéraires de l'amour : quelle peut être la nature du charme exercé par une femme dont on sait que tôt ou tard elle se donnera? Dès la scène de la loge, Delphine a moralement dit oui et Rastignac l'a compris. Dès lors le charme de ce qui va suivre, le vecteur romanesque, ne seront plus de la même nature que dans le roman d'amour traditionnel et les héros vont se développer selon des lignes inédites. Balzac, dont on a souvent contesté la pénétration psychologique et que dans ce domaine on déclare souvent bien « inférieur » à Stendhal, va ici beaucoup plus loin ou du moins ouvre des champs plus nouveaux, car que signifie ici l'idée de hiérarchie? Le voilà d'ailleurs qui, conscient de l'importance de ce qu'il a trouvé, relance son texte donne une direction inattendue.

Retour aux classements

Il ébauche une opération d'apparence « scientifique » ou métaphysique mais qu'il faut savoir lire. Il ajoute d'abord sur épreuves : « Toutes les passions des hommes sont bien certainement excitées ou entretenues par l'une ou l'autre de ces deux causes, qui divisent l'empire amoureux » (II). Mais il reprend le texte de son manuscrit :

> Peut-être cette division est-elle une conséquence de la grande question des tempéraments, qui domine, quoi qu'on en dise, la société. Si les mélancoliques ont besoin du tonique des coquetteries, peut-être les gens nerveux ou sanguins décampent-ils si la résistance dure trop. En d'autres termes, l'élégie est aussi essentiellement lymphatique que le dithyrambe est bilieux. (158)

Pourquoi cette remarque sur « la grande question des tempéraments, qui domine, quoi qu'on en dise, la société »? Qui est ici visé? Et où veut-on en venir? Balzac cherche sans doute, contre des explications purement et schématiquement historicistes (comme celles des saint-simoniens), à rappeler toute l'importance des tempéraments et de l'élément individuel, et la formule « la question des tempéraments qui domine [...] la société », dans son exagération, a bien évidemment une valeur polémique. Mais d'autre part, Balzac, qui a fait voir que les hommes, leurs rapports, leurs entreprises, leurs aventures étaient déterminés par l'histoire, peut-il ici se dédire ou se contredire? Certainement pas. C'est sans doute tout simplement que, romancier, il sait bien que les histoires des hommes s'inscrivent toujours à la rencontre dialectique de l'individuel et de l'historique. Dans telle situation d'ensemble, les résultats et les avancées différeront et se différencieront selon certains facteurs qui s'appellent tempérament, histoire secrète de la formation du moi, etc. (exemple le plus frappant : Rastignac et Lucien à la conquête de Paris). Ce qui se dessine ici, c'est le grand rapprochement aujourd'hui nécessaire entre matérialisme historique et psychanalyse. D'autre part, Balzac recourt à l'une de ses plus chères et plus anciennes méthodes : les classements, qui visent à rendre compte d'une manière scientifique ou parascientifique de cette diversité du réel qui plaît tant aux moralistes du mystère et à ceux qui entendent que rien vraiment ne s'explique. Or, faire intervenir ici ce genre d'analyse, n'est-ce pas subvertir et rendre impossible une certaine forme de romanesque? Balzac introduit la logique dans le roman. Mais il le peut parce que son héros et son roman ont leur logique et sont à la recherche d'une logique. On n'est pas du tout ici dans les mystères du cœur humain, et la mise en situation, déjà ferme dans les romans balzaciens du cœur et du désir *(de Wann-Chlore* à *la Peau de Chagrin* en passant par *la Maison du Chat-qui-pelote),* s'accentue ici par le recours à des catégories. C'est que Rastignac pense et agit par catégories. Bien plus qu'un héros du désir, il est, avec le roman qui le porte et qu'il porte, un héros de l'organisation théorique et pratique du réel imposé. Reste à élucider les allusions et les références, ce qui va plus loin qu'une simple et triste étude de sources. On a :

mélancoliques	lymphe
sanguins ou nerveux	bile

ce qui renvoie à la fameuse théorie des humeurs du XVIIe siècle, héritée de Gallien et détruite avec Broussais. Ces quatre humeurs donnent, lorsqu'elles sont en excès, quatre types de tempéraments, quatre maladies-types de comportement pathologique :

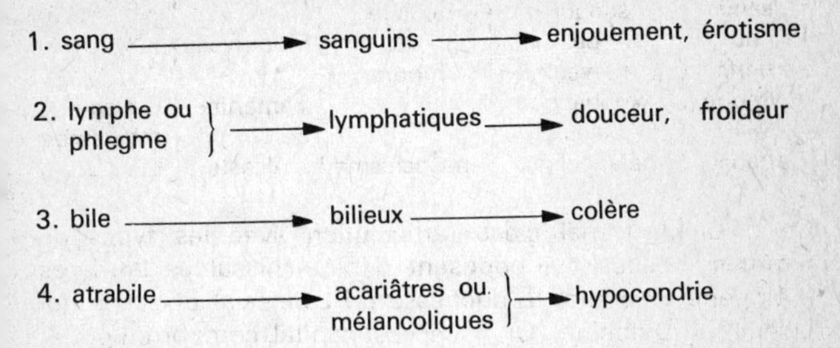

Les nerfs, on le voit, ne sont pas une humeur et les nerveux ne figurent pas au tableau. Le manuscrit marque d'ailleurs une hésitation significative : Balzac écrit d'abord, en opposition avec « les mélancoliques », « les sanguins », puis il barre et il met « les gens nerveux ou sanguins ». Dans le premier temps, il se réfère uniquement à la théorie des humeurs; dans le second, il établit une espèce d'équivalence entre sanguins et nerveux, c'est-à-dire semble-t-il les élégiaques, les violents, ce qui est une extension de la théorie, mais qu'explique l'écriture romanesque. Au début du roman il a été dit que Rastignac avait « une sorte de beauté nerveuse à laquelle les femmes se laissent prendre volontiers » (41). Il est clair que Rastignac n'est ni un lymphatique (Lucien), ni un bilieux (Raphaël), ni un atrabilaire. Restent non mentionnés les bilieux et les lymphatiques. Mais la lacune est comblée dans la phrase suivante : les lymphatiques sont des élégiaques et les bilieux sont dithyrambiques. Ainsi le tableau est-il complet, mais, si l'on sait ce que donnent en littérature lymphatiques et bilieux, on ne sait pas ce que donnent sanguins (ou nerveux) et mélancoliques (ou atrabilaires). On sait seulement qu'en ce qui concerne la conduite les sanguins (ou nerveux) se fâchent lorsqu'on les mène en bateau, alors que les mélancoliques se complaisent, d'une manière plus ou moins masochiste, à souffrir des coquetteries de leur belle.

On a donc le tableau (incomplet) suivant :

humeurs	tempéraments	conduite	exemples possibles	genre littéraire
sang	sanguin	colère		
ou	ou	et	Montriveau	
nerfs	nerveux	rupture		
lymphe	lymphatique		Lamartine	élégie
bile	bilieux			dithyrambe
atrabile	mélancolique	masochisme	Alceste	

Ce qu'on voit mal c'est l'articulation avec les types de femmes : celles qui opposent d'infranchissables barrières (Célimène, Foedora, la duchesse de Langeais) et celles qui disent oui (Delphine). Or, et ceci est capital, comportement et littérature dépendent aussi bien du tempérament que de la femme avec qui on est en rapport. Mais on est ici dans un roman, au détour d'un développement narratif, non pas dans une *Physiologie* ou dans un *Traité.* Toujours est-il qu'on y voit Balzac :

— soucieux de *rationaliser* et de *formaliser* son analyse du réel; c'est l'héritage des *Traités;*

— soucieux de tenir compte de la *complexité* du réel en son devenir en tenant compte de l'inter-action tempéraments/situations; c'est le langage du roman.

Le plan relatif de l'analyse, son caractère incomplet, laisse le héros relativement libre. Mais Balzac cède un peu à l'envie de glisser dans son roman « une tartine » philosophique, un morceau de bravoure pour conversation de salon. Comme dans son introduction, il n'en oriente pas moins son récit selon une idéologie ferme. Le roman sait où il va comme, semble-t-il, son héros.

Communion?

L'étape suivante est le dîner de Rastignac chez Mme de Nucingen. Tout de suite on retrouve l'atmosphère de l'amour *promis.* De premier jet Balzac écrit : « Restez, dit-elle, *nous sommes seuls* », et ce n'est que dans une seconde étape qu'il a barré ces derniers mots et mis : « je serais seule si vous vous en alliez » (160). La première rédaction était trop provocatrice et brûlait les étapes. Le texte censuré n'en porte pas moins le texte admis. A partir de là tout va : « je ne suis point heureuse. Les chaînes d'or sont les plus pesantes » (160). Eugène, bien sûr, devient « fat ». Il a le temps devant lui. Dès lors, pourquoi irait-il « mendier », comme Raphaël qui avait compris trop tard que c'était là une erreur fatale auprès des femmes et dans le monde. « Que pouvez-vous désirer? répondit-il. Vous êtes belle, jeune, *aimée,* riche. » (161). *Aimée* prend un sens tout particulier, puisque

— de Marsay abandonne Delphine au su de tout Paris;

— de Marsay a physiquement déçu Delphine, et Rastignac le sait.

Quant à *riche,* « les chaînes d'or sont les plus pesantes » a déjà répondu. Rastignac demande à Delphine de devenir sa maîtresse; elle fait la coquette. Il la force à obéir. Il lui prend la main « avec assurance » (161). Rastignac va alors passer par une véritable initiation, une épreuve qu'il accepte aveuglément en conformité avec un rite obscur et non dit mais clairement perceptible. « Êtes-vous quelquefois allé au jeu? » demande Delphine (162). La maison de jeu dans le roman d'éducation est un substitut de la maison de prostitution — où Rastignac n'est non plus jamais allé. Mais chez la Turque on va pour soi, seul, même si on est avec Deslauriers. Aller au jeu, c'est la rupture traumatisante et solitaire avec les normes. Raphaël risquant l'argent de son père *(la Peau de Chagrin),* Oscar Husson risquant l'argent de l'étude et indirectement de son oncle, de sa famille et des puissances tutélaires *(Un début dans la vie)* commettent cette transgression capitale. Rastignac ira donc jouer pour Delphine. Il gagne. Dans la voiture, « Delphine l'embrassa en lui disant : vous m'avez sauvée » (I). Mouvement de folle joie spontanée? Non. Balzac précise sur épreuves : « et l'embrassa vivement sans passion » (II,164). *Embrasser* n'a d'ailleurs plus ici le seul sens classique de prendre dans ses bras, comme en témoigne ce passage quelques pages plus loin : « Ils sortirent ensemble, et madame de Nucingen voulut reconduire Eugène jusqu'au Pont-Neuf, en lui disputant, pendant toute la route, un des baisers qu'elle lui avait si chaleureusement prodigués au Palais-Royal. » Il n'y a aucun doute : Delphine s'est donnée. Mais, précise II, « sans passion »

(164). Ce n'est pas le cœur qui parle, ni autre chose, que Stendhal appelait dans les marges de *Lucien Leuwen* « la matrice, ma petite ». Delphine n'est emportée ni par une émotion ni par un désir qui la bouleversent. Elle ne perd pas la tête. Elle a payé sa dette : des baisers d'abord, mille francs ensuite, ce qui pour Rastignac est une somme énorme et qui, à lui non plus, ne fera pas perdre la tête. Elle lui offre un dîner en tête-à-tête mais, malgré le « malicieux coup d'œil » de Thérèse qu'elle envoie porter l'argent à de Marsay et qui les laisse seuls, elle ne va pas plus loin ce soir-là avec Rastignac et le raccompagne en voiture à la pension. On est en affaires. Et lorsque Delphine refuse de se laisser embrasser de nouveau, elle explique : « Tantôt, répondit-elle, c'était de la reconnaissance pour un dévouement inespéré; maintenant ce serait une promesse. ». Delphine sait ce qu'elle fait. Dans la loge, aux Italiens (où elle ne risquait rien) elle s'est laissé prendre la main; elle a répondu aux pressions de celle de Rastignac (ce qui est à l'époque l'équivalent du « petting »), mais c'est tout. Le monde a bien pu s'imaginer, en la voyant radieuse, « des désordres » (ce qui dans la langue classique a un sens bien précis). Mais ceux-ci, dit Balzac, étaient « inventés à plaisir » (168). Madame la baronne était rayonnante parce qu'elle venait simplement de payer M. de Marsay et de recouvrer sa liberté. D'où son bonheur. Mais partagé? Bonheur d'amoureux? Pas exactement. Il n'y a pas d'émotion entre Delphine et Rastignac, mais il se trouve néanmoins que tous deux sont en train de mener à bien une opération.

Mais il faut ici revenir un peu en arrière pour comprendre. Delphine avait déjà confié des secrets à son père. Elle les confie maintenant, mais de manière directe, et donc avec le sentiment que c'en sont de nouveaux, à Rastignac qui bien entendu relaie ici son père : Delphine n'a pas d'argent. Pourquoi? Nucingen la réduit à une « misère secrète par calcul » (164). Quel calcul? On saura plus tard lors de la scène avec le père qu'il s'agit d'investissements immobiliers, et ici anciens. Mais pour l'instant Rastignac n'est pas capable d'entendre un tel langage, et Delphine qui veut se faire inviter chez les Beauséant lui parle celui qui lui convient, tout en disant des choses vraies et qui la touchent de près, c'est-à-dire par là même qu'elles sont dites avec ardeur, mais sans folie : « Je suis trop fière pour l'implorer. Ne serais-je pas la dernière des créatures si j'achetais son argent au prix où il veut me le vendre ! » (164). Ce qui veut dire? Voici Delphine héroïne des *Scènes de la vie privée :* « Comment, moi riche de sept cent mille francs, me suis-je laissé dépouiller? par fierté, par indignation. Nous sommes si jeunes, si naïves, quand nous commençons la vie conjugale ! » (164). Voici le secret : « *Le mariage est pour moi la plus horrible des déceptions,* je ne puis vous en parler : qu'il vous suffise de savoir que je me jetterais par la fenêtre s'il fallait vivre avec Nucingen autrement qu'en ayant chacun notre appartement séparé » (164). Voilà qui met bien tout en perspective. Nucingen est un porc et sa femme refuse de coucher avec lui, mais il espère l'amener à résipiscence en la privant d'argent. Elle a tenu bon. Dès lors elle a cherché ailleurs. Comment et pourquoi est-elle devenue la maîtresse de de Marsay? Est-ce parce qu'il lui a proposé de l'argent? Est-ce simplement parce qu'il l'a séduite selon le rite du dandysme? Le texte ici est obscur : « Depuis j'ai voulu répondre à l'amour-propre de quelqu'un que vous connaissez » (165). Qu'est-ce à dire? Il semble que Delphine ait d'abord cru en de Marsay, lequel, grand seigneur, lui a offert de l'or, dont il n'a que trop, quand elle en a eu besoin. Cette fois Delphine est sincère : « Mon Dieu ! n'est-il pas naturel de tout partager avec l'être auquel nous devons notre bonheur? Quand on s'est tout donné, qui pourrait s'inquiéter d'une parcelle de ce tout? L'argent ne devient quelque chose qu'au moment où le sentiment n'est plus » (165). Elle a cherché dans l'amour illégitime la communion. Elle ne l'a pas trouvée dans le domaine sexuel. Mais elle a trouvé au moins quelque chose, et c'est dit dans sa phrase : « J'ai voulu répondre à l'amour-propre de quelqu'un que vous connaissez ». De Marsay n'a pas accepté que sa maîtresse soit humiliée et réduite à la misère. On devine même son mépris pour l'Alsacien. Il l'a aidée. Elle a trouvé cela tout naturel. Pesons ces mots : « quand on s'est tout donné ». Elle y a cru. *On. Nous.* Caricature, aujourd'hui elle le sait. Mais sur le moment? Maintenant, abandonnée, elle a ce réflexe de fierté de rembourser. Delphine continue à croire à l'amour.

Et c'est pourquoi elle aime mieux son père qu'Anastasie. Elle a refusé de se « vendre » (168) à son mari pour le « gouverner » comme le font toutes les femmes. Ici, en apparence, Delphine sort de l'univers cynique naissant de Rastignac qui « voulait gouverner » cette femme et son mari? Il est vrai que la situation est des plus complexes : Rastignac est sincère lorsqu'il veut gouverner cette femme, mais il est sincère aussi lorsqu'il la comprend et qu'il partage sa peine. Mais il n'y a pas réellement contradiction. « Jeune et pur » (165) Rastignac à la fois comprend et ne peut comprendre. Mais ce qu'il ne comprend pas n'a guère d'importance : il apprendra ou on l'aidera. Ce qu'il comprend en revanche est l'essentiel : en étant avec Delphine, du côté de Delphine, il prépare sa fortune future et il reste proche du père Goriot, de sa propre famille (ses sœurs l'approuveraient) et des valeurs que tout cela représente. D'ailleurs Nucingen n'a-t-il pas une maîtresse, une fille d'opéra, à qui il donne par mois ces six mille francs qu'il refuse à sa femme? Nucingen est un immoral. Dès lors Delphine est morale et moralise Rastignac. D'où la portée de son idée : renvoyer à de Marsay ses six mille francs dans une enveloppe, sans un mot. De Marsay est payé. La morale triomphe. Mais au même moment Rastignac accepte mille francs que lui offre Delphine, et c'est la phrase-clé : *« Eugène se défendit comme une vierge »* (167) qui, achevant de situer Rastignac, dénote sa virginité sociale et morale (il n'est pas encore entré dans le système), en même temps elle connote sa virginité physique. Un certain angélisme critique, se composant avec un élément féminin structurel profond dans le jeune homme, n'est pas ici quelque chose de psycho-physiologique et de honteux, une preuve d'incomplétude et d'infériorité, une tare ou un trait de caractère, mais bien un élément signifiant de ses rapports avec le monde, eux-mêmes signifiés par le fait que Rastignac n'a pas encore eu de rapports avec une femme. N'est-il pas extraordinaire que cette femme, dont la chambre respire « la voluptueuse élégance d'une riche courtisane » (167), soit celle qui, tout en faisant accepter de l'argent à Rastignac, soit aussi celle qui lui fasse faire une action *morale?* Mais Rastignac n'est pas encore son amant et l'opération n'est pas entachée d'intérêt. C'est bien ce que prouve la réaction de Delphine à l'idée que Rastignac puisse retourner au jeu : « Moi, vous corrompre ! » (167), qui renvoie au « vous jeune et pur » (165) dont il n'y a aucune raison de soupçonner la sincérité. Delphine malgré son mariage, malgré sa liaison avec de Marsay, est encore pure et encore, à la différence de sa sœur, exigence de pureté. Elle regarde la pureté de Rastignac qui est l'image de la sienne propre : en un sens et sur le plan superficiel du fait, passée, mais dans un autre sens, et sur le plan du droit ou du fait profond, toujours là et devant elle. Éclatement? Déchirement du personnage et de l'univers? Mais voici que tout se recompose :

> Je m'accoutumerais à cette douce vie si elle devait durer; mais je suis un pauvre étudiant qui a sa fortune à faire — Elle se fera, dit-elle en riant. Vous voyez, tout s'arrange : je ne m'attendais pas à être si heureuse. (168)

D'où l'enivrement de cette soirée : *il n'y a pas de contradiction entre Delphine et Rastignac,* parties prenantes à un processus de même nature et de même orientation. Entre ces deux êtres de pureté relative égale et qui témoignent contre le monde comme il va tout en en répercutant les forces, les intérêts, l'idéologie, se constitue un front commun, non purement défensif mais conquérant et enraciné : conquérant, parce que tous deux incarnent des exigences et des besoins légitimes; enraciné, parce que tous deux tiennent aux valeurs, à la morale, à la cellule primitive et originelle qu'ils tentent de perpétuer. D'où Rastignac qui « va raconter sa fille » au père Goriot (comme Goguelat dans *le Médecin de campagne* raconte l'Empereur aux paysans) dans son bouge, malgré « ses projets de fortune renversés », c'est-à-dire qu'il a échoué du côté de Mme de Restaud et par là sans doute du côté de l'aristocratie, mais aussi que n'étant pas devenu l'amant de Delphine, réduit, du moins le croit-il, à n'être que le bénéficiaire « d'une aventure dont le dénouement probable lui donnait une des plus jolies et des plus élégantes femmes de Paris, objet de ses désirs » (169), il pense en sa naïveté que ses projets de gouverner le mari s'écroulent. Mais c'est justement cette pureté vers laquelle il se trouve rejeté qui explique qu'il aille voir Goriot, en même temps que (ce qui fait de l'épisode tout autre chose qu'un morceau d'analyse psychologique) c'est cette pureté même qui va le faire réussir, puisque Goriot va contribuer à le rapprocher de sa fille, à la lui donner pour maîtresse et par là lui fournir le moyen de jeter son grappin sur la Maison Nucingen. Le bon mouvement toutefois ne va pas sans mal : « Il chiffonnait son billet de mille francs dans sa poche, en se faisant mille raisonnements captieux pour se l'approprier » (169). C'est aussi la conscience de Rastignac qui le chiffonne, l'ambiguïté du terme, sa valeur connotative et sa puissance d'écart disant bien l'ambiguïté d'une situation trouble, mais non paralysante : porteuse, tant au niveau du subjectif qu'à celui de l'objectif, de tout un possible simplement problématique.

Dénouement?

Au bal Carigliano, Delphine, heureuse, se conduit comme une jeune fille. Elle épie les réactions de Rastignac. Elle est habillée pour lui. Parce que, comme le découvre Eugène, il a « une position dans le monde » et qu'il est le cousin de Mme de Beauséant? Pas seulement. C'est toujours la même chose : il n'y a pas de contradiction entre l'expansion de Rastignac et de Delphine selon leur cœur et selon leur besoin d'affirmation. La courbe, d'ailleurs, le prouve :

— baisers prodigués à l'aveuglette après la scène du jeu;
— baiser refusé en rentrant à la pension;
— baiser promis au bal Carigliano (171).

Les deux destins tendent à se rejoindre et à se fondre, ce qui introduit au sein de ce monde divisé un élément d'union. Delphine fait languir Rastignac pour être invitée chez les Beauséant? Mais en quoi cela contrarie-t-il Rastignac qui pense à bien plus qu'à en faire sa maîtresse?

Ceci dit Rastignac est quand même un homme et un tempérament. Relisant ses épreuves, Balzac juge que son personnage n'est pas assez « humain » et il ajoute un long passage qui développe le personnage. Le manuscrit allait ainsi :

Après le dîner, au lieu de sortir, il resta pensif auprès de mademoiselle Taillefer à laquelle il jeta de temps à temps des regards expressifs. Madame Couture tricotait des manches.

— Auriez-vous des chagrins, monsieur Eugène? lui dit Victorine...

Après « expressifs », Balzac ajoute dans II :

Quelques pensionnaires étaient encore attablés et mangeaient des noix, d'autres se promenaient en continuant des discussions commencées. Comme presque tous les soirs, chacun s'en allait à sa fantaisie, suivant le degré d'intérêt qu'il prenait à la conversation, ou selon le plus ou le moins de pesanteur que lui causait sa digestion. En hiver, il était rare que la salle à manger fût entièrement évacuée avant huit heures, moment où les quatre femmes demeuraient seules et se vengeaient du silence que leur sexe leur imposait au milieu de cette réunion masculine. Frappé de la préoccupation à laquelle Eugène était en proie, Vautrin resta dans la salle à manger, quoiqu'il eût paru d'abord empressé de sortir, et se tint constamment de manière à n'être pas vu d'Eugène, qui put le croire parti. Puis, au lieu d'accompagner ceux des pensionnaires qui s'en allèrent les derniers, il stationna sournoisement dans le salon. Il avait lu dans l'âme de l'étudiant et pressentait un symptôme décisif. Rastignac se trouvait en effet dans une situation perplexe que beaucoup de jeunes gens ont dû connaître. Aimante ou coquette, madame de Nucingen avait fait passer Rasgnac par toutes les angoisses d'une passion véritable, en déployant pour lui les ressources de la diplomatie féminine en usage à Paris. Après s'être compromise aux yeux du public pour fixer près d'elle le cousin de madame de Beauséant, elle hésitait à lui donner réellement les droits dont il paraissait jouir. Depuis un mois elle irritait si bien les sens d'Eugène, qu'elle avait fini par attaquer le cœur. Si, dans les premiers moments de sa liaison, l'étudiant s'était cru le maître, madame de Nucingen était devenue la plus forte, à l'aide de ce manège qui mettait en mouvement chez Eugène tous les sentiments, bons ou mauvais, des deux ou trois hommes qui sont dans un jeune homme de Paris. Était-ce en elle un calcul? Non; les femmes sont toujours vraies, même au milieu de leurs plus grandes faussetés, parce qu'elles cèdent à quelque sentiment naturel. Peut-être Delphine, après avoir laissé prendre tout à coup tant d'empire sur elle par ce jeune homme et lui avoir montré trop d'affection, obéissait-elle à un sentiment de dignité, qui la faisait ou revenir sur ses concessions, ou se plaire à les suspendre. Il est si naturel à une Parisienne, au moment même où la passion l'entraîne, d'hésiter dans sa chute; d'éprouver le cœur de celui auquel elle va livrer son avenir! Toutes les espérances de madame de Nucingen avaient été trahies une première fois, et sa fidélité pour un jeune égoïste venait d'être méconnue. Elle pouvait être défiante à bon droit.

Peut-être avait-elle aperçu dans les manières d'Eugène, que son rapide succès avait rendu fat, une sorte de mésestime causée par les bizarreries de leur situation. Elle désirait sans doute paraître imposante à un homme de cet âge, et se trouver grande devant lui après avoir été si longtemps petite devant celui par qui elle était abandonnée. Elle ne voulait pas qu'Eugène la crût d'une facile conquête, précisément parce qu'il savait qu'elle avait appartenu à de Marsay. Enfin, après avoir subi le dégradant plaisir d'un véritable monstre, un libertin jeune, elle éprouvait tant de douceur à se promener dans les régions fleuries de l'amour que c'était sans doute un charme pour elle d'en admirer tous les aspects, d'en écouter longtemps les frémissements et de se laisser longtemps caresser par de chastes brises. Le véritable amour payait pour le mauvais. Ce contre-sens sera malheureusement fréquent tant que les hommes ne sauront pas combien de fleurs fauchent dans l'âme d'une jeune femme les premiers coups de la tromperie. Quelles que fussent ses raisons, Delphine se jouait de Rastignac, et se plaisait à se jouer de lui, sans doute parce qu'elle se savait aimée et sûre de faire cesser les chagrins de son amant, suivant son royal bon plaisir de femme.

Par respect de lui-même, Eugène ne voulait pas que son premier combat se terminât par une défaite, et persistait dans sa poursuite, comme un chasseur qui veut absolument tuer une perdrix à sa première fête de Saint-Hubert. Ses anxiétés, son amour-propre offensé, ses désespoirs, faux ou véritables, l'attachaient de plus en plus à cette femme. Tout Paris lui donnait madame de Nucingen, auprès de laquelle il n'était pas plus avancé que le premier jour où il l'avait vue. Ignorant encore que la coquetterie d'une femme offre quelquefois plus de béné-

> fices que son amour ne donne de plaisir, il tombait dans de sottes rages. Si la saison pendant laquelle une femme se dispute à l'amour offrait à Rastignac le butin de ses primeurs, elles lui devenaient aussi coûteuses qu'elles étaient vertes, aigrelettes et délicieuses à savourer. Parfois, en se voyant sans un sou, sans avenir, il pensait, malgré la voix de sa conscience, aux chances de fortune dont Vautrin lui avait démontré la possibilité dans un mariage avec mademoiselle Taillefer. Or il se trouvait alors dans un moment où sa misère parlait si haut, qu'il céda presque involontairement aux artifices du terrible sphinx par les regards duquel il était souvent fasciné. Au moment où Poiret et mademoiselle Michonneau remontèrent chez eux, Rastignac, se croyant seul entre madame Vauquer et madame Couture, qui se tricotait des manches de laine en sommeillant auprès du poêle, regarda mademoiselle Taillefer d'une manière assez tendre pour lui faire baisser les yeux.

Cette longue addition est capitale. Le temps se ralentit. C'est la veillée d'armes. Chacun attend et pense. Le romancier lui aussi fait une pause. En apparence, Rastignac, malgré ses succès mondains, n'est arrivé à rien. Où en est sa fortune? A-t-il eu raison de refuser la solution Victorine? Vautrin guette. Le poisson va-t-il mordre? Et c'est la méditation de Delphine qui s'articule sur une analyse de la situation des deux personnages.

> Après s'être compromise aux yeux du public pour fixer près d'elle le cousin de madame de Beauséant, elle hésitait à lui donner réellement les droits dont il paraissait jouir. Depuis un mois elle irritait si bien les sens d'Eugène, qu'elle avait fini par attaquer le cœur. (175)

Rastignac est un homme. Après la cristallisation, le désir a pris corps. Il a beau être second dans le projet de Rastignac, le voici qui prend de l'importance, et les sens non satisfaits le cœur suit. Ici la diplomatie de Rastignac cède du terrain et c'est à nouveau, mais avec une plus grande force, la commune qui parle en lui, les valeurs, la nature. Balzac parle des « deux ou trois hommes qui sont dans un jeune homme à Paris » (175). Mais il y a aussi plusieurs femmes dans la parisienne Delphine. Elle aussi, reliée à la commune et à la nature, aime, ou croit aimer, croit en tout cas à sa dignité (176). Elle a été l'objet. Elle ne veut plus l'être. Après tout, qui ou quoi la garantit absolument contre une nouvelle chute? Elle a été abandonnée; Mme de Beauséant est abandonnée. Delphine se demande si Eugène ne se joue pas d'elle et quels lendemains il lui assure. Et puis le jeune homme n'est-il pas vierge? Mais voici qui livre beaucoup : « après avoir subi le dégradant plaisir d'un véritable monstre, un libertin jeune, elle éprouvait tant de douceur à se promener dans les régions fleuries de l'amour, que c'était sans doute un charme pour elle d'en admirer tous les aspects, d'en écouter longtemps les frémissements, et de se laisser longtemps caresser par de chastes brises » (176). *Subir le dégradant plaisir d'un véritable monstre, un libertin jeune :* quelle phrase! Il vaut mieux que tout demeure à demi dit. De Marsay, on le sait par *la Fille aux yeux d'or* qui le situe dans un contexte d'anormalité, est voyeur et amateur de fantaisies. Ceci, à la fois, Rastignac ne peut le comprendre et ne peut l'effacer. Il suffit pour l'instant, mais Delphine hésite, qu'il soit aimant. D'où ce combat émouvant et douteux. Rastignac ne veut pas rester sur un échec. Parce qu'il aime? Parce qu'il est « comme un chasseur qui veut absolument tuer un perdrix à sa première fête de Saint-Hubert » (176)? Delphine « se dispute à l'amour » (177)? Rastignac rage et finit par presque aimer. Mais sa virginité qui doit le rendre impatient? Rastignac n'a pas de problème de ce côté. Il sait qu'il aura cette femme et il se définit par beaucoup plus que sa physiologie. Alors? Les jeunes gens impatients et rageurs comme Raphaël sont à la fois ceux à qui il n'est pas réellement assuré qu'ils auront une femme et ceux que le monde ne constitue qu'en termes de désir, les héros incomplets, les héros non d'une réussite, mais les héros d'une frustration et d'une tension-piège, toujours aussi les héros d'une réussite inhumaine et décevante. Rastignac échappe au dilemme de *la Peau de Chagrin,* parce que Balzac écrit ici non pas un roman romantique (le désenchantement et l'impuissance au sein d'un monde moderne qui n'est que mauvais : c'est le coup de rage et de colère après l'échec de Juillet), mais un roman de l'accomplissement (le monde moderne est aussi porteur et vecteur, producteur et productif, même si c'est sur la base d'une rupture de la commune et de l'unité : aliénants, les rapports de production et les rapports sociaux selon le capitalisme n'en sont pas moins des rapports de progrès). Pour Rastignac le problème est, plus que d'avoir une femme, de passer à un mode de vie plus complet. Que signifierait son passage hâtif au statut viril qui, en soi, et à s'en tenir aux faits, ne fait pas problème à lui seul? L'objectif est quand même tout autre, plus vaste et plus important.

Pour l'instant, barré de ce côté, ne pouvant à l'infini mener la vie qu'il mène, Rastignac se tourne vers Victorine. Mais là, il va jouer la comédie, et pour la première fois vraiment. Et il la joue mal, en acteur. Il ne croit pas à ses propres paroles :

> Quel homme n'a pas ses chagrins! répondit Rastignac. Si nous étions sûrs, nous autres jeunes gens, d'être bien aimés, avec un dévouement qui nous récompensât [de nos sacrifices, I] des sacrifices que nous sommes disposés à faire, nous n'aurions peut-être jamais de chagrins. (177)

La preuve qu'il joue, c'est que, dans ce qui suit, la voix qui lui cause de l'émotion n'est pas celle de Victorine, mais celle de Vautrin. Victorine ne compte absolument pas. On ne l'entend pas, on ne la voit pas. Dans le système de Rastignac, elle n'existe pas. Mais Vautrin, c'est-à-dire la voix intérieure de Rastignac? Le second chapitre s'achève sur une phrase bien révélatrice :

> — Tout va bien, lui dit Vautrin.
> — Mais je ne suis pas votre complice, dit Eugène.
> — Je sais, je sais, répondit Vautrin en l'interrompant. Vous faites encore des enfantillages. (I)

Ce n'était pas assez net, et sur épreuves Balzac ajoute :

> *« Vous vous arrêtez aux bagatelles de la porte. »* (182,II)

P.-G. Castex note, à juste titre, que Balzac trouvait cette

expression jolie et qu'il l'avait déjà employée dans une lettre à Mme Hanska à propos de Rome. Mais que veut dire « bagatelles de la porte », si ce n'est les amusettes et menues faveurs (baisers, caresses) qui précèdent la totale possession amoureuse? On dit aussi, et encore aujourd'hui, « les plaisirs de la porte ». Et que signifie ici la phrase de Vautrin, qui est un commentaire, une addition, un renforcement apporté par à son propre texte?

1. Vous n'osez pas séduire Victorine, qui est vierge (sens restreint).

2. Vous restez timide dans vòs conquêtes mondaines : où en êtes-vous avec la comtesse? En fait Rastignac en est encore à quelques baisers et serrements de main. Il n'a pas encore touché son chèque.

3. Mais surtout : vous restez jeune fille. Qu'attendez-vous? A noter que c'est sur ces « bagatelles de la porte » que se terminait primitivement le chapitre l'*Entrée dans le monde.* Ce découpage produisait son effet et Balzac coupait son chapitre sur une expression (c'est bien le cas de le dire) clé.

Vautrin, donc, le mâle, regarde Rastignac. Il faut y aller! Rastignac va y aller. Mais pas tout seul et de son propre mouvement. Comme quoi ce n'est pas l'individu seul qui fait l'Histoire ni son histoire. Rastignac conduisait le roman et définissait l'intérêt en tant que conscience qui s'éveille et qui cherche. A partir d'ici, il cesse d'avoir toute l'initiative. D'abord, c'est Vautrin qui lance le duel Taillefer-Franchessini. Que faire? Rastignac ne s'est jamais battu : affaire d'hommes, et l'on a déjà vu l'allusion au moment de se battre avec Maxime. Ensuite, c'est Goriot qui lance le projet d'appartement pour Delphine et Eugène : « vous avez cru ce matin qu'elle ne vous aimait pas, hein! reprit-il. Elle vous a renvoyé de force, et vous vous en êtes allé fâché, désespéré. Nigaudinos! Elle m'attendait. » (195). Rastignac, une fois de plus, a quitté Delphine à l'aube sans rien obtenir (voici un autre blanc de *la Comédie humaine,* un bal qui a existé, dont on ne parle pas mais qui a des conséquences). Rastignac en tout cas est ramené au statut d'objet. On s'occupe de lui. « Nigaudinos » : il a tout à apprendre. Goriot parle comme Vautrin. Il l'aime, ce jeune homme! On lui arrange une garçonnière. Rue Taitbout. A partir de II, rue d'Artois (195).

« A deux pas de la rue Saint-Lazare » (il n'y a pas encore de gare). « Nous avons des meubles comme pour une épousée » (195). On prépare Rastignac comme une fiancée. Il avait dit que la vie et lui étaient encore comme un jeune homme et sa fiancée... Idéalisme? Idéal? Mais Goriot ajoute vite à propos des dispositions qu'il a prises pour sauver la dot de sa fille : « Il y a un exploit en route » (I). Affaire de nature, affaire de vertu, affaire de commune. Mais aussi affaire d'affaires. Sans garde-chiourme, pas d'amour. Sans infrastructures, pas de superstructures. Rastignac qui nage dans l'idéal, un moment n'est plus le maître. Le père Goriot habitera au-dessus de chez lui!

> Je me fais vieux, je suis trop loin de mes filles. Je ne vous gênerai pas. Seulement je serai là. Vous me parlerez d'elle tous les soirs. Ça ne vous contrariera pas, dites? Quand vous rentrerez, que je serai dans mon lit, je vous entendrai, je me dirai : il vient de *voir* ma petite Delphine. (196)

Phrases toutes d'or! Car rappelons-nous : « Vous les *voyez* encore! Bravo père Goriot! ». Rastignac reviendra de *voir* Delphine. Alors le vieil homme s'endormira tranquille. Delphine est non avec son alsacien, ni avec cet affreux de Marsay, mais avec Eugène, et c'est moi qui le lui ai procuré... D'autres fois, c'est elle qui viendra chez Eugène, et le matin le père Goriot la verra, « dans sa douillette du matin trottant, allant gentiment comme une petite chatte » (196), c'est-à-dire « heureuse » (comme Lucien l'est avec Coralie), bien aimée, épanouie, comme l'était madame de Restaud, comme le sera la petite Montcornet. Et pourtant lisons :

> Elle est redevenue, depuis un mois, ce qu'elle était, jeune fille.(196)

On est revenu à la commune, à la nature, au patriarcat, au pré-capitalisme, à l'âge d'or. Grâce à Rastignac, Goriot envisage de refaire le monde (plus exactement, pour lui, d'y revenir) et le monde est bien la famille, la cellule primitive ébranlée, menacée, détruite par l'évolution du monde moderne qui en extrait des individus. Sur épreuves Balzac ajoute : « [ce qu'elle était, jeune fille] gaie, pimpante. Son âme est en convalescence, elle vous doit le bonheur » (196), et sur le manuscrit il y avait : « mais vous ne savez pas tout ce que vous êtes pour moi » (197). Rastignac, sans trop le vouloir, mais parce qu'il n'est pas un pur individu, parce qu'il tient à la nature et à la commune, a contribué à rendre leur chance à la nature et à la commune, et maintenant c'est cette nature et cette commune retrouvées qui à leur tour le façonnent et le dirigent. On sort ainsi résolument, si on y était jamais entré, du seul univers du désir individuel. N'ayant jamais été un simple homme à femmes, Rastignac obtient plus et contribue à définir plus. Goriot, Delphine et Rastignac rue d'Artois, c'est un peu Clarens qui recommence au milieu du Paris révolutionné de 1820. On aura de l'argent, mais pas trop, de l'argent sage, pas de l'argent fou, de l'argent assuré, par de bonnes lois et de bonnes mesures. On aura une maison et on sera ensemble. Bien sûr, la situation sera illégitime, mais « si cette grosse souche d'Alsacien mourait, si la goutte avait l'esprit de remonter dans l'estomac, ma pauvre fille serait-elle heureuse ! Vous seriez mon gendre, vous seriez *ostensiblement* son mari. » (197). Il y a quand même de la pureté là-dedans, malgré une apparente et cynique énormité. La leçon est claire : ce qui nous est raconté, ce n'est pas l'histoire d'un séducteur, d'une ambition, mais c'est l'histoire d'une tentative unique au départ : *faire et trouver la vraie vie, la vie plus complète, plus authentique, plus efficace, tout en retrouvant la vie pure d'autrefois.* Utopie de la vie à faire. Utopie de la vie à refaire. Saint-Simon et Rousseau. Mais les deux à la fois, est-ce possible? La tentative, en fait, bifurque et se divise : faire et trouver la vie vraie, ce peut être par un bond en avant, subjectivement exaltant mais qui ne peut se faire selon des structures qui moralement se dégradent, mettant en contradiction la légitimité des désirs avec les moyens, les objectifs et les résultats (premier déchirement); mais ce peut-être aussi par un retour en arrière qui vise à reconstituer l'unité perdue. Dans les deux cas, de toute façon, les amours de Rastignac ne sont pas exactement moteurs, mais seulement éléments et pièces de l'ensemble, fonctionnant comme éléments signifiants de l'ensemble, signifiés et agis plutôt qu'agissants.

Le père Goriot s'écrie, en évoquant les courses faites avec Delphine pour préparer l'appartement de la rue d'Artois : « Pendant toute cette bonne matinée, je n'étais plus vieux » (197), et Delphine redevient jeune fille, et Rastignac retrouve ses bonnes vieilles émotions. Il sort du cercle empoisonné que lui ont tracé ses propres tentations et les lois objectives du système, et ce qu'en a explicité Vautrin. Rastignac est « à vendre » (198) : comme la montre, comme l'appartement de rêve, mais pourtant il *reçoit* quelque chose, alors qu'il sort d'un monde où, loin de recevoir ou de pouvoir donner, on prend, ou l'on se fait prendre. Custine se trompait du tout au tout, lorsqu'il écrivait au sujet de ce passage :

> Ne vous semble-t-il pas qu'avec le fanatisme d'amour paternel du père Goriot, il sorte de son caractère en se montrant plus complaisant que jaloux? Je sais bien tous les sophismes de sa passion. C'est le seul moyen d'être encore quelque chose pour sa fille, mais enfin la jalousie est aussi dans la nature de la passion et son premier effet est d'annuler les calculs intéressés de la passion, même ceux qu'on ne s'avoue pas et qui sont comme l'effet de l'instinct de propre conservation d'un cœur voué tout entier à une affection. Il me semble qu'il y a des paroxysmes d'amour où la passion même nous porte à sacrifier l'intérêt de la passion et je ne sais pas si ce pauvre père n'aurait pas dû un moment dans sa vie passer par cette terrible crise. (Cité par Castex, 198)

En termes de simple « psychologie » d'abord, pourquoi le père Goriot serait-il jaloux, puisqu'il retrouve ce qu'il a perdu? En termes de structures et d'ensembles romanesques ensuite, cette absence de jalousie dit le retour à une unité perdue, le recul des forces de division. Autre preuve : Rastignac heureux songe à sauver le fils Taillefer (199). Il faut que le mal recule partout! C'est presque le moment béni du roman. Rastignac fonctionne et signifie à l'intérieur d'un ensemble en train de redevenir positif.

Mais voici le coup du destin. Vautrin survient et son apparition rappelle la présence, la prégnance, la nécessité des forces de division. Le moment béni ne va guère durer et la grande fête de l'amour va connaître une terrible parodie. C'est d'abord la petite fête dans la salle à manger de la pension Vauquer, les bouteilles qu'on va chercher, les gâteaux, les plaisanteries. Mais dans cette fête chacun trompe quelqu'un : Vautrin veut endormir Rastignac pour l'empêcher d'intervenir dans la machination qu'il monte en direction du fils Taillefer; la Michonneau veut endormir Vautrin pour exécuter les ordres de la police; Mme Vauquer ne comprend rien. Pendant toute cette scène Rastignac est à nouveau manipulé, agi, mais cette fois par les forces négatives et destructrices. Victorine a peur. Elle lâche même une phrase bien surprenante dans la bouche d'une jeune fille : « Je ne voudrais pas être vue ainsi par cet homme, il a des expressions qui salissent l'âme, et des regards qui gênent une femme comme si on lui enlevait sa robe! » (207).

Rastignac, lui, est ivre. On le couche. Il ne se rend pas au rendez-vous de Delphine. C'est une autre scène de *la Nouvelle Héloïse,* lorsque Saint-Preux est saisi par Paris et ses mauvais lieux. Delphine aime, heureusement. Elle a besoin de Rastignac, et elle précise une fois de plus : « Je vois bien que vous aimez pour la première fois... » (213-214). Mais la lettre est calme, sans affolement, la tension passionnelle ne monte guère, à la différence de ce qui se passe chez Stendhal. L'emballement, l'accélération sont ailleurs, au niveau de l'ensemble : *vertu/ambition/vie mondaine/vie secrète du monde.* L'inquiétude d'ailleurs qui saisit Rastignac (« Oui, qu'est-il arrivé? », 224) porte sur bien autre chose. La ligne n'est pas simple comme dans le cas Julien Sorel — Mme de Rênal, ou Julien Sorel — Mathilde (combat de deux êtres représentatifs, mais aussi individus). La ligne est complexe. Et il ne s'établit même pas de ligne simplificatrice au profit de Vautrin, meneur de jeu. Rastignac se précipite dans la salle à manger « en froissant sa lettre sans l'achever » (addition de II, qui souligne bien que le problème Delphine n'est que *l'un* des problèmes de Rastignac) et il y a ici un très bel effet de réel : Balzac ne donne le texte de la lettre de Delphine que jusqu'à l'endroit où *réellement* lit Rastignac; on sera donc privé de la fin, de ce que dit Delphine, de ses protestations d'amour, de sa signature, etc.; Delphine n'existe qu'à moitié. Est-ce là la conduite d'une amoureuse, est-ce là l'être romanesque? Le « qu'est-il donc arrivé? » de Delphine, renvoyant aussitôt Rastignac à une inquiétude beaucoup plus générale. Vautrin suspend le mouvement commencé : « Quelle heure est-il? — Onze heures et demie, dit Vautrin en sucrant son café » (214). On voit ici le parti que le cinéma pourrait tirer de cette image : le sucre que l'on met dans la tasse; la cuillère qui tourne lentement, patiemment, sadiquement; le regard de l'homme qui joue les indifférents, mais qui se croit sûr de la situation. Mais on sait par ailleurs que ce café contient le narcotique qui va le perdre. Que pèse Vautrin? Mais que pèse Delphine ici encore? Rastignac ne pense absolument pas à elle. Tout le récit se décentre : « Vous êtes donc prophète, monsieur Vautrin? dit madame Vauquer — Je suis tout, dit Jacques Collin » (215). Ceci au moment où il se prépare à n'être plus rien. Va-t-il y avoir un autre départ dans une autre direction? Le roman va-t-il enfin être un roman? « Dites donc, monsieur Eugène, s'écria madame Vauquer » (I), et Balzac ajoute sur épreuves : « vous avez mis la main au bon endroit » (215), ce qui :

— jure avec la naïveté et la pureté de Victorine;

— jure avec le roman Rastignac-Delphine qui s'idéalise;

— renvoie, sans que madame Vauquer le sache, à l'opération Rastignac sur la maison Nucingen; *mais Rastignac comprend.*

Ainsi le roman à la fois se décentre et se recentre constamment. La preuve : « A cette interpellation, le père Goriot regarda l'étudiant » (215). Balzac ajoute sur épreuves : « et lui vit à la main la lettre chiffonnée »:

> Vous ne l'avez pas achevée! qu'est-ce que cela veut dire? seriez-vous comme les autres? lui demanda-t-il.
>
> Madame, je n'épouserai jamais mademoiselle Victorine, dit Eugène en s'adressant à madame Vauquer avec un sentiment d'horreur et de dégoût qui surprit les assistants. (215)

Quelles sont ses raisons? Son amour (?) pour Delphine? Rien n'est moins sûr. Il s'agit d'abord :

— de dire non à Vautrin et de garder son indépendance;

— de préserver sa vertu récemment retrouvée (?);

— de ne pas s'engager dans le système qui le broierait (s'il se soumet moralement et physiquement à Vautrin, dont il ignore par ailleurs, qu'il est sur le point de tomber).

Ici, nouvelle tentative de recentrage qui ne sert qu'à souligner l'éclatement du roman et du monde : « J'attends la réponse, dit à Rastignac le commissionnaire de madame de Nucingen. — Dites que j'irai. » Car il faut bien répondre à Delphine. Mais déjà de l'agacement. Elle tombe bien! Elle se croit au centre de tout. Elle n'y est pas. Le centre (?) est ailleurs : « Point de preuves! » se dit Rastignac. Où en est-on? Rastignac essaie aussitôt de reprendre pied, de s'assurer, mais sans grand succès :

> Tais-toi, Bianchon, je ne l'épouserai jamais. J'aime une délicieuse femme, j'en suis aimé, je...
>
> — Tu dis cela comme si tu te battais les flancs pour ne pas être infidèle. Montre-moi donc une femme qui vaille le sacrifice de la fortune du sieur Taillefer.
>
> — Tous les démons sont donc après moi? » (219)

Nouvel effort : il relit la lettre de Delphine en entier, cette fois, et s'écrie : « un tel amour est mon ancre de salut » (219). C'est-à-dire? Rastignac n'est pas mû par un amour unique, violent. Il cherche seulement à échapper au vertige. Il ne s'agit pas d'assurer des valeurs, mais toujours des essences, une signification du monde. Delphine, c'est Goriot, la vertu. Mais c'est aussi l'appartement de la rue d'Artois, tout un avenir auquel on peut après tout, à nouveau songer, après avoir renoncé à celui qu'ouvrait le mariage avec Victorine. Recentrement? Rationalisation? Oui en ce sens que Rastignac peut retrouver l'emploi de soi-même et se sentir dans son droit, c'est-à-dire dans le sens de son efficacité la moins trompeuse. Mais aussi, et c'est l'autre sens, la plus mystifiante. *La plus idéologique,* c'est-à-dire non pas abstraite et théorique, mais justifiant une pratique. Des perspectives se rouvrent :

— Delphine devient ma maîtresse; nous nous occuperons du père Goriot;

— Anastasie est méchante (Rastignac a échoué auprès d'elle).

C'est au sortir du cauchemar l'innocence retrouvée : « Ah! ce soir je serai donc heureux! » (220). Et cette perte d'innocence n'aura rien de traumatisant. Bien au contraire elle sera le passage à plus :

> Il tira la montre, l'admira. — Tout m'a réussi ! Quand on s'aime bien pour toujours, l'on peut s'aider. Je parviendrai, je rendrai certes au centuple. Il n'y a ni crime, ni rien qui puisse faire froncer les sourcils à la vertu la plus sévère. Combien d'honnêtes gens contractent des unions semblables ! Nous ne trompons personne. Elle s'est depuis longtemps séparée de son mari. D'ailleurs je lui dirai moi. (I, 220)

Mais ce n'est pas assez net. Sur épreuves Balzac ajoute, après : « Tout m'a réussi ! Quant on s'aime bien pour toujours, l'on peut s'aider... » : « je puis recevoir cela », et après « je lui dirai moi » : « à cet Alsacien de me céder une femme qu'il lui est impossible de rendre heureuse » (220). Delphine n'est ni sujet ni réellement objet. On n'est pas dans le roman traditionnel. D'ailleurs, l'amour naïf ou l'amour pratique reçue, le coup de tonnerre de l'arrestation de Vautrin lui porte un coup de plus. « Ninon cariée, Pompadour en loques, Vénus du Père-Lachaise » (225) : la statue écaillée parle et on l'on comprend ce qu'annonçait l'objet dégradé sous l'arcade du jardin. Voilà ce qui reste dés « petites passions » : la décadence physique et morale au service de la police. Mais « Adieu, Eugène » (227; c'est la première fois que Vautrin appelle Rastignac par son prénom) et l'offre de service de Franchessini, c'est à la fois la tendresse et l'illusion : tendresse de cet homme qui tombe, mais à qui on ne prendra pas tout; illusion de cet homme qui s'imagine continuer quand même par celui qu'il aime. Là-dessus Rastignac, avant d'aller rejoindre Delphine, a « un nouveau mouvement de vertu » auto-justificateur et se joint au chœur des étudiants libéraux pour chasser l'espionne et son complice de la pension. Puis c'est la reprise du thème positif et salvateur majeur. Goriot est heureux. Il a travaillé toute la journée. Joie du travail lorsqu'il a un sens : il a aidé à porter les meubles. Pourquoi Goriot ajoutait-il d'abord : « A Paris monnaie fait tout »? (I) et pourquoi Balzac a-t-il supprimé cette phrase sur épreuves? Parce que cette remarque était inutile? Ou pour épurer la réaction de Goriot? Toujours est-il qu'il va avoir sa fille à lui (et Rastignac qui sera là?) « pendant toute une soirée » (233). Ensemble? Est-ce que Goriot censure? Non. Peu lui importe. Il est heureux. Tout se tient, comme le dit cette autre phrase étonnante : « Oh ! y-a-t-il longtemps que je n'ai été tranquille avec elle (I), comme nous allons l'être » (II, 233). *Nous :* l'amour, ce qui est rare, unit et construit *cet* amour. Dès lors Rastignac reprend pied, encore une fois pour des raisons plus larges que tenant simplement à Delphine en tant qu'« objet » comme on aurait dit au grand siècle. Balzac lui fait ajouter sur épreuves : « Je crois revenir à la vie » (233). N'ira-t-on pas dîner chez Delphine, « y *gobichonner* un bon petit dîner qu'elle a commandé devant moi au chef du café des Anglais » (233)? Tout le contraire de la folle et destructrice orgie de *la Peau de Chagrin.* Finies les « ratatouilles » de maman Vauquer, mais on ne passe pas pour autant à quelque absurde intense et suicidaire. Et Delphine est là, empressée, rassurante, nullement image ou figure, comme Aquilina, de gaspillage sans lendemain. Aussi, dans l'appartement est-ce l'histoire de la dernière fée qui recommence, mais bien différente des surprises du fantastique : l'ameublement, tout est charmant, et au milieu de tous ces objets, Delphine, cadeau suprême. D'une part, Rastignac reçoit Delphine des mains de Goriot, comme la montre; il ne l'a pas réellement conquise, vaincue, puis partagée comme Julien Sorel Mme de Rênal et Mathilde. D'autre part aussi, il est manœuvré par Goriot qui a besoin de lui pour retrouver sa fille et par Delphine qui pense toujours à aller chez Mme de Beauséant. Merveille donc, pour tous. Quelque chose va-t-il craquer? « Ne donnons notre secret à personne... », dit Rastignac, et Goriot grogne : « Oh ! je ne serai pas quelqu'un, moi » (235; dans I il disait « oh ! je ne *suis* pas quelqu'un, moi »). Le futur gomme toute difficulté immédiate et comme tout souvenir des misères récentes. Mais surtout cette affirmation du personnage du père empêche que ne prenne vraiment le couple-héros en tant que tel et fait qu'il ne fonctionne que dans et par rapport à un ensemble. Le roman ne se recentre décidément pas sur l'élément passionnel traditionnel et attendu. Le couple ne va s'accomplir et se réaliser que dans un ensemble du roman, lui-même excentré par rapport au réel.

Ce prologue mis en place, Goriot est d'ailleurs immédiatement décentré : « Le père Goriot parlait tout seul, madame de Nucingen avait emmené Rastignac dans le abinet où le bruit d'un baiser retentit, quelque légèrement u'il fût pris » (235; Balzac avait d'abord mis dans I et II, quelque légèrement *donné* qu'il fût »). On comprend que Rastignac s'enhardisse; il va de l'avant et Balzac le confirme un peu dans son rôle obligé. La première version était quand même plus belle : ne faisons pas de bruit, il est là, à tout l'heure. Mais le couple, de toute façon, évacue le père, sans lequel pourtant il ne se serait pas formé. *Quel* couple? Rastignac a peut-être *pris* un baiser à Delphine; il demeure un enfant difficile et boudeur à qui l'on fait leçon. Il hésite à accepter l'appartement. Mais, lui dit Delphine, « vous croyez être grand, et vous êtes petit »; et elle ajoute : « vous demandez bien plus [...] et vous faites des façons pour des niaiseries ». La phrase est coupée par : « Ah! dit-elle en saisissant un regard de passion chez Eugène » (236). De *passion,* c'est-à-dire de *désir.* On y vient, mais l'incise est significative : une fois de plus le désir n'est ni central, ni premier, ni moteur; il prend place, éventuellement pour le perturber, dans un ensemble plus vaste; il n'existe et ne se manifeste qu'en marge et en plus : le piège de *la Peau de Chagrin* n'a ici ni sens ni réalité. Un regard bien compris, un accord renouvelé, et l'on revient sans drame à l'essentiel : le marché, qui n'a rien d'un pacte diabolique. Dans l'immédiat, Delphine donne à Rastignac les *armes* dont il a besoin; à terme, il la présentera chez les Beauséant. L'amour « pur », total, intense et pourvoyeur d'illusions est étranger au domaine de la marchandise et des moyens qu'il met hors circuit, mais qui se vengent. C'est ce qui se passe chez Stendhal : Mme de Rênal, puis Mathilde, *oublient* leur situation et s'oublient. Ici personne n'oublie rien. Réification de l'amour? En un sens oui, puisqu'il ne se développe et fonctionne que sur fond d'échange. Mais aussi qui dit échange dit fonctionnement, marche réglée et non folle boussole. On peut refuser ou nier la loi de l'échange : on échappe à la loi capitaliste, mais on sort de la vie. L'amour, comme pulsion et besoin profond, réel, semble disparaître, mais *autre chose* apparaît et devient possible, qui est conquête. C'est d'ailleurs Goriot qui arrange tout en proposant, lui aussi, un marché, exactement comme Vautrin : il *prête* à Rastignac l'argent qu'a coûté l'installation. Et c'est un nouveau récit de l'*activité* de Goriot, repris par le travail qui seul donne un sens à la vie. Avec la même fierté que Pons lorsqu'il racontera comment il a réussi à acheter l'éventail peint par Watteau, Goriot raconte comment il s'est débrouillé : voici au cœur du monde, et avec les moyens du bord l'enclave et presque, si l'on n'était pas au cœur de la vie parisienne, l'utopie. Certaines lois ne jouent plus, ou si elles jouent ne contredisent pas celles de l'être. Tout ceci non seulement *retarde* encore le dénouement érotico-amoureux mais contribue à achever de lui donner une importance rigoureusement secondaire. Le problème qui n'a jamais été là, l'est de moins en moins, parce que le vrai sujet n'est pas l'amour Delphine-Eugène en tant que purs êtres de désir. N'a-t-on pas, et Delphine d'abord, acheté toutes les choses « comme pour une mariée » (237)? L'image est obsédante. Mais voici que Rastignac héros amoureux et amant promis par le récit recule à nouveau : le père Goriot prend sa fille sur ses genoux, la serre, et lui fait l'amour par procuration. A quoi sert ici Rastignac? Il revient toutefois; il mérite ce qu'on fait pour lui : il a refusé Victorine, riche (239), et Delphine a un mot charmant : « Eugène, lui dit [-elle] à l'oreille, maintenant j'ai un regret pour ce soir. Ah! je vous aimerai bien, moi! et toujours » (239). Ce qui signifie que la nuit de noces qui se prépare (car c'en est une, une vraie, la *vraie,* contrairement à celle des mariages des *deux filles* de Goriot (239), une nuit non pas du viol, de la contrainte, mais du don de soi) aura aussi, malgré le fond marchand, une valeur d'usage. Delphine aimera Rastignac, mieux que Victorine, et il ne perdra rien, ni pour sa fortune, ni pour ses plaisirs, à avoir refusé les millions de la jeune fille. Ici revient le thème du progrès et de l'accord : le couple qui se constitue, parce qu'il n'est pas réellement contradictoire et problématique (comme l'aurait été le couple Eugène-Victorine qui eût vite fourni un sujet de roman ou quelque nouveau chapitre de la *Physiologie du mariage*) est un couple heureux, d'un bonheur que rien réellement ne menace, qui ne sera jamais romanesque et qui n'aura pas d'histoire. C'est qu'il n'est pas fondé sur la passion (donc sur l'usure) mais sur un accord. La passion, dans la mesure où elle est à contre-courant du monde et contraire aux lois de son fonctionement, aux lois de la durée, si d'abord elle rapproche, finit par séparer. La passion est problématique : elle prétend refaire le monde à elle seule et à partir de ses folies; elle est une illusion. Ici le couple va dans le sens des lois objectives du monde et du besoin raisonné de développement des êtres. D'où l'accord complice de Goriot, qui relève moins d'une particularité psychologique que de l'expression d'une vérité objective. « Elle est bien belle, n'est-ce pas? » dit-il à Rastignac, et c'est le clin d'œil de mâle à mâle. Heureux gaillard! Ah si j'avais vingt ans! « Heureuse par vous » (239) : on saisit la connotation. Goriot n'a pas à être jaloux. Lui aussi est l'amant de Delphine, et l'unité du monde se refait, puisqu'il n'y a pas de conflit entre le sentiment de paternité et l'idée de la possession de la fille par un autre. Recentrage définitif, alors? Triomphe de Goriot? Mais une fois de plus le récit s'excentre, avec sa signification : « Voyez-vous? dit Delphine à Eugène, quand mon père est avec nous, il faut être tout à lui. Ce sera pourtant bien gênant » (240), et c'est Rastignac qui est pris d'un mouvement de jalousie, « principe secret de quelques ingratitudes » (I; II : « principe de toutes les ingratitudes », 240). L'exclusion de Goriot se prépare, de la rue d'Artois et de la vie de Rastignac aussi bien que (ce qui est déjà fait) de la rue du Helder et de la rue Saint-Lazare. C'est le lendemain soir seulement que, *loin de lui,* les deux amants se réuniront. Il faut d'abord exclure le père qui, d'ici à la fin du roman, si on va le soigner à la pension Vauquer, devenue pour Rastignac et Bianchon comme une enclave morale au sein du monde parisien, ne retournera plus jamais rue d'Artois, dans ce petit morceau de monde qu'il avait imaginé reconstruire. La conjonction père-amants ne s'effectue donc qu'incomplètement; il n'y aura pas de nuit de noces bénie; il n'y aura pas d'éblouissement sous le regard des valeurs; il n'y aura pas de triomphe assurant de la morale, des sens et de la poésie. La preuve, au niveau même de l'une des ruptures du texte : lors du retour de Rastignac à la pension, il est question des trois tasses de café seulement pour le lendemain, et la grosse Sylvie — le chœur — demande : « Que faire des haricots? » (242). Le monde de toute évidence continue et ne se refait ni ne se change ici autour de quelques nouveaux Tristan et

Yseult. Demain il faudra aller au marché. Pas de sacré L'amour et son roman qui ne s'écrit pas y perdent er radiance et en puissance affirmative; mais ils y gagnent en ce sens qu'ils connaîtront, qu'ils pourront connaître des lende mains au lieu de cette tristesse classique alors que le jour se lève et qu'il va bien falloir retrouver le réel. La preuve d'ailleurs que ce lendemain, qui doit voir « heureux » Delphine et Rastignac, n'est ni le sujet ni le but du roman, c'est que dans l'écriture de Balzac, et d'abord au niveau du manuscrit, *il n'existe pas.* Jamais un trou, jamais un manque dans un texte qui s'écrit n'a eu sans doute autant de sens. C'est un autre exemple de ces relations qui ne s'établissent pas.

Dans le manuscrit, en effet, Balzac s'est arrêté sur ces lignes :

> Madame, dit Sylvie en accourant effarée, voici trois jours que je n'ai vu Mistigris.
>
> — Ah! bien, si mon chat est mort, s'il nous a quittés, je... La pauvre veuve n'acheva pas, elle joignit les mains et se renversa sur le dos de son fauteuil, accablée par ce terrible pronostic. (243)

Puis il lève la plume. Il s'arrête. Il écrit :

> Il était environ midi, le père Goriot [...]

puis il barre et il écrit en plein milieu de page :

> LA MORT D'UN PÈRE

et il enchaîne :

> Le lendemain, la veille du jour où M. Goriot et Rastignac comptaient quitter la pension bourgeoise, sur les midi, le bruit d'un équipage retentit dans la rue Neuve-Sainte-Geneviève et la voiture s'arrêta précisément à la porte de la maison Vauquer. (I, 438-439)

Il est évident que pour Balzac, le sujet, le texte à faire, c'était la mort de Goriot. Parce que son titre et son sujet l'exigeaient? Parce qu'il était impatient d'arriver au morceau principal? Parce que joue à nouveau la loi de l'unité d'action et d'intérêt? Cela ne signifie-t-il pas surtout que le dénouement de l'aventure Delphine-Rastignac non seulement ne l'intéresse qu'au second degré, mais ne compte pas réellement pour dire le monde? Dans le texte du manuscrit, la promesse de Delphine (« demain vous viendrez dîner avec moi, c'est jour d'Italiens », 437), semble suffire. Et l'on passe. Problème purement technique et d'organisation? Problème surtout, semble-t-il, de signification. Dans le texte définitif, tel qu'il apparaît dans la *Revue de Paris,* « le lendemain » (249) prend un sens précis : le lendemain du jour où Delphine et Rastignac ont enfin passé une nuit ensemble. Mais dans le manuscrit, non sans flottement, « le lendemain » *renvoie seulement à la soirée à trois.* Balzac se réservait-il d'écrire plus tard les pages qui manquaient et dont l'essentiel était déjà dans sa tête? Il est possible. Il faut retenir en tout état de cause que *la nuit d'amour de Delphine et Rastignac n'était pas pour lui son sujet, l'aboutissement du roman.* Voici un cas patent où l'écriture, par le choix même qu'elle opère, bien loin d'être censure et appauvrissement, est acte signifiant. Il faut maintenant considérer les cinq pages ajoutées dans la *Revue de Paris* (243-248).

Le lendemain donc, Rastignac reçoit de Mme de Beauséant l'invitation destinée à Delphine. Balzac place un long développement sur l'amour à Paris et sur ses nécessaires accompagnements de prestige (244-245) qui sent la confession et l'autobiographie (« le luxe du sentiment est la poésie des greniers », 245). O Raphaël? Mais aussi, ô Béranger, qui s'accommodait fort bien des grisettes entretenues et ne rêvait nulle splendeur. Rastignac n'est pas le héros d'un roman *possible,* mais qui ici ne s'écrit pas : celui d'un « amour pur et sacré », qui ne s'est pas « laissé entraîner par les doctrines sociales » (245). Toutefois, précise Balzac, le sujet Rastignac existe quand même :

> A défaut d'un amour pur et sacré, qui remplit la vie, cette soif du pouvoir peut devenir une belle chose; il suffit de dépouiller tout intérêt personnel et de se proposer la grandeur d'un pays pour objet. Mais l'étudiant n'était pas encore arrivé au point d'où l'homme peut contempler le cours de la vie et la juger. Jusqu'alors il n'avait même pas complètement secoué le charme des

> fraîches et suaves idées qui enveloppent comme d'un feuillage la jeunesse des enfants élevés en province. Il avait continuellement hésité à franchir le Rubicon parisien. Malgré ses ardentes curiosités, il avait toujours conservé quelques arrière-pensées de la vie heureuse que mène le vrai gentilhomme dans son château. Néanmoins ses derniers scrupules avaient disparu la veille, quand il s'était vu dans son appartement. En jouissant des avantages matériels de la fortune, comme il jouissait depuis longtemps des avantages moraux que donne la naissance, il avait dépouillé sa peau d'homme de province, et s'était doucement établi dans une position d'où il découvrait un bel avenir. Aussi, en attendant Delphine, mollement assis dans ce joli boudoir qui devenait un peu le sien, se voyait-il si loin du Rastignac venu l'année dernière à Paris, qu'en le lorgnant par un effet d'optique morale, il se demandait s'il se ressemblait en ce moment à lui-même. (245-246)

Mais alors que l'on s'imagine (Delphine est au bain, Rastignac l'attend, elle arrive, elle est belle, elle l'embrasse et le remercie pour l'invitation) que le roman d'amour va se dénouer, le voici qui recule. Tout d'abord ce n'est pas par amour ni par désir que Delphine se jette dans les bras de Rastignac, c'est dans « un délire de satisfaction vaniteuse » (246). Ensuite il est question de bien des choses : la catastrophe proche de Mme de Beauséant, le scandale de Mme de Restaud sur le point d'éclater (on en parlait hier au cercle de Nucingen, et les bourgeois font des gorges chaudes des scandales qui éclaboussent l'aristocratie : autre image de division). Ainsi l'amour de Delphine et de Rastignac n'est pas présenté sur le fond d'un monde annulé, vidé, réduit par son triomphe même : Delphine pense que demain elle sera au bal, Anastasie aussi, mais bien ennuyée, chez cette grande dame sur le point de mordre la poussière, etc. C'est un double triomphe qui se prépare. Dès lors, Delphine est de bonne humeur et, bilan fait, elle peut conclure : « Mais laissons le monde, aujourd'hui je veux être toute heureuse » (247). Enfin. « Rastignac était encore à une heure du matin chez madame de Nucingen (247) ». Cette fois, il est homme et il peut se permettre certains mots : « Enfant, dit Eugène. — Ah ! c'est moi qui suis l'enfant ce soir, dit-elle en riant. »

Si Delphine prodigue à Rastignac « l'adieu des amants », et si cet adieu est « plein de joies à venir », ne s'agit-il pas des joies d'un couple? Mais Delphine ne songe-t-elle pas aux joies du bal chez Mme de Beauséant? Rastignac, lui, fait en s'en retournant, « ces jolis rêves que font tous les jeunes gens quand ils ont encore sur les lèvres le goût du bonheur » (248). Volupté? Mais n'est-ce pas aussi que Rastignac songe que le lendemain il va quitter la pension Vauquer? Il n'y a aucune amertume en lui, non plus que chez Delphine, comme c'est souvent le cas. C'est que *tous deux sont au-delà de ce qui vient de se passer et qui ne les enferme ni ne les constitue tout entiers.* Tous deux regardent en avant. Ceci dit, on apprendra, mais pas tout de suite, que cette nuit d'amour fut une réussite, ce qui l'intègre aisément à cette double réussite en train de se développer : l'entrée de Delphine dans le grand monde, l'installation de Rastignac dans le vrai Paris. On apprendra donc deux jours plus tard que la vie de Rastignac est complètement changée. Pourquoi : c'est que « la *femme y avait jeté ses désordres* » (277), ce qui fournit la preuve de ce que suggérait le texte depuis le début : Rastignac était vierge. Quelques lignes plus loin il sera dit que « infâme ou sublime, il aimait (II : adorait) cette femme », et II précisera : *« pour toutes les voluptés qu'il lui avait apportées en dot »* (277), ce qui va dans le même sens. Mais il y a plus, et le texte du manuscrit était terriblement précis : *« Elle était devenue amante comme M. Goriot était père »* (277-446). Delphine a donc pour la première fois de sa vie connu le plaisir physique. Balzac a supprimé cette phrase sur épreuves. Mais il a conservé la suite : « Rastignac et Delphine s'étaient rencontrés dans les conditions voulues pour éprouver l'un par l'autre les plus vives jouissances » (277). La précision est importante : aucun des deux ne s'est imposé à l'autre. Voilà un couple qui marche. Mais Balzac va beaucoup plus loin dans l'analyse. S'agit-il d'un miracle? D'une simple rencontre physiologique? Suivons Balzac dans la mise au net de son texte (277-446) :

1. leur passion bien préparée avait grandi par ce qui tue les passions, *par l'amour.* (I)

2. leur passion, bien préparée avait grandi par ce qui tue les passions, *par le désir.* (II)
3. leur passion bien préparée avait grandi par ce qui tue les passions, *par la jouissance.* (III)

Il lui a fallu huit ans pour trouver la formule définitive. Le sens des mots est clair : *bien préparée,* cette passion n'est pas née d'un miracle, ni d'un coup de foudre (c'est son aspect contrat, échange); *amour, désir, jouissance,* c'est l'épreuve du plaisir, si souvent fatale aux passions idéalistes. La version finale *(la jouissance)* donne tout son sens à celle du manuscrit *(l'amour),* l'intermédiaire de la *Revue de Paris* marquant soit un léger recul (le désir est moins que l'amour et la jouissance), soit une nuance intéressante (le désir introduit dans la passion un élément perturbateur). De toute façon, Balzac signale qu'on sort ici du roman convenu ou nécessaire : souvent les romanciers évitent à leurs héros amoureux l'épreuve de vérité qu'est l'amour physique *(la Princesse de Clèves, le Lys dans la vallée, l'Éducation sentimentale),* ou bien alors ils écrivent le terrible roman des liaisons qui se défont *(Adolphe, la Muse du Département).* Ici, Balzac affirme en somme que les miracles se préparent, que c'est la base marchande de cet amour et l'échange sur lequel il repose qui rend compte de la rencontre des corps. Le plaisir n'est ainsi ni miracle ni damnation, ni paradis ni enfer. Balzac *choisit* de faire ainsi s'engrener les choses. Son roman n'est pas un document clinique ou naturaliste : la jouissance commune couronnant l'échange et le marché redéfini comme une valeur d'usage, momentanément démédiatisée. La suite vérifie tout cela.

Voici ce qui a été ajouté dans II :

> Eugène s'aperçut que jusqu'alors il ne l'avait que désirée, il ne l'aima qu'au lendemain du bonheur : l'amour n'est peut-être que la reconnaissance du plaisir. (277)

Et voici l'explication :

> Infâme ou sublime, il adorait cette femme pour les voluptés qu'il lui avait apportées en dot, et pour toutes celles qu'il en avait reçues. (277)

Ce qui vérifie que la jouissance a bien été complète et partagée. Et voici l'indispensable précision, inutilement alourdie, il est vrai, de références culturelles :

> de même que Delphine aimait Rastignac autant que Tantale aurait aimé l'ange qui serait venu satisfaire sa faim, ou étancher la soif de son gosier desséché. (277)

Il s'est ainsi passé quelque chose d'important. *Deux êtres se sont rapprochés.* On notera que, au contraire de Stendhal, il semble bien que *dès la première fois* la réussite ait été totale. Delphine le dit d'ailleurs, et là elle est femme :

> Il n'est plus aujourd'hui qu'une seule crainte, un seul malheur pour moi, c'est de perdre l'amour qui m'a fait sentir le plaisir de vivre. En dehors de ce sentiment tout m'est indifférent, je n'aime plus rien au monde. Vous êtes tout pour moi. Si je sens le bonheur d'être riche, c'est pour mieux vous plaire. *Je suis à ma honte, plus amante que je ne suis fille.* Pourquoi? Je ne sais. Toute ma vie est en vous. *Mon père m'a donné un cœur, mais vous l'avez fait battre.* (267-268)

Rastignac demeure « saisi de tendresse par l'expression d'un sentiment vrai » (268), c'est-à-dire par le passage (le cœur donné par le père) d'un sentiment de fille, d'un sentiment élémentaire à un sentiment plus complet (un sentiment de femme enfin révélée à elle-même). La vie déborde les calculs sans les compromettre. Une dimension nouvelle des choses apparaît. Et il faut peser cette phrase assez étonnante ajoutée sur épreuves (on est au théâtre, dans la loge) :

> Elle sourit et s'arma contre le plaisir qu'elle éprouva, pour laisser la conversation dans les bornes imposées par les convenances. Elle n'avait jamais entendu les expressions vibrantes d'un amour jeune et sincère. Quelques mots de plus, elle ne se serait plus contenue.

L'amour pendant la mort du père

Puis, c'est la seconde nuit. Rastignac ne rentre pas à la pension, mais Delphine le quitte à deux heures (une heure plus tard que la première fois), « pour rentrer chez elle »

(269). Elle revient déjeuner avec lui et le retrouve l'après-midi. Bonheur complet, triomphant? Ce n'est pas si sûr. Car, avec les soucis de Rastignac du côté du père Goriot, Delphine tombe bien! Le manuscrit donne, en effet :

> Vers quatre heures, Rastignac pensa au père Goriot, en songeant au bonheur qu'il se promettait à venir demeurer dans cette maison. (269)

Mais dans II, Balzac a écrit :

> Vers quatre heures, *les deux amants pensèrent* au père Goriot, en songeant au bonheur qu'il se promettait à venir habiter dans cette maison. (269)

Ce qui, par le relais de la morale, souligne la profondeur de la communion sexuelle. Dans la version I, la pensée du père Goriot séparait Delphine de Rastignac. Delphine risquait-elle ainsi d'être simplement et moralement odieuse pour le lecteur et de donner une preuve inquiétante de ce qu'elle était bien « plus amante que fille » (268)? La raison semble autre et explique mieux la correction du récit : Rastignac et Delphine continuent à progresser *ensemble*. Ils pensent tous deux au pauvre homme, là-bas, dans son bouge. Va-t-on avoir une histoire « morale », les deux amants, tout neufs, courant, émerveillés de leur bonheur, au secours du père? Mais ici le décentrage, l'excentrage du roman se font à nouveau de manière brutale. Ce couple ne va pas refaire le monde. Goriot est frappé à mort. Et il va s'ensuivre de terribles conséquences : Delphine va l'abandonner, parce qu'il faut bien se préparer pour le bal. On ne l'aura quand même pas, ce triomphe de l'amour réconcilié avec la morale. L'amour, même partagé, est en porte-à-faux par rapport aux lois objectives du monde comme il va. Et la catastrophe d'Anastasie va encore plus enfoncer Goriot dans la solitude et dans la mort, et par là séparer Rastignac et Delphine. Dès lors, toute commune abolie, Rastignac appellera sa maîtresse « Madame! » (275), et il ne lui dira à nouveau « toi » que lorsqu'elle aura promis de ne plus quitter le chevet de son père. Preuve de plus que Rastignac, héros de roman, n'est pas seulement amant. Ce n'est pas tout : au bal Beauséant,

Rastignac, retenu par le malheur et la dignité de sa cousine, comme il l'est par celui du père Goriot, va d'abord hésiter à rejoindre Delphine et à jouer son rôle d'amant comblé, et c'est Mme de Beauséant elle-même qui, se méprenant sur la cause de sa mélancolie, va lui ordonner d'aller rejoindre publiquement Mme de Nucingen (281). On avait pu croire un moment que le roman se constituerait en roman d'amour et Rastignac en héros amoureux. Il n'en est rien. Il y a plus : l'amour semble même avoir quelque peu dégradé Rastignac, malgré ses bons mouvements. Lorsqu'il reproche à Delphine de penser au bal plus qu'à son père, il a d'abord une réaction semblable à celle qu'il avait eue après les propositions de Vautrin (« Monsieur! », 122; « Madame! », 275). Mais il bat vite en retraite. Il pense à sa famille, à la pureté, à la vertu, mais « il n'avait pas [I, « il ne sentit pas »] le courage de venir confesser la foi des âmes pures à Delphine, *en lui ordonnant la Vertu au nom de l'Amour* » (276). Balzac précise alors : « Déjà son éducation commencée avait porté ses fruits » (276). Rastignac se dit que le père Goriot n'est pas si malade, etc. Il apparaît comme *changé* par l'amour et non seulement, et poétiquement, *promu.* Suit alors le passage sur l'expérience, nouvelle pour lui, de la femme :

> Depuis deux jours, tout était changé dans sa vie. La femme y avait jeté ses désordres, elle avait fait pâlir la famille, elle avait tout confisqué à son profit. Rastignac et Delphine s'étaient rencontrés dans les conditions voulues pour éprouver l'un par l'autre les plus vives jouissances. Leur passion bien préparée avait grandi par ce qui tue les passions, par la jouissance. En possédant cette femme, Eugène s'aperçut que jusqu'alors il ne l'avait que désirée, et il ne l'aima qu'au lendemain du bonheur : l'amour n'est peut-être que la reconnaissance du plaisir. Infâme ou sublime, il adorait cette femme pour les voluptés qu'il lui avait apportées en dot, et pour toutes celles qu'il en avait reçues; de même que Delphine aimait Rastignac autant que Tantale aurait aimé l'ange qui serait venu satisfaire sa faim, ou étancher la soif de son gosier desséché. (277)

Rastignac réagit certes, et ramène la conversation sur

Goriot, alors que Delphine est en train de s'habiller. Il a, ajoute II, « l'accent de la fâcherie ». Il se satisfait toutefois d'une vague promesse d'aller voir le père après le bal. C'est clair et terrible : *Rastignac et Delphine ont bien fait l'amour, mais sur le cadavre du père.* On avait cru un moment que l'amour partagé, l'amour qui pouvait être « romantique », réintégrait tout et se réintégrait à tout. En fait il est impuissant, à lui seul, contre la loi du monde et les réalités objectives. C'est ce que dit en termes de structures romanesques le « hasard » qui fait que Goriot, dont l'état s'est aggravé, ne pourra être transporté dans la garçonnière dont on avait pu croire qu'elle serait celle de l'unité retrouvée. Dès lors, Rastignac ne redevient et ne peut redevenir héros qu'en cessant d'être amoureux et amant. Aussi, dans toute la fin du roman, Delphine s'éloigne-t-elle. Il n'est plus jamais question de désir, et Rastignac redevient le simple étudiant pauvre de ses débuts littéraires. De ses jouissances avec Delphine, il ne reste, semble-t-il, rien ou à peu près. Et Delphine, de son côté, danse, toute à sa joie d'être enfin dans un salon de la rue de Grenelle. Patience, toutefois. Goriot va mourir, et Rastignac va faire enfin son devoir. C'est le terrible « dénouement ». Dans le manuscrit on a simplement :

> « A nous deux, maintenant! », et il revint à pied rue d'Artois. (I)

C'est-à-dire simplement « chez lui ». *Il n'est pas question de Delphine.* Sur épreuves, on a :

> « A nous deux, maintenant! » Puis il revint à pied rue d'Artois et alla dîner chez madame de Nucingen [II; simple variante de style dans VII : « il revint à pied »].

Dans VIII [*Furne corrigé*] le texte prendra toute son ampleur :

> Et pour premier acte du défi qu'il lançait à la Société, Rastignac alla dîner chez Madame de Nucingen.(309)

Ne l'oublions pas : Rastignac n'a plus un sou. Après cette journée éprouvante, après cet enterrement, Rastignac aussi a faim. Pourquoi pas? Il faut bien dès lors que quelqu'un e nourrisse. Mais l'idée est cette fois plus forte qu'au premier retour de chez Mme de Beauséant, et il s'agit de bien plus que de manger. Laissons de côté l'ampleur enfin conquise du style après plus de quinze ans. Rastignac ne passe plus rue d'Artois, chez lui, ou la rue d'Artois n'est-elle plus déjà que du passé? Mais il va rue Saint-Lazare. Or, là il n'y aura pas seulement Delphine. Il y aura ce mari, qui accepte que Delphine « soit la femme d'Eugène », comme avait dit Goriot, pourvu qu'il conserve le gouvernement de sa fortune. Des invités? C'est peu probable, vu le deuil. On ne reçoit personne, mais on imagine assez bien Rastignac arrivant au milieu d'une brillante assemblée et regardant Delphine, cet autre lui-même, dans les yeux... Ce n'est pas chez Delphine, la femme et l'amante enfin conquise, que se rend Rastignac; ce n'est pas chez l'héroïne de roman, que se rend Rastignac. C'est *chez Mme de Nucingen,* la femme du banquier, qui ne peut plus rien lui refuser, dont le mari va l'aider à faire sa fortune, et qui est son associée. La lune de miel est finie. Rastignac ne sera pas piégé par l'amour romantique. Il ne rêvera pas plus qu'il ne fera rêver. Les beaux ténébreux, bannis ou triomphants, sont finis. Rastignac signe un roman qui est celui non de la complaisance à ses propres profondeurs, mais de l'engagement dans l'Histoire.

Un nouveau héros, un nouveau roman

Le roman courtois ou para-courtois *(Le Lys dans la vallée),* dans certains aspects, avant que Mme de Mortsauf n'entreprenne de se transformer en mini-Vautrin, se définit comme négation ou refus du réel. Il affirme certaines valeurs de l'amour et de l'idéal, comme si la société et ses lois n'existaient pas. Il leur oppose, parfois de façon naïve, un contre-monde, une contre-vie, un envers totalisant qui, fût-ce par flashes, par images fragiles ou symboles, dit une exigence de totale inversion des pratiques mondaines. Il lui faut en conséquence la campagne, les paysages, le décor de la terre et ses mythes. Mme de Mortsauf, après Julie, préside aux vendanges, comme une nouvelle Cybèle, amante-mère. Le rythme du roman-poème est celui des saisons (Félix revient périodiquement à Clochegourde) et les fleurs y jouent leur rôle. Le roman courtois ou para-courtois suppose les champs, ou la mer, le ciel et l'eau courante, les éléments fondamentaux. *L'enclave* et ce qui ne dépend pas de l'Histoire. Mais l'histoire de Rastignac se déroule dans Paris ruisseaux, boues, ciel noir, brouillard, murailles, plâtres salons. L'argent s'y nomme par son nom, et l'on compte Le rythme n'est plus celui des sociétés agraires et cycliques, mais celui des sociétés « industrielles », nécessairement dialectiques, non en leurs mythologies mais en leurs entreprises. La mère et son image, dès lors, n'y jouent plus aucun rôle, et Rastignac ne fera jamais venir la sienne à Paris. Il ne lui reste lié que le temps de lui demander de l'argent pour passer à autre chose. Étape dépassée. Mais aussi, dans cet univers « industriel », il n'y a plus vraiment de ces conflits de l'adultéation et de la sexuation; il n'y a plus de ces rapports castrateurs qui définissent les relations hommes-femmes, c'est-à-dire frère-sœurs, fils-mères. Rastignac devenant l'amant de Delphine ne viole ni mère ni sœur, ne rompt en lui-même le moindre charme ou ne brise le moindre tabou. C'est que pour lui Delphine, figure d'entreprise et d'association, ne renvoie jamais aux images primitives et aux langes. Delphine est tout autre chose que sa banale gourgandine de sœur. Elle est, souvent, une égale, une partenaire. Et qu'on le veuille ou non, elle parle pour une femme nouvelle, émancipée, bien différente de ce qu'essaiera d'être, mais trop tard pour échapper à son premier statut d'idole et donc d'objet, Mme de Mortsauf (Victorine aurait pu, dans l'un des développements possibles mais abandonnés du roman, jouer ce rôle d'héroïne d'un roman d'amour). Les dandies ne voyaient, eux aussi, dans les femmes (*cf.* les commentaires de Ronquerolles sur Mme de Restaud au premier bal Beauséant, avec ses métaphores hippiques) qu'animaux et objets. Les métaphores animales (l'animal de race), réificatrices, introduisaient cependant une certaine idée d'estime par l'intermédiaire du regard connaisseur et quasi sportif. Où était la passion, avec ses pièges, dans le regard dandy? Une hypocrisie prenait fin. Et c'est bien un peu le sens de l'histoire de Rastignac. Idole, la femme est piège, et l'on est soi-même dans le piège (Félix de Vandenesse ne s'en tirera que par les carrières). Elle est adorée comme être à la fois supérieur et inférieur, l'un et l'autre élément définissant les deux extrêmes l'un à l'autre nécessaires d'une vision mystificatrice de la réalité, donc entre autres de la femme. Toute la trame qui vient d'être retrouvée et tracée de Rastignac, héros non de l'amour fou, mais de l'amour-contrat et de l'amour-échange, de l'amour qui cesse, comme il peut, d'être piège, va dans ce sens. Il n'y a pas que du cynisme dans le défi final de Rastignac. La mort du Père n'est pas absolument la mort de Dieu, la mort du sens du monde. C'est la mort, finalement, d'un certain type de rapports sociaux dépassés. Simplement, la virilité de Rastignac, dévirginisé sans drame (à la différence du René de Chateaubriand), ne le traumatise pas et ne réduit pas la femme en objet. Est-ce absolument pour rien que Delphine, épouse d'un capitaliste peu ragoûtant, puis maîtresse humiliée d'un libertin voyeur, est aussi donnée à lire et à comprendre comme une jeune fille qui se retrouve et qui se donne? Delphine de Nucingen, femme avisée et pensionnaire amoureuse : la liberté est ce qu'elle peut, le maximum qu'elle peut, à l'intérieur de rapports sociaux qui à la fois la rendent possible et la limitent en ses accomplissements. On est quand même sorti de l'immobile et impuissante poésie. *Le Père Goriot* n'est pas l'histoire d'un héros de l'amour. Dès lors se retrouve la question initiale : à défaut du héros, quel est le sujet du roman?

L'argent donne tout, même des filles.

Goriot à Rastignac

4

Paléo-roman ou nouveau roman?

A ce point venu, les significations renvoient nécessairement aux structures, déjà signifiantes au niveau de l'analyse et du démontage, mais que l'on peut désormais mieux lire, et qui révèlent l'existence de modes d'abord mal perçus d'organisation.

Une scène à nouveau pleine

La forme classique supérieure, et qui correspondrait à une certaine structure du public, à un certain mode de vie sociale, la forme *théâtrale,* était passée d'une forme positive à une forme négative. Dans la première, le théâtre, empli de personnages et d'événements, voyait se nouer et se dénouer une crise qui résultait soit d'un malentendu que la raison pouvait corriger (la comédie moliéresque des aberrants), soit d'une insuffisance de conscience de soi et du monde qui, faisant place par efforts et par degrés à une conscience supérieure, établissait ou rétablissait le règne de la raison (la tragédie cornélienne); à la fin, le théâtre se remplissait de tous les personnages, morts ou vivants, qui constituaient un groupe-exemple, et proclamaient une leçon qui était une conquête. Dans la seconde, le théâtre, lieu de fuites et fait pour être désert, parcouru de personnages qui s'évitaient ou ne réussissaient pas à se rencontrer, finissait par se vider, chacun s'en allant finalement de son côté vers la solitude *(le Misanthrope* ou *Bérénice).* La première forme, imprégnée de conscience humaniste, laïque ou moliniste, disait un monde qui se faisait ou pouvait se faire, proclamait les valeurs positives et constructives d'un univers appartenant à l'homme. La pièce se terminait en distribution de prix et l'avenir s'ouvrait, soit que l'on mariât les amoureux un moment séparés (par un aberrant externe ou par un dépit amoureux interne), soit que l'Empereur, le Roi, le Héros, s'assignât à lui-même et se vît assigné par l'Histoire une mission, un droit, une carrière inscrite dans un temporel qui n'avait nul besoin de la transcendance pour être plein, pour être le monde entier, le domaine de l'homme. La seconde forme, imprégnée de conscience critique, religieuse (même dans un cadre laïcisé, la religion n'étant pas tant ici un credo qu'un moyen critique), janséniste (avec les connections et connotations du côté des autres oppositions vaincues : la Fronde, Fouquet), disait un monde qui se défaisait et ne pouvait que se défaire, les amants étant à jamais séparés, les empereurs, les rois, les héros, soit s'abîmant dans la mort, soit continuant à régner comme de vaines apparences (Titus, Thésée), à jamais condamnés à vivre de souvenirs et de regrets, coupés de tout avenir historique ayant un sens, tout n'étant qu'illusion et simulacre, et seuls la conscience douloureuse de soi, le langage et la poésie remplissant, comme ils le pouvaient, la tragédie du silence. Les grandes mutations intervenues dans l'histoire française, l'impuissance du héros et de l'individu, l'État devenant fatalité, l'Histoire n'étant plus que machine à broyer ou à délaver l'amour, la gloire, l'orgueil, du théâtre de la rencontre on était passé à un théâtre de l'esquive, à un théâtre qui se niait lui-même en tant que théâtre, puisque d'un message de l'accomplissement dans l'entreprise et dans l'action on passait à un message de la pure conscience désarmée et du pur langage. Dans un même mouvement, la pièce s'allègeait en événements, commençait, à la limite, alors que tout était déjà joué ou décidé et qu'il n'y avait plus qu'à le dire, et l'auteur s'enorgueillissait de faire quelque chose de rien. La tragédie ne pouvait désormais se perpétuer que par l'artifice, la comédie par la simple satire ou par l'expression d'une morale rassurante et mettant hors littérature, c'est-à-dire hors conscience et hors pratique, les problèmes réels. Le drame essayait une nouvelle forme de théâtre, chargée de personnages, d'événements, de problèmes, recourait à une humanité moins stylisée, c'est-à-dire moins pauvre.

Or que se passe-t-il dans *le Père Goriot?* Au début l'espace littéraire est plein : les pensionnaires (de tout rang et de tout intérêt), les grandes dames, le vaste monde parisien et en arrière-plan la France entière, avec son histoire proche et en cours, histoire relancée par la révolution bourgeoise et par la libération libérale des énergies. Les intrigues sont complexes, parallèles, entrecroisées. Il n'y a ni unité de lieu, ni unité de temps, ni unité d'action. Jean Gaudon a bien vu que le roman fonctionne d'abord en quelques journées, pleines et serrées, mais aussi qu'il y a des blancs, des périodes indéterminées, des espaces de temps où il doit bien se passer quelque chose, mais sans que l'on puisse dire quoi. Les déplacements de Rastignac, les scènes multiples qui se jouent en divers endroits de Paris, l'impossibilité pratique de dire quel est le héros et le sujet du « drame », tout signifie ici pour un éclatement non pas de destruction mais de saisie plus large du monde, la tragédie de Mme de Beauséant n'étant qu'un point dans l'immense tableau de la tragédie prosaïque et parisienne moderne. Dans cette multiplicité, un axe et une unité se dessinent : Rastignac et son aventure, ses découvertes et son entreprise naissante. Tour à tour ou successivement, Goriot, Bianchon, Vautrin avec ce qu'ils représentent, semblent pouvoir infléchir l'axe Rastignac, mais il ne s'agit que d'infléchissements passagers, de suggestions relatives à un possible toujours plus pauvre et moins efficace. Peu à peu Rastignac tend à emplir la scène du monde à lui seul, et alors que se vide la pension (départ de Vautrin, de Poiret, de Michonneau, de Goriot, puis de Rastignac lui-même), où Mme Vauquer reste seule « comme Marius sur les ruines de Carthage » (240), la scène romanesque, à laquelle il est bien impossible d'assigner un lieu clos quelconque, le monde étant non en état mais en devenir, s'emplit de l'individu triomphant, forme et sens à lui seul de toute une nouvelle Histoire qui va se faire et s'inscrire. Il n'y a plus de groupe-exemple, la loi du monde étant désormais la seule loi de l'individu. Le théâtre se vide des collectivités illusoires, alors que la bande continue à se profiler, avec ses exigences, à l'horizon. Vidé de ses individus exemplaires et des groupes auxquels ils étaient liés, le théâtre, un temps, n'avait plus servi à rien : interlude entre le temps d'une humanité consciente, mais pour rien, et bloquée, où il était normal que nulle perspective n'apparaisse autre que celle du langage, et celui d'une humanité « nouvelle », avec un langage, non plus sujet mais instrument, un style et des moyens eux-mêmes nouveaux. Le remplissage de la scène par un héros, qui est à lui seul tout un monde, débloque (littérairement et idéologiquement parlant) non seulement l'art et la littérature, mais la conscience. A la fin des premières nouvelles de Balzac, il arrivait que la scène se vidât : mort d'Augustine Guillaume, mort de Raphaël, destin sans avenir de la femme de trente ans. Seules se devinaient, derrière les figures qui s'en allaient, des structures et des institutions, mais sans rayonnement. Avec *le Père Goriot* une étape est franchie : il y a bien mort d'un personnage, mais il y a naissance quand même, et pourvu qu'on fasse détour par le sujet, d'un héros.

Que ce héros soit impur est d'importance seconde au niveau de cette instance de la conscience qu'est la littérature : l'Histoire est à nouveau pleine, comme elle peut, mais sans qu'on puisse (et de quel droit?) le lui reprocher. Toute littérature, finalement, malgré les apparences, plus que des héros (avec leur « psychologie ») a toujours des sujets (problèmes des relations hommes-hommes et homme-nature ou homme-monde), le héros n'étant finalement isolé ou privilégié que par des lectures qui y ont intérêt, ou dans des perspectives de pure protestation, de pure (et inefficace ou irresponsable) affirmation. La sortie de scène du groupe-exemple comme la fin de certains héros correspond à une relève des problèmes et des consciences. Le nouveau plein littéraire (qui suppose le détail, et pas seulement la fresque ou la vision) manifeste, par exemple dans *le Père Goriot,* un nouveau plein historique, avec les contradictions qui définissent sa force même d'expansion. Formellement, ce nouveau plein littéraire a pour conséquence la promotion d'un héros nouveau qui vient occuper l'espace mais, on l'a vu, d'une manière assez particulière : sans jamais pouvoir faire rêver. Une communauté ne succède pas à une autre, mais un personnage — « humain » mais surtout scientifique —

lieu à lui seul de toutes les contradictions qui poussent en avant le monde, alors même qu'elles le retiennent et le forcent à prendre mesure et conscience de soi. Le héros qui vient emplir la scène dans *le Père Goriot* se constitue et fonctionne selon un mode nouveau de conscience et de pratique, elle-même toujours génératrice de conscience, et *qui est le vrai sujet du livre.* L'important, ici encore et une fois de plus, est de savoir lire, d'accepter de lire et d'apprendre, aux autres et à soi-même, à lire.

Le silence

Mais la lectrice à la blanche main? On n'entend plus parler d'elle. Qu'est-elle devenue? Rêvons de ce texte, quoi qu'en dise Barthes, scriptible, et pas seulement « empoissé » et « lisible ».

On est dans les salons de l'hôtel Nucingen. Des figures passent, des mystères. Qui est exactement ce monsieur de Rastignac qui semble, dans la famille, jouir d'un pouvoir étrange? Pourquoi regarde-t-il ainsi la maîtresse de maison? Pourquoi le maître de maison file-t-il doux devant lui? De quel secret est-il porteur? Et quelle est l'origine de son pouvoir? Pourquoi la sœur de madame Nucingen, la belle madame de Restaud, n'est-elle pas là? Pourquoi dans cette brillante soirée, cette impression de gêne? Et pourquoi monsieur de Rastignac paraît-il aussi songeur? Mais pourquoi aussi est-il si sûr de lui? Un homme est là, qui sait, et qui va raconter cette histoire à une femme curieuse, une parisienne qui ne voit que le décor de la fête (jadis Goriot a dû traverser ces salons comme le vieux de *Sarrasine,* castré lui aussi, annulé). Et c'est le pacte. Le narrateur doit revenir loin en arrière. Il raconte une « situation épouvantable », la pension Vauquer et ses mystères, l'entrée dans le monde d'un jeune homme, ses rencontres, d'autres mystères — mais plus clairs ceux-là, pour la destinatrice — du monde parisien; la maîtresse de maison avait un père secret, à qui (ainsi que son mari) elle devait son argent, un affreux homme qu'on avait caché dans un bouge, et qui vient de mourir. Monsieur de Rastignac était à l'enterrement. C'est lui qui, avec un autre pauvre étudiant, a assisté seul le père dans ses derniers moments. Maintenant tout est fini. Monsieur de Rastignac avait faim. Monsieur de Rastignac avait ouvert les yeux sur le monde. Alors Monsieur de Rastignac est venu dîner chez Mme de Nucingen. Celle qui écoute — celle qui lit — ne répond pas. La lectrice reste pensive.

Ce silence final de la destinatrice ne tient pas qu'à l'insuffisance de la mise en scène et de la fiction narrative initiale. Il n'y a pas eu de « Mettez-vous là, je vais vous raconter une situation épouvantable ». Mais il y a eu contrat avec la *Revue de Paris,* et pas seulement avec son directeur qui, de toute façon, ne comprend rien. Le narrateur a tenu sa promesse. Il a rendu clair ce qui ne l'était pas. Désormais on comprend tout : M. de Rastignac fera ce qu'il voudra dans la maison Nucingen; il sera l'amant de Madame et fera des affaires avec son mari. Plus tard il épousera la fille. Ses sœurs seront mariées. Son frère sera évêque. Lui sera deux fois ministre. Mais le narrateur (qui a pris, avec quelles raisons, on le voit maintenant, la place du jeune homme pour narrer sa propre histoire), quel pacte exactement avait-il passé avec la destinatrice? *Non pas un pacte personnel, comme dans « Sarrasine » ou dans « Le Lys ». Il s'agissait d'un pacte intellectuel et de ce qu'il ne faut pas hésiter à appeler un pacte politique.* Et l'on comprend le sens : la lectrice reste pensive, et le dernier mot — avec le regard qui fouille — appartient au romancier. C'est que tout simplement le beau monde et la bourgeoisie n'ont rien à répondre (et d'abord) à la littérature.

BERGER-LEVRAULT, NANCY
Octobre 1972. — N° 778557. — Dépôt légal 1972-4e. — N° série Éditeur 834
IMPRIMÉ EN FRANCE *(Printed in France).* — 35010-A-1-78